CARMEN ALBORCH
# Solas

# CARMEN ALBORCH

# Solas

Gozos y
sombras de
una manera
de vivir

temas 'de hoy.

© Carmen Alborch Bataller, 1999
© EDICIONES TEMAS DE HOY, S. A. (T. H.), 2000
Paseo de Recoletos, 4. 28001 Madrid
Diseño de cubierta: Rudesindo de la Fuente
Ilustración de cubierta: Photonica
Fotografía de la autora: M. Molines
Trigesimosexta edición (rústica): junio del 2000
Primera edición (cartoné): noviembre del 2000
ISBN: 84-8460-072-6
Depósito legal: M-39.866-2000
Compuesto en J. A. Diseño Editorial, S. L.
Impreso y encuadernado en Artes Gráficas Huertas
Printed in Spain–Impreso en España

# Índice

*A mi querida madre,*
*a mi hermana Tita,*
*mujeres admirables*
*que saben de la soledad*
*y la generosidad.*

# Prólogo a esta edición

Si tuviera que resumir en un epígrafe este texto de presentación a esta edición especial de *Solas*, podría ser el siguiente: «Breve reflexión de una autora novel desconcertada y gratamente sorprendida.» Y también profundamente agradecida, entre otras cosas por las satisfacciones que me ha proporcionado escribir este libro y que llegara a cientos de miles de lectoras y lectores; una obra que, casi dos años después de su aparición, sigue requiriendo mi presencia en actos dentro y fuera de España. Aún no han transcurrido muchas semanas desde la presentación de las ediciones correspondientes a Portugal e Italia, las dos primeras traducciones de otras que vendrán próximamente.

Con estas líneas no trato de presentar una edición revisada o enriquecida, aunque el asunto de la soledad de las mujeres sea una cuestión inagotable que quizá en un futuro decida ampliar, profundizar y continuar en un segundo libro, sino tan sólo de elaborar un texto explicativo en el que deseo hacer constar mi agradecimiento a tantas personas por el afecto y el calor que he recibido, por haberme dado la posibilidad de ampliar mi universo personal, intelectual y afectivo.

Desde aquella primera, emocionada y emocionante, presentación del libro en Vigo, en un aula universitaria repleta de gente, hasta la comparecencia en Milán hace escasas semanas, todo ha sido para mí un itinerario de satisfacciones. Desde la presentación «oficial» en Madrid, tan bien acompañada de mujeres importantes como Iciar Bollaín, Ana María Matute y Amelia Valcárcel, hasta el gratificante recorrido por infinidad

I

de ciudades españolas, por todas o casi todas las comunidades autónomas, con presentadoras y presentadores de relieve intelectual, político o artístico, todo ha sido, como he dicho, un cúmulo de actos y encuentros gozosos. A todos ellos, por tanto, quiero desde aquí expresarles mi agradecimiento y mi afecto. Y, especialmente, a los medios de comunicación, que casi sin excepción han acogido el libro con la más generosa y elogiosa de las actitudes, y que tanto han tenido que ver en el hecho de convertir *Solas* en tan inusual éxito editorial.

Probablemente, para autores con más experiencia en la publicación de sus libros, habituados al éxito, a las listas de ventas y a los escaparates de las librerías, acaso el ocupar durante muchos meses los primeros puestos de las listas de los más vendidos no haya supuesto tan intenso bagaje de vivencias inéditas como en mi caso, el de una autora primeriza cuyas anteriores incursiones editoriales lo fueron en el ámbito estrictamente académico, el de mi carrera de Derecho Mercantil.

El inesperado éxito de este libro me ha permitido también otras aproximaciones: entrar en contacto con numerosos colectivos de mujeres, profundizar en el conocimiento de la amistad, la solidaridad, la fuerza, la esperanza, la paciencia, el esfuerzo, la alegría, la soledad y la desesperanza de tantas mujeres, de tantas personas que se han acercado a mí para compartir conmigo, brevemente, sus historias.

La soledad es un fenómeno tan universal, tan amplio, que va más allá de sexos y estados civiles. El fenómeno, en sus infinitas variantes, se extiende imparablemente: crece el número de mujeres separadas, divorciadas y solteras, y la gran mayoría de las familias monoparentales están encabezadas por una mujer, por lo que acaso habría que llamarlas «monomarentales».

Pero también la soledad es un derecho, que se relaciona con otros conceptos como singularidad, autonomía, diversidad o libertad individual. Desde este punto de vista, nunca mi intención ha sido la de promover el «modelo» de mujer sola, sino recabar respeto, comprensión o ayuda para aquellas que padecen la soledad, la sufren o les es impuesta. Y respeto también para las que deciden no ser la mitad de una pareja, reclaman el derecho a vivirla y hasta a disfrutarla. La soledad puede ser un

II

estado del espíritu de gozo y disfrute, como es la que requiere todo acto de reflexión intelectual o creación artística. Solas pero no desoladas. Parece claro que una persona puede querer aislarse, estar sola momentáneamente o vivir sola, pero difícilmente puede desear sentirse sola. La soledad es, sin duda, un problema individual, pero también está incardinado en un mundo esencialmente injusto en el que las desigualdades agravan las angustiosas derivaciones de la soledad.

Vivimos en un momento en el que cada vez somos más mujeres las que pensamos que no tenemos que pedir perdón ni pedir permiso por desobedecer o incumplir el mandato de ser exclusiva y ejemplarmente madre-esposa; cada vez más mujeres dejamos de asumir los estereotipos asignados y, junto a formas y actitudes conscientes de confrontación (con muchas contradicciones, miserias, momentos sublimes y conflictos), vamos transformando nuestras vidas y la de las personas que nos rodean. El orden o desorden de este mundo también va cambiando por las acciones numerosísimas de mujeres que, anónimamente, transgreden el orden o el desorden establecido.

Cuestión relacionada, pero distinta, es la autonomía personal, no exclusivamente vinculada a la independencia económica ni al estado civil. La autonomía significa o es un aprendizaje permanente. Vamos aprendiendo a identificar nuestros deseos, vencer el miedo a la libertad, dejarnos atrapar por la culpabilidad, asumir nuestras responsabilidades y, sobre todo, nuestra propia vida. O al menos intentarlo. No permitirnos ser víctimas del desprecio, de la invasión, del chantaje emocional o de las distintas formas de violencia. ¿Cuántas veces nos sentimos atrapadas, impotentes, incapaces de hablar, de manifestar nuestras emociones, el dolor inmenso, la humillación? Sin duda esto también tiene mucho que ver con la soledad.

Por eso es importante que tengamos cada vez más recursos vitales. Sabemos también que, aunque la libertad se reconozca y se consagre como un bien esencial, a veces no puede ejercitarse sin una base material imprescindible. Pero éste no es sólo un intento individual, privado, personal; es también público y político.

Me hubiera gustado tratar con más detenimiento algunos temas, como los múltiples colores de la soledad, pero el libro lo escribí desde mi lugar, mi espacio, mi mundo, mis compromisos y mis limitaciones. Si observamos a nuestro alrededor, en este mundo tan complejo se generan relaciones y formas de convivencia diversas y también soledades distintas, incluidas la soledad de las nuevas compañías y los consuelos cibernéticos o internáuticos. Soledad de las mujeres invadidas, abandonadas, de las mujeres que viven conflictos armados, de las «sin techo», de las jóvenes inmigrantes —nuevo perfil de las excluidas—, de las viudas con escasísimos recursos económicos; soledad producto de la incomprensión, de la intolerancia, de la violencia, de las invisibles, de las múltiplemente oprimidas, de las agredidas, de las víctimas de los crímenes de honor o de los casamientos forzados, de las prostitutas, de las encerradas y perseguidas, de las refugiadas, de las vanguardistas, de las amas de casa...

Sin duda, el lema feminista *Lo personal es político* sigue teniendo vigencia, de manera que si, como afirma la ONU, ser mujer en el año 2000 es un factor de riesgo, cada vez nos «enredamos» más para ser eficaz y globalmente solidarias con las mujeres que nos precedieron y con las que nos sucederán, porque entre otras razones no queremos una singularidad excepcional.

Según el último informe de las Naciones Unidas sobre el estado de la población mundial, las personas desplazadas de sus viviendas como resultados de conflictos civiles, guerras o desastres naturales suelen ser vulnerables a los riesgos de salud reproductiva y de carecer de acceso regular a los servicios y la información... En estas situaciones, muchas mujeres se encuentran como jefas de familia o solas sin protección familiar, con lo que aumenta su vulnerabilidad a la explotación sexual y los peligros concomitantes.

En los países, en las culturas en las que se acepta que el patriarcado es la única estructura familiar aceptable, los hombres y las mujeres quedan atrapados en pautas de relaciones y dependencias que pueden frustrar a ambos: una mujer que no tiene esposo tal vez no tenga ningún prestigio social y tal vez tropiece con dificultades incluso para encontrar medios de subsistencia. La ignorancia de las alternativas y el temor a lo desconocido refuerzan los comportamientos y las actitudes tradicionales, y dificultan los cambios.

En el mundo, el número de mujeres mayores de 60 años es superior al de hombres. La viudez es más común entre mujeres, como es sabido, y hay menos posibilidades para ellas que para los hombres de volver a contraer matrimonio. En algunos países en desarrollo, la proporción de ancianas que viven solas se aproxima a la existente en los países industrializados. Por ejemplo, en África septentrional, el 79 por ciento de las mujeres mayores de 60 años son viudas. Así pues, invierten mucho más en el cuidado de los demás y reciben menos apoyo de sus familias (hay una suposición implícita de que no merecen este apoyo). También tienen muchas más probabilidades de ser pobres.

Cuando escribí *Solas*, mi principal intención consistía en que resultara un libro útil, al que pudieran tener acceso muchas personas, especialmente mujeres, aunque también fuera dirigido al público masculino. La soledad, a fin de cuentas, nos afecta a todos desde la cuna a la sepultura, aunque sus efectos puedan ser distintos. Por los numerosos testimonios recibidos a lo largo de estos meses, creo que ese objetivo ha sido alcanzado, por lo que, como autora, me siento razonablemente satisfecha.

La gran difusión de la obra y el contacto posterior con numerosos lectoras y lectores me han hecho descubrir aspectos que casi convierten *Solas* en un libro interactivo, ya que no sólo recoge emociones compartidas, dudas, problemas, rebeldías y claudicaciones —quizás porque siempre han estado ahí, alimentando la silenciosa frustración de tantas mujeres, de tantas parejas—, el «eso me ha pasado a mí», sino también porque, como lúcidamente me explicó una de mis lectoras más entusiasmadas, «polemizo y discuto con él, subrayando párrafos, líneas, argumentos, y debatiéndolos conmigo misma». Sin duda, esto se produce porque todo ese basamento de angustias, soledades, frustraciones y alegrías ya existía, y el mérito que corresponde a su autora, si es que tiene alguno, es el de haberlo puesto negro sobre blanco.

Así lo he plasmado en este libro, por haberlo entendido así. Aunque sé que los problemas colectivos no se arreglarán si no empezamos por resolver antes los de uno mismo. Cada cual tiene derecho a construirse su propia utopía. La mía, que creo compartida por una inmensa mayoría de mujeres, es llegar a ser ciudadanas de un mundo en el que mujeres y hombres disfrutemos de las riquezas de la tierra, eliminemos de ella la violencia, podamos elegir también la soledad creativa, la compañía mutua, el placer y el amor. Somos producto de nuestras relaciones con los demás y, como seres humanos, necesitamos de otras personas para desenvolvernos y realizarnos. Ante este punto, he de cerrar mi breve y desconcertada reflexión dejando constancia de una fuerte paradoja, la que se deriva de un libro que analiza y habla de la soledad de las mujeres y que, en cambio, me ha permitido comprobar, una vez más, hasta qué punto estoy acompañada de tantas y tantos buenos amigos, de tal cadena de afectos. Éste, acaso, haya sido para mí uno de los mejores momentos de la experiencia de *Solas*.

Para finalizar, deseo dar las gracias de nuevo a la editorial, a mi familia, a mis amigas y amigos por los apoyos recibidos, a los lectores y lectoras, y también a usted, que me dispensa su atención y su tiempo al compartir conmigo esta reflexión inacabada. Gracias.

# Vivir sola no es estar sola.
## Apuntes para una reflexión

Vivir sola no es lo mismo que estar sola, ni sentirse sola ni ser una persona solitaria. El libro que la lectora o el lector tiene ante sí versa sobre las múltiples formas y manifestaciones de la soledad y, esencialmente, en qué medida su presencia afecta específicamente a las mujeres.

En este punto creo necesario aclarar que quien esto escribe, mujer orgullosamente sola, se siente, en cambio, venturosa y cálidamente acompañada, y ni por asomo se considera una persona solitaria. En primer lugar, por la compañía y la presencia de una familia maravillosa que supone para mí un sostén esencial en mi vida, y por personas muy próximas que me quieren y aportan ese imprescindible apoyo afectivo sin el cual la existencia acaso no merecería demasiado la pena. En este sentido, pues, me considero una persona afortunada, por contar con esa cobertura de afectos con la que me siento espiritualmente colmada.

Sin embargo, más allá de mi propia peripecia personal, la soledad me ha atraído desde hace tiempo como asunto y objeto de estudio referido a las mujeres, especialmente a las de mi propia generación, algunas de las cuales acaso la hayan padecido de una forma más inclemente y rigurosa.

Pienso que las mujeres que podríamos llamar de la «cosecha del 68» hemos vivido inmersas en serias contradicciones derivadas de la educación y del momento histórico que nos tocó vivir.

La educación sentimental recibida era, obviamente, la que emanaba de la cultura dominante de la clase dominante. Es decir, la mujer como ser destinado al papel de esposa y madre, a veces adornada con un título universitario que sería sin duda de valiosa ayuda para la consecución de tal fin.

Pero, también, al margen de la cultura oficial, sabíamos de la insatisfacción y el sufrimiento de las mujeres, asistíamos como testigos a constantes pruebas de resignación y sumisión, escuchábamos sus quejas —como susurros—, sus propias frustraciones, a pesar de haber alcanzado el supuestamente envidiable estatus de mujer feliz y definitivamente casada.

La discriminación de las mujeres alcanzaba, en los años sesenta, las altas cotas por todos conocidas, y tal discriminación se prolongaba incluso en los ámbitos universitarios donde las carreras «para chicas» contrastaban con las «de los chicos».

La universidad que conocí, a pesar de todo, fue una privilegiada burbuja de libertad, que permitía lecturas, viajes y debates que ensanchaban nuestros horizontes intelectuales de una forma que le estaba vedada a muchos ciudadanos de a pie.

Fuimos primero «progresistas», feministas comprometidas después. Protagonizamos largas vindicaciones y luchas por el divorcio, la despenalización del aborto, el derecho a nuestro cuerpo, la independencia económica. Luchábamos por lo que creíamos justo.

Entonces aprendimos que la amistad entre mujeres podía ser un buen antídoto contra el asunto principal de este libro, el desamor y la soledad.

¿Cuántas de nosotras estamos hoy encuadradas en la categoría de mujeres solas? Y ¿por qué lo estamos las que lo estamos? Creo que mayoritariamente estamos solas porque no nos conformamos. Vivimos acompañadas mientras dura el amor, mientras se mantiene el deseo, mientras sentimos el placer de estar juntos y nos consideramos satisfactoriamente queridas, mientras perduran la complicidad y el respeto.

Desde esta perspectiva generacional brevísimamente esbozada, desde mis compromisos, mi vivencia y mi cultura, he escrito este libro, lo que no quiere decir que me haya circunscrito o limitado a mi experiencia personal. Me he apoyado en las investigaciones y los debates que han contribuido a conocer mejor la situación de las mujeres, lo que también me ha permitido constatar la buena salud del feminismo. He contrastado las opiniones de mujeres de otras generaciones y países, y me han interesado especialmente las experiencias de las jóvenes.

Porque formamos parte de la historia, no he querido eludir los aspectos históricos ni he podido evitar comenzar con una reflexión sobre la soledad.

En cualquier caso, no he pretendido realizar una investigación académica, sino una reflexión que pudiera llegar al mayor número posible de mujeres y por ello he descartado las formas más o menos habituales, más o menos académicas, de utilización de citas.

Espero que la lectora o el lector que acuda a estas páginas pueda recoger de mi esfuerzo —apasionante, por otra parte— algo que le resulte de utilidad. Con ello me daría por satisfecha y habría merecido la pena escribir este libro.

Finalmente, en el capítulo de agradecimientos quiero mencionar en primer lugar a mi familia, de la que siempre he recibido apoyo y estímulo. A mis amigos, que han seguido con interés, comprensión y paciencia la elaboración de este trabajo, a José Luis Gutiérrez, Carlos Ortega, Toni Picazo, Paca Conesa, Consuelo Catalá, Antonio Losada, a mis compañeras del Congreso Rosa Conde, Amparo Rubiales, Cristina Alberdi y Ángeles Amador, y a Laia Frías por su ayuda. Mi especial gratitud merecen la historiadora Isabel Morant, que me asesoró y animó desde el principio, y Charo Álvarez, hada buena, que me inició en el intrincado mundo de la informática.

A todas aquellas personas que directa o indirectamente han contribuido a que el trayecto resultara más llevadero. Y, por supuesto, a la editorial Temas de Hoy.

# Soledad y soledades

Sobre la soledad han escrito grandes figuras de la literatura y el pensamiento, desde Aristóteles a Joseph Conrad; Jack London, Herman Hesse, T. S. Eliot, Sigmund Freud, Thomas Wolfe, James Joyce, Kant, Descartes, Frank Kafka, Tennessee Williams, Hegel... Friedrich Nietzsche fue acaso su más obsesivo y relevante filósofo, y quizás también una de sus más desquiciadas víctimas, por padecerla en una de sus derivaciones psicopáticas. También la sufrieron Guy de Maupassant, Tolstoi, Dostoievski, Wittgenstein, Cervantes, Strindberg o Simone Weil, para quien la soledad absoluta significaba la posesión de la verdad del mundo.

La esencia de la soledad se exterioriza o hace patente de infinitas formas, y éstas se manifiestan con gran intensidad. Su sustancia la convierte en omnipresente objeto de atención y estudio de médicos, filósofos, sociólogos, psicólogos, psicoanalistas, teólogos, predicadores o confesores, científicos sociales, antropólogos, pedagogos, maestros y educadores, demógrafos, legisladores o políticos, novelistas, pintores, músicos, ensayistas o poetas, incluso policías o detectives, acaso porque, desde siempre, ha estado presente en el origen de la más insondable angustia de la persona, en sus más hondos y negros instantes de desesperación, en las motivaciones de los crímenes más abyectos, monstruosos e inexplicables. Y también en los momentos en los que el ser humano ha alcanzado las más sublimes cumbres en la creación de belleza, en el hallazgo del arte, en el mágico relámpago, en la suprema emoción que sólo suscita el más alto y sublime goce estético. La soledad no es un virus ni una enfermedad del alma, en la medida en que todos, en mayor o menor grado, la hemos sentido, sufrido o acaso disfrutado.

## PERO, ¿QUÉ ES LA SOLEDAD?

¿Qué es, por tanto, la soledad, la solitud, que acredita tal presencia en la vida, el alma y el espíritu de los hombres, que los acompaña «desde la cuna hasta la sepultura y quizás incluso más allá», como dejara escrito Conrad? ¿O acaso, como intuyó Wolfe, la esencia de la tragedia no recae tanto en el conflicto o la confrontación entre contrarios, sino en el enfrentamiento del ser humano con su propia soledad?

La soledad es, antes que un concepto, un estado de ánimo, un sentimiento, además de una circunstancia personal determinada. Posee dos características fundamentales: la incomunicación —voluntaria o involuntaria, física o psicológica— y la perdurabilidad, que conduce a la ansiedad dolorosa de alguien que reclama infructuosamente el auxilio de quien alivie su sufrimiento.

Veamos, como ejemplo, unos inquietantes, hermosos y espeluznantes versos:

*¿Qué veis, enfermeras, qué veis?*
*Pensáis cuando me estáis mirando:*
*una anciana decrépita y obtusa*
*con los ojos perdidos*
*que toma su comida y nunca responde.*
*Cuando alzáis la voz diciéndome: me gustaría que lo intentaras...*
*Os diré quién soy, mientras permanezco aquí sentada, inmóvil,*
*mientras me levanto siguiendo vuestro mandato y como, según vuestro deseo.*
*Soy una niña de diez años, con papá y mamá,*
*hermanos y hermanas que se quieren los unos a los otros.*
*Pronto una novia de veinte años, cuando mi corazón dio un salto*
*recordando las promesas que juré cumplir.*
*Con veinticinco tuve mis propios niños*
*que precisaron de mí para construir un hogar seguro y feliz.*

*A los cincuenta, de nuevo, nuevos niños corretean entre mis rodillas.*
*Pero los días oscuros se ciernen sobre mí, con la muerte de mi hombre.*
*Miro al futuro y me encojo con temor.*
*Los jóvenes de mi familia están todos muy ocupados en sus asuntos.*
*Y pienso en los años de amor que he conocido.*
*Ahora soy una mujer vieja y la naturaleza es muy cruel.*
*(...) El cuerpo se resiente, la gracia y el vigor se han ido...*
*ahora sólo hay una piedra donde antes había un corazón.*
*Pero debajo de esta vieja carcasa una joven adolescente aún alienta*
*y ahora, de nuevo, mi castigado corazón renace.*
*Recuerdo las penas, recuerdo el placer,*
*de nuevo amo y vivo otra vez,*
*y pienso que los años son demasiado pocos,*
*han pasado demasiado deprisa.*
*Y acepto el hecho de que nada durará.*
*Por tanto, abrid vuestros ojos, enfermeras, y mirad.*
*No soy una vieja decrépita, ¡miradme de cerca, vedme...!*

Este poema, en traducción libre, fue publicado en *La Gaceta del Hospital Guy*, del distrito de Greenwich (Londres), el 2 de febrero de 1974. Escrito por una anciana solitaria y silenciosa, recluida en la zona geriátrica de dicho hospital, considerada hasta entonces como incapacitada para leer y escribir por sus cuidadores, el original fue hallado en su taquilla tras su muerte.

Al igual que la depresión, una de sus más conocidas consecuencias, puede ser disimulada, negada o aceptada, y hasta interpretada en muy distintas claves; puede ser dolorosa, autodestructiva, agridulce, orgullosa o desesperante, angustiosa o sencillamente devastadora, pero también creativa y enriquecedora.

Algunos estudiosos consideran que la soledad en su más embrionaria fase la percibimos las personas de forma vaga e instintiva ya en los primeros momentos de la vida, tras el abandono del claustro materno, tras la ruptura umbilical del contacto con la madre. Dicha ruptura estaría en el origen de la soledad que siempre nos acompaña y su contrafigura en el ansia de retorno al claustro materno, a la fusión con la madre, al fin de la soledad como impulso primigenio. Así, el freudiano binomio «ruptura-retorno» explicaría la inclinación de los niños por los movimientos de vaivén —de una cuna o una mecedora, o el sube y baja de un yoyó—, cadencia binaria que reproduciría la esencia del citado binomio.

Soledad y oscuridad se identifican asimismo en la mente del niño que reclama, angustiado, en medio de la noche, la voz que responda a su llanto. Si alguien responde, la oscuridad desaparece.

La exacerbación de la ruptura o separación conduce a formas enfermizas de soledad que incluso han sido vinculadas a todo el amplio catálogo de desviaciones sexuales como «pervertidos» antídotos, como formas de contacto o comunicación: la aproximación visual, para *voyeurs* o exhibicionistas, o la auditiva para aquel que efectúa anónimas y obscenas llamadas telefónicas.

La soledad es imposibilidad de comunicación, y quizá fue Dante quien, en su *Divina comedia*, plasmó de forma más aterradora y angustiosa este sentimiento al describir el noveno círculo del Infierno, donde los desdichados que allí llegan aparecen enterrados en hielo, condenados a la eterna soledad de su interminable y helada agonía, incapaces de establecer contacto físico con nadie porque sus gélidos ataúdes se lo impiden.

Sociológicamente, la soledad aparece como efecto del individualismo motor de las sociedades modernas occidentales, que establecen al individuo, con sus propios derechos y libertades, como objeto superior al grupo. En las sociedades comunitarias, en cambio, el sentimiento de soledad sólo surge cuando el individuo —siempre subordinado en sus derechos a los del grupo, la familia, el clan, el pueblo o la tribu— se aleja y abandona la colectividad de la que forma parte, que rechaza cualquier iniciativa emanada de la libertad individual como intrínsecamente perversa.

La soledad es, por tanto, un complejísimo fenómeno que está presente en la angustia desesperanzada del anciano recluido en un asilo, en el horror metafísico del «último filósofo» de Nietzsche o en el provinciano aburrimiento de Madame Bovary.

Estar solo no es lo mismo que sentirse solo, ni vivir solo lo mismo que estar aislado o ser solitario. Las distintas gamas de este sentimiento van desde la satisfacción a la transitoriedad, de la situación elegida a la impuesta, de lo momentáneo a lo duradero, de lo coyuntural a lo estructural, de lo superficial a lo profundo o terminal. Se suele decir que nacemos solos y morimos solos, esto es, que los dos actos supremos a los que el hombre se enfrenta, *alfa* y *omega* de su existencia, están marcados por la soledad. El hombre en solitud es «acicate» literario, filosófico o religioso.

La soledad se enfrenta a su plano más complejo y denso cuando se adentra en el terreno filosófico. Por un lado, la soledad de la persona ante la Naturaleza o ante la idea de Dios como Ser Supremo; la soledad teológica del creyente que tan sólo saciará en el encuentro con Dios. Así, por ejemplo, el ermitaño o el anacoreta no padecen soledad en la medida en que la suprema compañía del ansiado Ser nunca les abandona. Y, por otro lado, el desarraigo como forma de soledad que supone el alejamiento de la tierra que nos dio el ser y la vida —«la patria del hombre es su infancia», escribió el poeta—, presente en cada desalojo territorial de individuos, colectividades o pueblos, desde los éxodos africanos provocados por la guerra o el hambre, hasta la persecución de las naciones indias en las desoladas «reservas» durante la conquista del Oeste americano; presente en cada emigrante que desconoce la lengua y los hábitos de la tierra ajena y que sólo la entiende como hostil lugar de trabajo y residencia.

La soledad en su dimensión social nos remite a aquellos que no se sienten integrados en el sistema de normas y valores que configuran una cultura o civilización determinada. No acertó, en cambio, Karl Marx, obcecado en la concepción alienante del sistema económico, al adentrarse en el fenómeno de la soledad humana. Sería Freud quien le refutaría arguyendo que la soledad está dentro del propio hombre, no del sistema que le sirve de estructura social y económica. La agresión contra el hombre, encerrándolo en su propia soledad, no procede del sistema, sino de la esencia más íntima del hombre mismo, y es, por lo tanto, anterior a la aparición del capitalismo.

En *El lobo estepario*, Hermann Hesse plasma de forma magistral la angustia de quien se debate entre dos culturas que le son igualmente extrañas y ajenas, y algo similar podemos ver en los apresurados exilios de *Las uvas de la ira* de Steinbeck.

Por último, hemos de referirnos a la soledad del individuo frente a los demás, en sus interrelaciones, acaso la más dolorosa, incluso físicamente, de las soledades. Creadores, artistas, pintores, escultores, músicos, novelistas y poetas han plasmado o han sido movidos por ese persistente desconsuelo de quien sufre de soledad frente a sus semejantes y, también, el significado que, como estímulo, ha tenido éste para la creación de las más grandiosas y sublimes obras de arte.

Es, pues, la soledad, como hemos visto, un fenómeno complejísimo que varía en función de los seres que la sufren y la circunstancia personal, espiritual o social por la que atraviesan.

## NO HAY PLENITUD SIN RELACIÓN

Nuestro destino en la vida es el logro de la felicidad, inalcanzable en términos absolutos, y su hallazgo generalmente ha de disfrutarse en compañía, por ser la persona un animal esencialmente social. Así, el prestigio personal culmina en la medida que somos capaces de proporcionar placer y satisfacción a nuestros semejantes, y nuestro éxito nunca se alcanza sin la plena confirmación de quienes nos rodean. La voz de la más prodigiosa de las divas resultaría estéril si se perdiera en los áridos y solitarios escenarios de un desierto —la más pavorosa forma de soledad—, pues precisa de los aplausos que la ratifiquen, como prueba de la irrenunciable necesidad que las personas tienen de la presencia y aquiescencia de sus semejantes.

No hay, pues, plenitud sin la relación con los otros, y de ellos buscamos el reconocimiento, la cooperación, la competencia, la imitación incluso, como antídotos contra la soledad. La existencia precisa de la mirada del otro. Nunca logramos gozar de nosotros mismos sin el concurso del otro, y hasta Crusoe precisó de la compañía de Viernes como testigo de su solitaria peripecia.

Rousseau fue el precursor en Occidente del afianzamiento del carácter social del hombre, al que, contrariando a cínicos y estoicos, no concebía sin necesidades de ningún tipo para alcanzar un estado de plenitud. Es decir, Rousseau entiende la felicidad del hombre a partir de su imperfección, de su condición de ser incompleto que precisa del auxilio y de los afectos de sus semejantes para alcanzar el equilibrio o dosis razonables de felicidad individual, aunque, para el pensador francés es clara la propia transitoriedad de la bonanza o el placer: «Mientras más aumentan sus apegos, más crecen las penas del hombre.» Al mismo tiempo, el placer solitario y no compartido deja de serlo, mientras que el sufrimiento en soledad, que opera como un poderoso catalizador, se acrecienta hasta la angustia.

Esta idea de Rousseau acerca de las imperfecciones del hombre, de su condición de ser incompleto, había sido bella y grandiosamente tratada por Platón a través del mito de los seres redondos. Según Platón, los seres humanos tenían tres géneros primigenios: masculino, femenino y andrógino; el macho, descendiente del sol, la hembra de la tierra y el andrógino de la luna. Las formas de cada individuo eran redondas, contaban con cuatro piernas y cuatro brazos, dos órganos sexuales y dos rostros distintos y opuestos, con sus respectivos pabellones auditivos en una sola cabeza sobre un cuello circular. Su gran arrogancia les había llevado a intentar una escalada al Olimpo para desafiar a los dioses, que dudaron si fulminarlos con el rayo y estirpar su linaje, al igual que hicieran con los gigantes, o modificarlos para no perder los sacrificios con que los hombres les honraban.

Zeus decidió partirlos por la mitad para debilitarlos y que se multiplicaran. Pero cada una de las dos partes sintió por primera vez la angustia de la soledad y, para superarla y no sentirse perdida, emprendió la búsqueda de la otra mitad. Así, la soledad apareció en la vida de los angustiados hombres, con los genitales en la espalda y la cabeza hacia delante. La humanidad comenzó a extinguirse en lugar de multiplicarse, y las partes, al sentirse desasistidas y aterrorizadas ante la soledad, cuando encontraban a la otra se abrazaban con tal intensidad y frenesí que no podían sobrevivir al hambre. Finalmente, Zeus reparó la tragedia cambiando el sexo de los hombres hacia delante y otorgándoles la facultad de reproducirse a través de la mujer.

Pero en lugar de explotar el potencial de su respectiva diversidad, ejecutaron por su cuenta la obra de fragmentación que Zeus había perpetrado. El trastorno de reacomodar mitades dispersas ocasionó el caos y provocó, como consecuencia de ello, la lista de infamias y vicios que nutren y estigmatizan a la humanidad desde entonces. Así, al fracasar el hombre en la nunca planteada batalla contra los dioses, optó por la vía más sencilla de dominar a las mujeres y a otros hombres más débiles.

Esta historia viene a ilustrar el origen de los humanos y su condición de seres incompletos, en busca constante de la otra mitad exacta y de su soledad.

Por su parte, Diotima enseñó a Sócrates los distintos niveles del amor, que comienzan con el amor erótico y ascienden hasta el amor puro a la belleza. Pero le habló también de otro tipo de amor: el amor público o político, un sentimiento de afinidad con todas las personas y las cosas, que tiene que ver con la soledad en la medida en que sientes que las personas forman parte de ti, y de este modo creces más que si fueras sólo un individuo. Aun partiendo de la idea de que somos individualidades completas, aunque sin duda imperfectas, parece claro, como diría Tzvetan Todorov, que vivimos en la negociación permanente, y que, en la cotidianeidad de nuestra existencia, la cooperación resulta más provechosa que los egoísmos paralelos.

## LA SOLEDAD Y EL AMOR

No podemos mencionar la soledad sin referirnos al amor, aunque sea sucintamente, teniendo en cuenta además que el amor se ha considerado siempre una pieza constitutiva clave de la personalidad femenina. Se ha llegado a afirmar que la mujer está predispuesta «por naturaleza» a las pasiones del corazón, y la misma dedicación femenina en el amor, que frecuentemente ha revestido las características de incondicionalidad y omnipresencia, ha conformado una suerte de suprema realización que convierte el amor en una religión. Sin duda las mujeres hemos sido socializadas en una cultura en la que los sentimientos ocupan un lugar preeminente. Los diferentes papeles que la sociedad ha asignado a hombres y mujeres se reflejan en la concepción que unos y otras tienen acerca del amor, si bien no se trata de una ley de la naturaleza (de hecho, Dios creó a la mujer para librar a Adán de su soledad). La asimetría de los roles afectivos sigue vigente hoy, a pesar de haber alejado el amor del enclaustramiento doméstico, al menos en aquellas sociedades en las que se consagra la libre disposición de hombres y mujeres. Esta situación, que como veremos más adelante genera una serie de conflictos particulares, nos induce a pensar que deberíamos cumplir con el mandato de Rimbaud de reinventar el amor, buscar un nuevo equilibrio, el amor realmente recíproco, que como decía Rougemont exige y crea la igualdad de los que se aman, de manera que el hombre testimonie su amor a una mujer tratándola como a una persona humana total, no como si fuera una meta. Este amor no se identifica con el concepto de amor-pasión.

Considero, pues, obligado referirme al magnífico libro de Denis de Rougemont, *El amor y Occidente*, y no tanto por su brillante análisis de los orígenes y evolución del mito de Tristán e Isolda, sino por la vigencia de sus palabras en lo que al conflicto entre el amor-pasión y el matrimonio se refiere. En efecto, el autor sostiene que la pasión arruina la idea misma del matrimonio en una época en la que, precisamente, se intenta fundamentar el matrimonio en los valores de una ética de la pasión. Amar más el amor que el objeto del amor, amar la pasión por sí misma, pasión que significa sufrimiento, cosa padecida, preponderancia del destino sobre la persona libre y responsable. Es la única clase de amor que consagra Stendhal.

Todos o casi todos sueñan con el mito de Tristán e Isolda, por más borrado que esté, y ahí radica el secreto de la inquietud que atormenta hoy a muchas parejas. La pasión que se identifica con la aventura, con el cambio de vida para enriquecerla, el arriesgarnos y gozar de aquello que proporciona la ilusión de libertad y de plenitud —ilusión, verdaderamente, ya que el hombre apasionado busca ser poseído y ya que amar, en el sentido de pasión, es lo contrario a vivir, es el empobrecimiento del ser, sin más allá, impotente para amar lo presente—, lleva al surgimiento del conflicto en tanto que criados, como lo estamos, en la idea del matrimonio y, al mismo tiempo, sumergidos en esa atmósfera romántica creada por las lecturas, los espectáculos, las mil alusiones cotidianas. La pasión es la prueba suprema que hay que conocer; sólo quienes han pasado por ella han disfrutado de una vida plena.

La pasión y el matrimonio son, pues, incompatibles por esencia. Sus orígenes y finalidades se excluyen, y de su coexistencia nacen problemas insolubles. El amor debe triunfar sobre todos los obstáculos, se dice, pero se estrella casi siempre contra uno de ellos: la duración, base del matrimonio en tanto que institución hecha para durar. En muchos casos, como por ejemplo en los mensajes «hollywoodienses», se hace coincidir el matrimonio con el llamado amor-romance, basando el primero en el segundo. Sin embargo, el romance se alimenta de impedimentos, de breves excitaciones y de separaciones, mientras que el matrimonio está hecho de costumbre y proximidad cotidiana. El romance busca el «amor de lejos» de los trovadores; el matrimonio el amor al prójimo. Por tanto, la persona que se ha casado a raíz de un romance, una vez evaporado éste, es normal que se pregunte por qué está casada, y no menos natural resulta que, obsesionada por la propaganda universal del romance, acepte la primera ocasión para enamorarse de otro. Divorciarse para encontrar en el nuevo amor, que implica un nuevo matrimonio, una nueva promesa de felicidad: las tres ideas aluden a lo mismo, a una nueva experiencia.

Aparte del culto al romance, la búsqueda de la felicidad individual que prima sobre la estabilidad social y el respeto al desarrollo psicológico prevalece sobre el sentido del compromiso, la crisis del matrimonio —que antes se asentaba en tres grupos de valores: sagrados (como concepto antropológico), sociales y religiosos (como atributo del espíritu)— resulta de una pluralidad de causas profundas, entre las que se encuentran la emancipación de la mujer, la vulgarización de las ciencias humanas que lleva a un mejor conocimiento de una misma y a una mayor exigencia en la vida matrimonial, y la posibilidad de una vasta evolución de la psique moderna. De esta crisis, que no es un mero accidente, se debe intentar descifrar su mensaje y descodificar pacientemente las noticias ambiguas que nos aporta sobre nosotros mismos, sobre nuestros deseos y secretos.

Por último, Rougemont vincula el matrimonio a la fidelidad, partiendo de la idea de que elegir a una mujer es apostar, una arbitrariedad cuyas consecuencias se compromete a asumir, entendida como una construcción, una negativa constante a experimentar los propios sueños por la necesidad de actuar para el ser amado. No una disciplina impuesta ni una odiosa limitación. Una locura de sobriedad que imita bastante bien a la razón y que no es un heroísmo ni un desafío, sino una paciente y tierna aplicación. La felicidad en el matrimonio supone la ley de una vida nueva, una vida aliada con uno para siempre, ya que si estar enamorado es un estado, amar es un acto, y mientras el estado se sufre, el acto se decide. Finalmente, Rougemont define el matrimonio como esa institución que contiene la pasión ya no por la moral, sino por el amor, sin que esta alternativa suponga condenar en bloque la pasión, puesto que ello supondría suprimir uno de los polos de nuestra tensión creadora.

Como hemos visto, nuestro autor se refiere a la búsqueda de un nuevo equilibrio en la pareja, un equilibrio tenso entre las exigencias siempre simultáneas, contrarias y legítimas de la estabilidad y de la evolución, de la especie y del individuo, del cumplimiento de la persona y del absoluto. Un equilibrio para el que también resulta fundamental la igualdad de los que se aman. En esta línea, Anthony Giddens enfrenta el amor romance al amor confluente, que es un amor contingente, activo y, por consiguiente, choca con expresiones propias del amor romántico como «para siempre» o «solo y único». El amor confluente presupone la igualdad en el dar y recibir emocional, y es cuando más estrechamente se aproxima un amor particular al prototipo de la relación pura, que para el autor es la relación de igualdad sexual y emocional. Esto tiene connotaciones explosivas respecto de las formas preexistentes sobre los diversos papeles sexuales establecidos y sus relaciones de poder. La transformación de la intimidad puede tener una influencia subversiva si se la concibe como una negociación de lazos personales entre individuos iguales, como la absoluta democratización del dominio interpersonal.

## LA SOLEDAD Y LA FAMILIA

Al hablar de la soledad, de la misma manera que nos referimos al amor no podemos eludir la referencia a la familia y al matrimonio; instituciones o vínculos que han ido cambiando a lo largo de los tiempos y que se han configurado de manera diferente en las distintas sociedades y culturas en función de la economía, la educación, la demografía y la política, hasta llegar a nuestros días en los que se repite la idea de la crisis de la llamada familia patriarcal en pos de un modelo de pareja más igualitaria y participativa, a la que no es ajena la creciente autonomía femenina.

Lo cierto es que hay muchos matrimonios y muchos divorcios; crecen los ejemplos de cohabitación, las parejas de hecho, las familias monoparentales, las mujeres que viven solas, las relaciones afectivas carentes de compromiso y responsabilidad, las múltiples formas convivenciales que escapan al patrón tradicional y que, en consecuencia, cuestionan la versión institucionalizada del amor eterno. Y ello sin olvidar que existen matrimonios felices como resultado de haber acertado en la apuesta, la tolerancia, el respeto y el compromiso. El matrimonio sigue siendo una opción mayoritaria en tanto que núcleo inicial de la familia, aunque, como se ha puesto de manifiesto en las encuestas realizadas recientemente en la Comunidad Europea, crece el número de hijos nacidos fuera del matrimonio.

En un primer momento, el matrimonio existe como una institución social que asegura la reproducción biológica. En consecuencia, las mujeres jóvenes, por ser las más fértiles, eran las más deseadas. Belleza, juventud y fertilidad constituyen nociones culturales que todavía permanecen unidas y que, en gran medida, tienen distintos significados para el hombre y la mujer. Pero también conviene recordar que cuando los humanos éramos nómadas y cazadores, agricultores y recolectores, la actividad sexual no aparecía unida a la reproducción. Cuando una mujer se quedaba embarazada, se entendía como la consecuencia de un poder que tenía ella sola. El hecho de generar vida en su seno era atribuido a la correspondiente diosa de la fertilidad. Esos hombres y mujeres vivían en una unidad con la naturaleza (o una naturaleza única) y no existía entonces el doble estándar de sexualidad masculina y femenina, que emergió cuando los hombres conocieron su papel en la reproducción. Dice Apolo, en *Las Euménides* de Esquilo, que no es la madre la que engendra el hijo, sino que ella es sólo la nodriza del germen depositado en su entraña; quien engendra es el padre, y la mujer recibe el germen como una depositaria extraña y lo conserva si así place a los dioses.

Cuando la sexualidad se carga de poder y de significación, los hombres comienzan a limitar las actividades de las mujeres para asegurar la herencia de los hijos. La mujer sujeta a los misterios de la vida, mediadora del derecho, no detentadora del mismo, desempeña una función nutricia y no participa en la conquista de la naturaleza con el hombre. Del Génesis al Código napoleónico se contempla el sometimiento de la mujer al hombre: en tanto que ofrecida al hombre para darle hijos, es parte de su propiedad de la misma manera que el fruto de un árbol lo es de su jardinero. La sexualidad de las mujeres empieza a verse como algo misterioso, complejo, difuso y peligroso. Todavía hoy, desgraciadamente, existe en algunas culturas algo más que reminiscencias, desde mutilaciones a la exigencia de la virginidad.

El matrimonio, que aparte de la Santa Madre Iglesia católica ha tenido ilustrísimos defensores, como Goethe —que veía en él la gran conquista de la cultura occidental y el fundamento sólido de toda vida personal—, Engels —que defendía la unión monogámica como la forma más racional de relación entre los sexos— o Jung, alcanza una gran popularidad en el siglo XIX, con el Romanticismo, coincidiendo con la ascensión del sentimiento amoroso. El matrimonio, institución dispensadora de respetabilidad social, política o económica, debía completar y llenar a la mujer, que sólo podía aspirar a la felicidad cumpliendo su misión de ser madre y esposa, con el consiguiente rechazo al homosexual y a la célibe. La mujer quedaba condenada a cumplir las dos únicas hipótesis de madre y esposa, negándosele una individualidad reconocida que se añadía a las cargas de su soledad y a los estigmas sociales derivados de su propia inexistencia como individuo. Sólo tenía consideración en tanto que madre, hermana, hija, esposa o amante de una individualidad masculina, ésta, sí, reconocida.

Los cambios sociales, demográficos y económicos han traído a las mujeres (y también a los hombres) una mayor libertad individual para vivir y actuar independientemente de la familia tradicional. Ahora ya no queremos sentirnos atrapados por el esquema familiar. Queremos espacio, queremos ser libres para ser lo que deseamos ser. A cambio de esa libertad puede producirse una sensación que tiene como precio el sentirse o estar solo, y que intentamos llenar sin detenernos a examinar las causas de dicho sentimiento. No existe sólo un camino y una manera de ser en esta sociedad fragmentada e individualista. Aunque, como hemos señalado, sigue vigente el modelo de familia tradicional, ésta es cada vez más democrática o menos jerarquizada. La disminución de la presión social ha dado cabida a relaciones plurales. La igualdad, la paridad, es un principio que se aplica cada vez más y que condiciona tanto las instituciones como los comportamientos. Se crean conflictos interpersonales que responden a la crisis de crecimiento de una sociedad en la que deberían ir desapareciendo los modelos basados en la subordinación en ese camino hacia una democracia más real en la que amemos sin versiones falseadas de nosotros mismos y de los demás.

Lamentablemente, el gran número de casos de malos tratos que se producen viene a demostrar, aparte de las miserias de la condición humana y la brutalidad de algunos hombres, que a la mujer se la considera propiedad del varón, propiedad que no está obligado a respetar y con la que comete bestiales excesos que llevan a la desesperación e incluso a la muerte. Dejando a un lado estos penosos sucesos, todavía nos tropezamos con un dilema derivado de la incongruencia entre nuestra creencia religiosa y cultural en un matrimonio de por vida y la realidad de la vida a fines del siglo XX. Queremos ser amados para siempre y, sin embargo, en la realidad cada vez es menos probable que nos casemos de por vida. En los países más avanzados son muchas las personas que pasan la mayor parte de sus años adultos disfrutando de distintas relaciones.

Si la complejidad y la incertidumbre son algunos de los signos de nuestro tiempo, tampoco resultan ajenos nuevos fenómenos sociales, cambios culturales y vivenciales en los que la soledad se muestra con otros perfiles. Los analizaremos más adelante, después de hacer un poco de historia; una historia llena de hermosas sorpresas cuyo conocimiento nos permitirá sentir el espíritu que se agita dentro de nuestra propia naturaleza, a través de las mujeres que habitaron su propia alma.

# La soledad y las mujeres

En el capítulo anterior hemos visto la importancia del matrimonio y la familia, donde se enmarca el papel tradicional de la mujer, el de madre-esposa, el único que le ha sido permitido interpretar. La soledad de las mujeres no se circunscribe a un estado civil determinado, sino que comprende la soledad en sus diversas vertientes como ser humano. Sin embargo, nos ha parecido interesante fijarnos en las figuras históricas de las mujeres sin marido.

Mujeres solas han existido siempre, en tiempos y lugares distintos, y seguramente nunca han formado parte del núcleo mayoritario y dominante de la sociedad. El patriarcado y la división sexual del trabajo comportan por sí mismos la minusvaloración de las mujeres que no cumplen con la función reproductora, particularmente desde la implantación del ideal burgués de la mujer dedicada a sus hijos, ángel doméstico que debe estar bajo tutela. El culto a la mujer como monja hogareña tuvo en Dickens uno de sus más relevantes abanderados.

Parece inevitable recurrir al ejemplo de las amazonas, si bien es cierto que, a pesar de su interés, no nos pueden servir de referencia, puesto que se mantenían al margen de la sociedad o, mejor dicho, organizaban su propia sociedad. Las amazonas no se casaban, controlaban su propia descendencia, estaban fuera de la sociedad ateniense y representaban la contrapartida de los héroes griegos, bravos y respetados luchadores. Ambiguas y marginales, su imagen es aplicada en otras épocas a las mujeres excesivamente independientes, de manera que el amazonismo ha permanecido como perpetua y universal pesadilla de los hombres. No obstante, ha habido imágenes de las amazonas mucho más positivas, como las descritas por Gustavo Martín Garzo.

De igual manera, muchas mujeres de otros tiempos que no se sometían a la norma eran calificadas de brujas. Por supuesto, también las prostitutas pueden incluirse en la categoría de mujeres solas; formaron uno de los primeros colectivos de asalariados y cumplieron cierta función social: ritos iniciáticos, desahogos extramatrimoniales... Brujas, hechiceras, prostitutas y otras mujeres de «malvivir», perseguidas y controladas, se revistieron, sin embargo, en el imaginario colectivo —especialmente entre las clases populares— de extraordinarios poderes también positivos, no sólo negativos.

La mera existencia de las mujeres solas desafía o altera tanto la dinámica tradicional hombre-mujer como las funciones esenciales del matrimonio. Si, como decía Simone de Beauvoir, la opresión de la mujer se origina en la voluntad de perpetuar la familia y mantener intacto el patrimonio, en la medida en que ella se escapa de la familia también se escapa de esa absoluta dependencia.

Escogida, sufrida o simplemente asumida, la soledad de las mujeres es siempre el origen de una situación difícil, en tanto que situación excluida radicalmente de la reflexión. Dice Jules Michelet: «La mujer perece si no tiene hogar ni protección. Si hay algo que la naturaleza nos enseña de manera evidente es que la mujer está hecha para ser protegida, para vivir de muchacha junto a su madre, y de esposa bajo la tutela y la autoridad de su marido». Y J. Simon afirma que las mujeres están hechas para mantener oculta su vida; fuera del hogar y del matrimonio no hay salvación. Según Rousseau, la mujer sólo lo es en relación al hombre. El orden de la naturaleza quiere que ella le obedezca, por lo que su único destino será el de esposa y madre; usurpar los derechos del hombre y mandar sólo acarrearía miseria, escándalo e indignidad.

Tras el terremoto que supuso la Revolución francesa y la abolición del antiguo orden, se produjo, como indica M. Perrot, una redefinición que pasaba por volver a determinar lo público y lo privado, así como los roles sexuales; es decir, establecer casi una equivalencia entre esferas (público = masculino; privado = femenino). Es sabido que entonces se incurrió en una contradicción fundamental, ya que al tiempo que se instauraba la democracia, proclamándose la igualdad y los derechos de los individuos, se les negaba a las mujeres la ciudadanía al serles vetada la igualdad de derechos en el ámbito político. Las mujeres quedaban así excluidas de la vida pública tras haber alcanzado demasiado poder al final del Antiguo Régimen y también durante la Revolución. Pero además de las razones políticas, los grandes expertos del siglo, los médicos, fundamentaron en la naturaleza esta exclusión, arguyendo que la inferioridad de la mujer se debía a su biología y su anatomía. No es que no se las concediera importancia; por el contrario, se las ensalzaba por su belleza, su virtud y su utilidad, insistiéndose en su rol familiar como madres y guardianas de la tradición y de la raza. Y hasta se ponderaba el rol cívico que desempeñaban: la maternidad social. Ocupándose de los enfermos y de los pobres realizaban gratuitamente un gran trabajo social. Sin embargo, no todo lo privado era femenino, ya que el padre reinaba sobre la familia y poseía unos derechos desorbitados. La mujer sola suscitaba suspicacia, reprobación o burla. El solterón también tenía sus manías, pero resultaba más divertido, incluso más interesante que lastimoso. La solterona, en cambio, con su apariencia enjuta, olía a rancio. Era un ser improductivo, según Balzac, quien afirmaba que el destino de la mujer y su única gloria era hacer latir el corazón de los hombres. La mujer, pues, constituía una propiedad que se adquiría por contrato... No era sino un anexo al hombre. En gran medida, a las solteras se las consideraba mujeres sobrantes, malvadas, intrigantes e inquietantes. Eran vistas como seres asexuados para quienes el matrimonio se preveía más que improbable.

Aunque el código napoleónico les concede a las solteras los mismos derechos que a los hombres, excepto la ciudadanía, el caso es que no gozan de la misma dignidad que las mujeres casadas, y la costumbre va vaciando de contenido sus derechos.

# UN FENÓMENO LLAMADO CELIBATO

El celibato es un fenómeno característico de la civilización occidental y casi permanente en su historia, con una desigual distribución en los distintos países y en los diferentes medios sociales dentro de un mismo país, en palabras de la historiadora Cécile Dauphin. En el siglo XIX, como consecuencia del crecimiento de las aglomeraciones urbanas y la industrialización, las familias se desintegran y liberan una mano de obra preciosa para el desarrollo económico de la nueva sociedad política burguesa que entonces se afianza.

La ciudad se convierte en el horizonte de los solteros y, al mismo tiempo, atrae y fabrica solitarios. Las grandes ciudades constituyen auténticas reservas de mujeres solas, resultado de la emigración del campo (donde, por cierto, trabajaban duramente y gozaban de gran autoridad) a la ciudad. Su participación en el proceso industrial supone una gran revolución que cambia la suerte de la mujer decimonónica e inicia para ella una nueva era, en la que será definitivo el acceso a la educación. Como ha puesto de manifiesto Geneviève Fraisse, las mujeres solteras fueron las primeras que accedieron a trabajos remunerados y su independencia fue vista como un peligro.

Es precisamente en la ciudad donde las mujeres solas se vuelven visibles, pues al abandonar a sus familias, en las que se hallaban integradas en calidad de hijas, hermanas o tías, ingresan en el mercado de trabajo y acaban por insertarse en el tejido social. Las salidas masivas de hombres provocan un déficit y, consiguientemente, aumenta el celibato de las hijas a la par que se reducen las posibilidades de las viudas de volver a casarse. Ninguna chica en su sano juicio quería crecer como una solterona cuyo destino era la compasión y la ridiculización. Además, según la doctrina de la época, eran las víctimas más propicias para adquirir la enfermedad femenina por excelencia, la histeria. En el supuesto de que una mujer no se casara o enviudara pronto, la amenaza de la locura histérica, y demás manías y melancolías, se cernía sobre ella, convirtiéndose en una criatura incompleta y digna de compasión por no haberse realizado como mujer.

Éste era el estereotipo negativo, pero afortunadamente existían realidades más positivas, incluso sublimes. Como veremos más adelante, la situación mejoró cuando las mujeres fueron incorporándose al mundo profesional y aumentaron sus posibilidades educativas. Las que optaron por no casarse empezaron a crear estilos de vida propios, más independientes. El retraso del primer matrimonio y el alza de los divorcios contribuyeron al aumento del número de mujeres sin marido. Ya no resultaba tan fácil describir la vida de las mujeres como un camino que llevaba de la soltería al matrimonio y, más tarde, a la viudedad. Muchas mujeres entraban y salían de esas categorías como consecuencia de sucesivos casamientos o series de relaciones monógamas. La etiqueta de solterona ya no era suficiente para definir a la mujer soltera.

Las convulsiones de la época permitieron, a pesar de temores y condenas, que se afianzara la imagen de soledad e independencia femenina. E. Jalan describió tres clases de solteras en Inglaterra: las hijas obedientes, las rebeldes desesperadas que intentaban escapar de las restricciones de su posición y las nuevas mujeres que buscaban trascender el estereotipo de solteronas fracasadas y necesitaban la soltería para tener autonomía y libertad de movimientos.

De la queja y las visiones alarmistas que se repiten una y otra vez en los escritos de la época emergen múltiples interrogantes. ¿Quiénes son estas mujeres? ¿Qué cabe hacer? El problema de la soltería fue entonces ampliamente debatido; incluso los parlamentarios ingleses propusieron que las desocupadas solteronas debían ser embarcadas a las antípodas, donde era necesaria su presencia. También en Estados Unidos creció el número de solteras en el siglo XIX y se llegó a sugerir que este «excedente» de mujeres embarcara a Oregon o California, lugares de población mayoritariamente masculina.

En España, por ejemplo, el censo de 1860 arroja una población de 15.673.536 habitantes, de los cuales 7.907.973 son mujeres, esto es, una proporción casi equivalente entre ambos sexos: 49,55 por ciento de hombres y 50,5 por ciento de mujeres. El colectivo de mujeres solteras era entonces muy numeroso: 4.343.158 frente a 2.862.015 casadas y 702.800 viudas, o sea, más de cinco millones de mujeres solas o sin marido, como ya sucedía en el censo de 1797. Pilar Folguera destaca también que el elevado número de mujeres solteras en el grupo de edad comprendido entre los 31 y los 40 años, 1.174.156, constituía un problema social de difícil solución en una sociedad en la que la única profesión válida para las mujeres era la de esposa y madre.

Sin embargo, no se puede restar importancia a la entrada de las mujeres solas en el mercado laboral, ya que el crecimiento de la población femenina activa no sólo contribuye al desarrollo del sector servicios, sino que su inserción en el mundo profesional altera las relaciones entre hombres y mujeres en el lugar de trabajo, y va empezando a penetrar en las mentalidades una realidad nueva en la que se impone lentamente la imagen de la mujer en el trabajo.

Cuando las mujeres entran en el terreno laboral, desempeñan oficios, carreras o profesiones específicamente femeninas, como gobernanta, bibliotecaria, institutriz, costurera, empleada de Correos, cuidadora y, más tarde, maestra, hasta el punto de que pueden establecerse diferentes tipologías.

## MÁS DE UN MODELO DE MUJER SOLA

Soledad es también vivir en casa ajena. En el siglo XIX, el servicio doméstico, reservado antes a la aristocracia, se convierte en un signo de distinción burguesa, y, cada vez más desvalorizado, queda en manos femeninas. Las mujeres solteras, por lo general, iban a vivir a casas de otras personas como sirvientas, de manera que ya a partir de la mitad del siglo XVIII las mujeres que trabajaban fuera pertenecían mayoritariamente al servicio doméstico. Al aumentar la riqueza y, con ella, el número de familias que podían permitirse emplear a una criada, y al crearse nuevos puestos de trabajo urbanos e industriales para los hombres, éstos dejan el servicio doméstico a las mujeres por las malas condiciones de trabajo y las humillaciones a las que eran sometidos continuamente. Los que en él permanecen ocupan cargos de supervisión, como los mayordomos. Las grandes ciudades absorben a muchachas del campo sin otra cualificación que su fuerza y su juventud. Procedentes siempre de familias humildes, a muchas las mandaban a servir desde los orfelinatos cuando cumplían los doce años, y permanecían en la casa hasta que habían reunido el dinero suficiente para la dote que les permitía casarse; si no alcanzaban este objetivo, allí se quedaban con carácter permanente.

Si las criadas provenían de las familias más pobres, las institutrices y gobernantas eran reclutadas en familias burguesas modestas, hijas de pastores o de pequeños funcionarios. Constituían una categoría de mujeres solas que fueron inmortalizadas por las hermanas Brontë en sus obras *Jane Eyre* y *Agnes Grey*. La miseria de las trabajadoras domésticas se vivía como una fatalidad social, pero el que las burguesas se vieran obligadas a trabajar en condiciones difíciles, o a buscar empleo una vez superados los cuarenta años, tras la muerte de los padres, parecía aún más digno de piedad. El modelo victoriano, al no ofrecer a las mujeres otra alternativa que los extremos de ser madre o prostituta, trasladaba a la solterona una imagen de pureza, bondad, virginidad y sacrificio. La gobernanta burguesa en estado de necesidad llega a convertirse en una figura emblemática de los valores, los problemas y los miedos de la clase media victoriana.

En las ciudades industriales, las mujeres jóvenes preferían trabajar en las fábricas a hacerse sirvientas y, como ellas, tenían la idea de que su trabajo era una necesidad temporal que sólo duraría hasta el casamiento. La fábrica era uno de los lugares donde podían encontrar a su futuro marido, que constituía la principal seguridad económica de una mujer, aunque luego muchas tenían que continuar trabajando en su domicilio, tras una extenuante jornada laboral en las fábricas a las que llevaban a sus hijos, sin que su situación mejorase. Las condiciones de trabajo eran muy duras en general, pero además en las fábricas prevalecía la subordinación tradicional de la mujer, relegada a los peores puestos y cuyo salario era sustancialmente inferior al de los hombres, incluso realizando el mismo trabajo.

Entre estas mujeres trabajadoras se desarrolló entonces la camaradería. Contaban con el apoyo de sus compañeras y no estaban tan aisladas como las sirvientas, aunque protestaban y se organizaban menos que los hombres. Sin duda a ello contribuía la baja estimación de su propia posición, el temor a que las manifestaciones de independencia las apartaran del mercado de trabajo y, sin duda, el espíritu machista de muchos sindicalistas que se oponían al trabajo fabril de las mujeres y a sus sindicatos. No obstante, las mujeres se movilizaron. Baste recordar el dramático suceso que dio origen a la conmemoración del 8 de marzo como día de la mujer trabajadora. Desde luego, como escribiría Mary Collier, la poetisa inglesa que trabajó hasta los sesenta y tres años como lavandera, otro durísimo oficio típicamente femenino, «nuestro duro trabajo, nuestra labor diaria es tan extrema que apenas tenemos tiempo para soñar».

Otras empleadas, como las de cuello blanco, se casaban más tarde que las obreras y tenían la mitad de hijos que éstas. Al revés que los hombres, las mujeres solas, solteras o viudas, son más numerosas en las categorías más altas. No resulta, por tanto, descabellada la hipótesis que relaciona el celibato y el nivel de cualificación, al igual que el acceso a la cultura y la afirmación de capacidades intelectuales parecen alejar del matrimonio a cantidad de mujeres. Como si cerebro y útero fueran órganos incompatibles.

Por otra parte, un número creciente de mujeres solteras consiguieron posiciones de liderazgo organizando actividades religiosas: trabajaban como misioneras, fundaban orfelinatos y editaban publicaciones religiosas. Y un cierto ideal humanista inspiró otras profesiones —enfermeras, maestras...—, sin olvidar la inclinación a la filantropía. Muchas mujeres participaron en movimientos contra la esclavitud y a favor de la reforma social, en luchas antidiscriminatorias y, por supuesto, en las revoluciones, sin que ello significara la conquista de la igualdad de derechos y oportunidades para ellas.

En estos espacios de emancipación, impregnados del modelo religioso y de la metáfora materna, se respiraba la dedicación-disponibilidad, la humildad-sumisión, la abnegación-sacrificio. Pero al mismo tiempo se ofrecía a las mujeres una formación profesional y, particularmente a las mujeres de acción, la posibilidad de acceder a puestos de responsabilidad. Sus aportaciones condujeron a la rehabilitación de las solteronas en las enseñanzas pontificias. No olvidemos que los conventos constituyen espacios donde las mujeres pueden desarrollar su creatividad independientemente de los hombres, y que la trascendencia, el misticismo, es un antídoto contra la soledad como estado doloroso del espíritu.

También el teatro, la ópera y el ballet abrían a las jóvenes de belleza y talento un camino para mejorar su condición a partir del siglo XIX, cuando se inauguran las primeras escuelas estatales. Muchas actrices, cantantes y bailarinas actuaban con plena libertad sexual, vivían en un ambiente especial en el que podían conducirse como los hombres, y escogían y abandonaban amantes por placer, regalos o dinero. De esta manera, la línea divisoria entre la respetabilidad social y la prostitución adquiría contornos muy difusos. Si bien algunas actrices encontraron en el escenario la oportunidad de contraer matrimonios brillantes, otras prefirieron permanecer solteras para no perder su independencia. Ése fue el caso de la bailarina Fanny Essler y de Sara Bernhardt, una de las mejores actrices de todos los tiempos, famosa también por su corte de amantes. La historia nos ha facilitado el conocimiento de las mujeres que triunfaron, pero no de aquellas otras que no fueron excepcionales y de las que apenas existen datos. Solían formar parte de los coros o del cuerpo de baile, y se caracterizaban por su tendencia a conceder favores sexuales; en consecuencia, estaban sometidas al riesgo de embarazo, la enfermedad y la violencia masculina. La literatura también recoge personajes que rompieron esquemas tradicionales, como las cortesanas de altos vuelos, algunas de las cuales comenzaron siendo actrices. A pesar de que supieron utilizar sus encantos en provecho propio, finalmente no tuvieron un destino afortunado y fueron socialmente aisladas.

Lo que parece evidente es que entonces no existía un modelo único de mujer sola. La realidad ya era plural en el ámbito que nos afecta, y posiblemente también la mirada social, el reflejo cultural, fue lentamente cambiando con las transformaciones que se iban produciendo a lo largo del siglo.

Da la impresión de que en las mujeres solas se concentraron todos los miedos a la autonomía femenina, sexual, social, económica e intelectual. El advenimiento de la fisiología y el descubrimiento a finales del XVIII de una naturaleza femenina sirvieron también para que el papel social de las mujeres solteras o de las viudas pudiera ignorarse hasta convertirse en símbolo de la inutilidad, para que la soledad femenina pudiera considerarse como una amenaza para el modelo familiar. Hasta tal punto es importante la jerarquía familiar que se llega a utilizar como argumento para negar la participación de la mujer en el ámbito público. ¿Cómo va a someterse en casa si tiene los mismos derechos en la esfera pública?

Cuando algunas mujeres audaces, como la sabia Mary Wollstonecraft, intentaron comportarse libremente, tratando de adentrarse en el medio público, reivindicando una carrera profesional y rechazando el sagrado modelo de la madre-esposa, ángel del hogar o heroína doméstica, los científicos, médicos y sexólogos se apresuraron a marginarlas y a aplicarles la etiqueta de «lesbianas». Se trata de la «desviación uterina» del siglo XVIII recogida ahora en los discursos eruditos del XIX.

Las palabras que designan a la mujer sin marido dependen siempre de una valoración discriminatoria. La lucha entre la leyenda dorada del matrimonio y la caricatura de la «solterona» no deja de repetirse, cualquiera que sea el nivel del discurso. En cambio, entre los solterones destacan, sobre todo, genios y escritores.

Ante esa verdadera negación de la identidad, los itinerarios de la soledad femenina tuvieron que ir definiéndose a veces de manera desafiante en relación con la imagen triunfal de la madre-esposa. Las respuestas al modelo fueron produciéndose a pesar de las dificultades y resistencias, basándose en sus propias experiencias, persiguiendo la utopía y recurriendo a la sublimación. Muchas solteras formaron una red de relaciones y encontraron la fuerza en ellas mismas, procurándose por sí mismas el vigor necesario para hacer frente a un medio hostil.

## MÁS ALLÁ DE LA TRADICIÓN

Sin duda existe la posibilidad de ver a estas mujeres al margen del escarnio o la anormalidad. Esbozar aquí retazos de su historia es contribuir a su nominación y restituir sus identidades, sin caer en la trampa de los estereotipos, y ver hasta qué punto podemos considerarnos sus herederas, sin olvidar la soledad de las pioneras y el sufrimiento que acarrea la excepcionalidad. Como decía Madame de Staël, «la gloria no es más que un duelo clamoroso por la felicidad».

A partir de la segunda mitad del siglo XIX aparecen los movimientos feministas organizados. Las mujeres que militaban en ellos eran consideradas desagradablemente masculinas, inmorales, irresponsables y fruto de la licencia sexual de la época, o, como mínimo, transgresoras. La causa femenina, sus personajes y sus discursos constituyeron un fenómeno no exento de episodios trágicos, un mundo recreado magistralmente, aunque con una visión parcial, en *Las bostonianas*.

Los acontecimientos socioeconómicos de la época auspiciaron la formación de una verdadera corriente política y cultural que reivindicó la autonomía femenina a través del celibato. Tras la huella de muchas feministas como Pauline Roland, que hace pública su renuncia al matrimonio, o Florence Nightingale, que rechaza negarse a sí misma, algunas mujeres como Christabel Pankhurst hacen del celibato femenino una decisión política, una opción deliberada en respuesta a la situación de esclavitud sexual. Un 63 por ciento de las mujeres de la Women's Social and Political Union estaba formado por mujeres solteras. El celibato entendido como una huelga de sexo se consideraba entonces como un gesto político y un estado que debía mantenerse mientras no surgiera una nueva conciencia social

A muchas de las mujeres más relevantes del siglo pasado, su soltería les permitió dedicarse a la defensa de unos principios y acercarse a la consecución de sus ideales: Susan B. Anthony, L. May Alcott, Elizabeth Blackwell, Florence Nightingale, Frances Villard o Clara Barton, entre otras. Salieron de casa, deambularon, penetraron en lugares prohibidos —cafés, mítines—, viajaron. En definitiva, se apartaron de los roles asignados, pasaron del sometimiento a la independencia —tanto en público como en privado— y fueron formando su propia opinión y efigie pública.

En las ciudades, donde la filantropía se transforma en trabajo social, son muchas las mujeres que desarrollan su actividad en los focos suburbiales, donde se concentran las grandes bolsas de miseria. Octavia Hill funda el primer *settlement* femenino, al que luego siguieron otros más, animados por solteras que se apartan de la sociedad. A veces son parejas de hermanas o de compañeras de estudios que, de esta manera, prolongan las comunidades iniciadas en las aulas. Son mujeres que rehúsan el destino matrimonial tradicional y hacen de su compromiso social un ejercicio de libertad personal.

Esta evolución de la filantropía tuvo, según Michelle Perrot, efectos múltiples. A las burguesas les permitió conocer otro mundo, lo cual para algunas supuso un auténtico choque. Flora Tristán y Bettina Brentano fueron las primeras reporteras de la miseria, y Florence Nightingale, fortalecida por su experiencia en la guerra de Crimea, no sólo emprende la reforma de los hospitales, sino también la del Ejército. Las mujeres comenzaron a acumular saberes y a poseer una práctica que les confirió una función potencial de expertas. Así, a través de su compromiso inicial, pudieron ir accediendo a la ciencia y al conocimiento.

La filantropía propició además contactos entre las mujeres de las clases medias, contribuyendo a crear, desde Nueva Inglaterra hasta Atenas, el embrión de una conciencia feminista, un auténtico laboratorio de experiencias. Aunque en determinados lugares se ve reforzado el poder de la familia como el corazón de la economía y de las solidaridades étnicas, acentuándose los roles específicos de los sexos, se producen circunstancias propicias a la afirmación del individuo y, poco a poco, las mujeres van adquiriendo la libertad de circulación y también de conducta.

A finales del siglo XIX, algunas mujeres emancipadas fueron viajeras célebres. Por ejemplo las norteamericanas que vinieron a Europa atraídas por Italia, y compitieron con los hombres en la crítica de arte, como Edith Wharton o Lee Vernon.

Las mujeres rusas y judías merecen, en este aspecto, una atención particular. Las *Memorias* de Emma Goldman, constituyen una narración modélica del viaje como medio de emancipación. El viaje se convierte en un instrumento mediante el cual las mujeres intentan una verdadera salida fuera de su espacio y de sus papeles, que además da lugar a una interesante literatura de género. La rusa Lydia Alexandra Pachokv, dos veces divorciada, recorre Egipto, Palestina y Siria —donde queda prendada de la belleza del enclave de Palmira— como corresponsal de algunos periódicos de San Petersburgo y París. Su obra *Alrededor del mundo* ofrece un relato documentado de su periplo, e incitará a Isabelle Eberhardt el deseo de conocer Oriente que la conducirá lejos. Esta mujer, hija ilegítima de una aristócrata rusa exiliada en Suiza, se convierte al islam, hace la guerra en África del Norte travestida como un joven rebelde y muere a los veinticinco años dejando una obra inédita dedicada a los humildes del Magreb.

Otra viajera y exploradora, la orientalista Alexandra David Neel, escribió su obra *Diario* con las cartas que había dirigido a su marido hasta su muerte en 1941. Convertida al budismo, vivió durante más de treinta años en Asia. Murió en 1969. Su personalidad resulta interesantísima. Contrajo matrimonio a los treinta y seis años porque, aunque había protestado siempre por la inferior condición que se impone a la mujer después del matrimonio, y había conseguido estabilidad económica en su carrera de soprano, conferenciante y escritora, pensaba que la soltería era inviable en aquella época, ya que los escritos de una mujer soltera no se tomaban muy en serio. Se requería la presencia de un marido para ingresar en el mundo de las artes y las letras. Según cuenta su biógrafa, las opciones de las mujeres de la época, incluso las de quienes contaban con medios personales, seguían siendo las de casarse, entrar en un convento o cuidar a sus padres ancianos. Ella, no obstante, hizo compatible la realización de sus ideales con el amor y apoyo de su marido en la distancia.

Lo que estas viajeras afirmaron por encima de todas las cosas fue su libertad personal, y lo hicieron en sus indumentarias y en su modo de vida, en sus opciones religiosas, intelectuales y amorosas. Aunque pagándolo a menudo muy caro, acabaron rompiendo las fronteras del sexo. La dama exploradora victoriana representaba la gran necesidad que tenían algunas mujeres de eliminar las barreras de su sociedad, en la que existía un profundo contraste entre las vidas limitadas de sus madres y hermanas y la libertad de sus padres y hermanos. En sus viajes solían evitar las comunidades coloniales puesto que en ellas se las volvía a identificar con su rol de mujer, y en muchas ocasiones elegían la ambigüedad sexual, no dudando para ello en hacerse llamar gentilhombre o señor.

En esos momentos de efervescencia, el feminismo se metamorfosea y de ser un movimiento intelectual pasa a convertirse en un combate por la igualdad social que confluye en ocasiones con el movimiento socialista. En dicho ámbito se pone de manifiesto la superioridad moral y la capacidad de trabajo de las mujeres. El caso de Anne Wheeler resulta paradigmático. Ella es quien, después de conocer a los saintsimonianos, promueve en 1818 los primeros contactos entre los socialistas franceses e ingleses. En otros países europeos, las primeras feministas se afirman en relación con el movimiento democrático y nacional.

Es entonces cuando comienza a aparecer la prensa feminista y se crean las primeras asociaciones para el acceso a la educación y la formación, siempre claves a la hora de lograr la igualdad y la autodeterminación del cuerpo. Asimismo, se intensifican las reivindicaciones del derecho al divorcio.

Estas mujeres lucharon duramente para escapar de las restricciones que imponían las normas sociales, pero su éxito fue parcial dadas las limitaciones entonces existentes. Ya sea en solitario, ya en grupo, las feministas del siglo XIX tienen algo de heroico. Por sus actividades fuera de lo común, nos llevan a participar en un momento de provocación, nos revelan algo decisivo y nos comunican su orgullo de ser mujer. La victoriana Harriet Martineau (1802-1876) rechaza el matrimonio y se gana la vida escribiendo. Desarrolla una técnica de observación sociológica y política mucho antes de que se produzca la institucionalización de las ciencias sociales. Célebre a los treinta años por sus publicaciones sobre economía política, sus análisis del papel y la situación de las mujeres en Europa y Estados Unidos estimulan el nacimiento de muchos movimientos progresistas en Inglaterra, sobre todo el que se propone la mejoría de la educación de las mujeres, la prostitución reglamentada y el sufragio. Para llegar a ser quien fue tuvo que superar diversos obstáculos familiares y adoptar el modelo masculino. Acabó sus días rodeada del afecto de sus familiares y amigos como una perfecta matriarca, fumando puros como cualquier hombre de negocios.

La aristócrata suiza Meta von Salis-Marschlins (1855-1929), a contracorriente de los políticos liberales del siglo XIX, propugna la aristocratización del mundo en el sentido en que lo afirmaba Nietzsche. Ella defiende la utopía de una «humanidad-mujer» en la que ésta conocerá la compañía del alma y escapará de la esclavitud de la «máquina doméstica». En una época en que el feminismo suizo sueña con las obras filantrópicas, ella cursa estudios de Filosofía y Derecho y se dedica a dar conferencias en favor de una causa concreta: la igualdad de derechos para las mujeres.

Por su parte, la aristócrata austriaca Bertha von Suttner (1843-1914) consagra su vida a la defensa de la paz en Europa y en el mundo. Objeto de burlas que la califican de fierecilla de la paz, escribe una novela que se traduce a doce lenguas. Organiza incontables encuentros pacifistas y trata de convencer a los políticos en una época en la que las mujeres carecen de derechos políticos. Sorprende su singular emancipación en un medio en el que la política constituye tema tabú para las damas jóvenes.

La cantante y actriz holandesa Mina Kruseman (1839-1922) escribe su primera novela en 1873. En ella cuenta la historia de una joven a la que obligan a casarse. Su empeño en criticar la sumisión de la mujer la lleva a enseñar a las jovencitas cómo escribir, cómo ser actriz, en definitiva, cómo adquirir una disciplina de trabajo y negociar con los editores y empresarios para hacerse respetar como mujer artista. Para ella, el prototipo de mujer emancipada es la mujer soltera y activa.

La excepcional feminista inglesa Olive Schreiner (1855-1920), nacida en Sudáfrica, amiga de Eleonor Marx y figura central en la vida de Havelock Ellis —uno de los primeros teóricos ingleses de la sexualidad—, analiza con gran lucidez la cuestión racial. Para ella, la vida, lo político y la escritura se fundan en una unidad radical. Es una verdadera pionera en el tratamiento político de las cuestiones privadas.

La berlinesa Hedwig Dohm (1833-1919) es una teórica apasionada del feminismo que dedica su vida a pronunciarse contra la opresión sexual, material y psicológica de las mujeres. Su condición de judía le confiere una lucidez particular. Manifiestamente anticlerical, refuta también las nuevas teorías de los anatomistas, fisiólogos y médicos sobre la naturaleza inferior de las mujeres.

Todas estas feministas nos llaman la atención por su potente singularidad. Hay otras mujeres emancipadas que extraen su fuerza de una amistad de por vida. Así, por ejemplo, las norteamericanas Elizabeth Cady Stanton (1815-1902) y Susan B. Anthony (1820-1906) —una, casada con un activo abolicionista y, la otra, soltera por elección política— son inseparables en la lucha antiesclavista y sufragista. La relación entre ellas es importante, no sólo porque las sostiene emocionalmente, sino también porque las estimula intelectualmente. Juntas fundaron la Asociación Nacional pro Sufragio de la Mujer (National Woman Suffrage Association, NWSA), convencidas de que sólo la participación de las mujeres en la vida política podía asegurar una total igualdad con el varón, y de que la lucha por los derechos de la mujer dependía de las mujeres solas y de su capacidad para asociarse.

Elizabeth Cady Stanton, además, fue la inspiradora y promotora de la convención celebrada en el estado de Nueva York que tenía como objetivo estudiar «las condiciones y derechos sociales, civiles y religiosos de la mujer», y en la que se aprobó el documento conocido como *Declaración de Seneca Falls* o *Declaración de sentimientos*. El texto, redactado en colaboración con Lucrecia Mott, utilizó como modelo la Declaración de Independencia de Estados Unidos de 1776, y en él se recogen doce decisiones. En la primera de ellas se manifiesta: «Todas las leyes que sean conflictivas de alguna manera con la verdadera y sustancial felicidad de la mujer son contrarias al gran precepto de la naturaleza y no tienen validez, pues este precepto tiene primacía sobre cualquier otro.»

En suma, se pronunciaban contra las restricciones políticas, económicas y contra la negación de los derechos civiles, orientando sus indicaciones hacia la legislación secular que ordenaba la fusión del hombre y la mujer en «un solo ser» que, por supuesto, era el del varón.

Las alemanas Helene von Mulinen (1850-1924) y Emma Pieczynska (1854-1927) fundan la Alianza de las Sociedades

Feministas Suizas y convierten su casa de Berna en un lugar de peregrinaje para las mujeres emancipadas del mundo. Colaboran con la causa abolicionista de Josephine Butler y en su lucha contra la doble moral sexual.

Por entonces llegan a formarse auténticas familias feministas, comprometidas durante varias generaciones. Las más famosas son las Pankhurst en Inglaterra y las Morsier en Suiza. Emmeline Pankhurst funda con sus dos hijas la Unión Política y Social de Mujeres (Women's Social and Political Union), formada mayoritariamente por mujeres solteras, para luchar por el sufragio femenino.

Mujeres como éstas marcaron la conciencia del siglo XIX con su personalidad brillante, su laboriosa persistencia, su notoriedad efímera e incluso escandalosa, y también, en ocasiones, por la realización de un trabajo silencioso. Todo ello demuestra la errónea identificación de su soltería y feminismo con el egoísmo.

Son muchas las mujeres que se consagran a la escritura como una protesta y un signo de rebeldía frente al encierro doméstico, y como una afirmación de su identidad y su independencia económica, a pesar de la misoginia. Atacan el matrimonio y lo pregonan con su propia vida. El ideal del amor parece imposible en condiciones de desigualdad, inferioridad y dependencia de un sexo a otro. No siempre esta literatura femenina llegó a editarse, pero en los diarios íntimos se descubre que las razones que pudieron haber presidido la elección del celibato fueron más a menudo producto de las circunstancias que de una verdadera voluntad de independencia. En el periodo de entreguerras (la Guerra de la Independencia y la civil), algunas mujeres privilegiadas, desahogadas económicamente y cultas, afirman haber elegido la libertad antes que el matrimonio. Consideran que la libertad es «mejor marido que el amor», en palabras de L. May Alcott. La pérdida de la libertad, la felicidad y el autorrespeto no tienen suficiente compensación en el dudoso honor de verse llamar «señora» en lugar de «señorita». Las solteronas vienen a formar, en cierto modo, una clase de mujeres superiores que permanecen tan fieles a su opción y tan felices de ello como las casadas respecto de su marido y hogar. En opinión de Cécile Dauphin, prefieren quedarse solteras antes que perder el alma en la lotería del matrimonio. Ése es el principio que se inscribe en la ética del individualismo del siglo XIX, relacionado con el protestantismo, el perfeccionismo y la primacía del individuo sobre las instituciones humanas, en especial la del matrimonio. Es mejor la salvación individual en soledad con Dios, ya que en el juicio final la mujer se presentará sola. (En ciertos textos norteamericanos del XIX tiene gran predicamento la expresión *single blessedness*, copia de una alusión de Shakespeare recogida en su obra *Sueño de una noche de verano*, donde el celibato se asocia a la bondad, la utilidad y la felicidad.)

Las mujeres se revelan intelectualmente capacitadas en diversas áreas —lo cual les va a permitir intervenir en la sociedad haciendo patente su voluntad mediadora—, merced a las mayores posibilidades de acceso a la educación, y a un conocimiento y una valentía para enfrentarse a un mundo culturalmente masculino. Una vez que empiezan a sentir que el mundo es su hogar —aseguraba Simone de Beauvoir—, surgen grandes personalidades. Así, luchadoras políticas como Flora Tristán, Rosa Luxemburgo o Alexandra Kollontai (más adelante nos referiremos a su modelo de mujer nueva); científicas como Madame Curie; pintoras como Rosa Bonheur, Berte Morisot o Mary Cassat, quien al reflexionar sobre el lugar que ocupaba el matrimonio en su vida llegó a la conclusión de que no podía ser ella misma y tener un matrimonio convencional; destacadas intelectuales como Lou Andreas Salomé y numerosas escritoras, como la poetisa Emily Dickinson, apasionada y solitaria en su vida y en su obra, que a veces ocultarán su sexo bajo un nombre masculino, como Mary Ann Evans (George Eliot) o la brillante provocadora George Sand, cuyas obras *Indiana* y *Lélia*, junto con *Corinne* de Madame de Staël, proporcionan nuevos modelos de identidad a muchas mujeres. Sus repercusiones en nuestro país son analizadas por Susan Kirkpatrick en *Las románticas. Escritoras y subjetividad en España. 1835-1850*. A medida que avanza el siglo, aumenta el número de mujeres dedicadas a la creación literaria.

En las artes y las letras, la imagen de la mujer sola no tiene un reflejo unívoco. Como ya hemos señalado, el matrimonio se considera como el objetivo primordial de toda mujer, como la única posibilidad de conseguir una respetabilidad social o, incluso, como el único medio de supervivencia. Jane Austen se refiere a la protagonista de *Orgullo y prejuicio* de la siguiente manera: «Sin tener una gran opinión de los hombres ni del matrimonio, casarse había sido siempre su objetivo; era la única colocación honrosa para una joven bien educada pero de escasa fortuna y, aun siendo un medio incierto de lograr la felicidad, era sin duda la más grata protección contra la pobreza.»

En *Shirley*, la novela de Charlotte Brontë (la única de las hermanas que se casó), Carolina, asumiendo que no va a casarse, se pregunta qué debería hacer para rellenar el intervalo que hay entre ella y la tumba. «Probablemente seré una vieja solterona. ¿Para qué fui creada?, me pregunto. ¿Dónde está mi lugar en el mundo?» A raíz del éxito de *Jane Eyre*, que motivó el hecho de que Charlotte desvelara la verdadera identidad de sus hermanas y de ella misma —que hasta entonces habían firmado con nombres masculinos—, una prestigiosa revista afirmaba en 1859 que «la egregia banda de escritoras femeninas ha establecido el antimodelo..., mujeres que se mantienen solas, que razonan, instruyen, mandan, lideran; unos personajes femeninos dibujados con tal poder que se apropian de la mente de los hombres».

En *Las bostonianas*, Henry James describe a la señorita Chancellor como una mujer predestinada a la soltería. Tal era su condición, y tal sería su destino; nada podía estar escrito más claramente: «Existen mujeres solteras por accidente y otras por propia elección; pero Olive Chancellor era una mujer ajena al matrimonio por todas las implicaciones de su persona. Era soltera como Shelley era un poeta lírico o como el mes de agosto es agobiante. Era tan esencialmente célibe que Ransom comenzó a pensar en ella como si fuera una vieja, aunque al examinarla detenidamente le resultó evidente que apenas tenía unos cuantos años más que él.»

En la literatura de la época, «mujer» y «sola» es casi siempre una relación sospechosa. La sociedad victoriana inglesa se conmueve ante el incremento de mujeres solas en la nación y se llega a decir incluso que es reveladora de una sociedad enferma. La prensa europea, y muy especialmente la victoriana, denuncia esta situación basándose no tanto en la cuestión del número propiamente dicho, sino en la incertidumbre de la identidad social de las mujeres solas.

La soltera es el antimodelo de la mujer ideal. Cualquier retrato suyo alude generalmente y de forma más o menos velada a una cierta desviación respecto del ideal femenino, definido por un estatuto jurídico, una concepción del amor, un determinismo biológico y un código de belleza específicos. Lesbiana, prostituta, marisabidilla... Las connotaciones peyorativas, aunque carecen de fundamento real, circulan en toda la cultura occidental; pero la construcción literaria del personaje de la solterona, así como el empleo banal del estereotipo, pertenecen específicamente al siglo XIX. En ninguna otra época se inventó tanto acerca de su fisonomía, su fisiología, su carácter o su vida social.

## EVA Y MARÍA

En el siglo pasado, al tiempo que se fija un estereotipo, surge la imagen tópica de una mujer que va a suscitar miedos y ansiedades en mucha gente. La aparición de una misoginia cada vez más acentuada entre muchos hombres se traduce, por extensión, en una abundante imaginería en la que predomina el tipo de la mujer fatal y que alcanza su máxima expresión en la Salomé de Oscar Wilde, una mujer sofisticada y peligrosa asociada al pecado, la frialdad, la sexualidad y conectada a la vez con Eros y Tánatos. Como explica Erika Bornay, los sentimientos de inseguridad y temor que la nueva mujer suscita en los hombres se manifiestan a través de ciertas emociones conflictivas que oscilan entre la fascinación y el aborrecimiento, entre la atracción sexual y el pánico al abismo. Estos sentimientos se resuelven en sorprendentes actitudes misóginas de las que ofrecen testimonio las imágenes escritas y visuales que esta autora selecciona y que posteriormente se incorporan al lenguaje audiovisual, alimentando el mundo de las quimeras eróticas.

No obstante, cohabitan entonces diversos modelos de mujer: Eva, María, Lilith, la mujer desexualizada, la «no mujer», la mensajera del mal, la que lleva al hombre a su perdición, la mujer sensual e inquietante, la pérfida amante que consagrara Baudelaire...

Fueron el simbolismo y el *art nouveau* los movimientos que sentaron las bases de la mujer perversa y arrebatadora. En efecto, pintores como Gustav Moreau, Knoff o Fure destinaron gran parte de su obra a mostrar con imágenes su extraña concepción del ser femenino, al que representaban bajo la forma de figuras míticas, bíblicas, diabólicas, esfinges o personajes intermedios entre la mujer y la bestia. Según Pilar Pedraza, las vampiresas del siglo pasado son versiones fuertes del mito de la mujer fatal que, en el nuestro, han venido a parar en las desvirtuadas y flojas vampiresas del cine, generalmente —no siempre— desprovistas de la estatura mítica de sus venerables antepasadas, capaces de traspasar las fronteras del más allá para venir a nuestro mundo en busca de la sangre fresca y el amor estimulante de los muchachos en flor.

La dicotomía María-Eva, que representa la naturaleza dual de la mujer, se acentúa a medida que avanza el siglo. La mujer, la esposa, es la Virgen de la que habla el Evangelio; Eva, por contra, la que condujo al hombre a la perdición. En las obras de arte la primacía se la lleva esta última. La represión fomentó la fantasía erótica, que difícilmente se podía canalizar hacia la imagen de la casta esposa y la dulce madre. Como contrapunto a la figura mariana, desvalida y aniñada, surge la figura de la mujer fuerte, la *femme fatale*. Entre ambos polos existieron muchos otros tipos de mujer, con pautas de conducta más matizadas, pero su protagonismo en el arte y la literatura de la época fue menor, ya que importantes escritores y artistas, como Zola, Strindberg, Rossetti o Klimt, desafortunadamente no fueron ajenos a las corrientes misóginas. No obstante, a finales de siglo algunos artistas introdujeron la imagen de la mujer deportiva, desenvuelta y liberada, sobre todo en las artes gráficas.

El pintor Ramón Casas, por ejemplo, intenta hacer real en la ficción lo que aún no es factible en la realidad, dibujando muchachas y mujeres leyendo, estudiando, escribiendo o haciendo deporte, cuando en 1878 únicamente el 9,6 por ciento de las españolas sabían leer. Casas es un avanzado en la representación de ese nuevo tipo de mujer que se corresponde con una exigua minoría en la sociedad; una mujer bella en todos los sentidos, un producto de civilización y cultura que también refleja la melancolía y el aislamiento de su situación.

Los autores del XVIII y XIX admiran y elogian a la mujer mientras no intente salirse de su papel tradicional, y se sienten inquietos ante las manifestaciones de la libertad femenina: aun así, hay que tener en cuenta que en las mejores novelas del siglo las mujeres protagonistas escapan de la caricatura o estereotipo dual del que hablamos, esposa y prostituta (recordemos que desde *La Celestina*, y durante siglos, el único tipo de mujer capaz de determinar su propio destino y medrar bajo su configuración literaria es la prostituta). Son mujeres que tienen deseos sexuales y protagonizan grandes pasiones, configurándose como tema central el adulterio: Madame Bovary (Flaubert, 1897), Ana Karenina (Tolstoi, 1877), Nana (Zola, 1880), Nora (Ibsen, 1880 ), la Regenta (Clarín, 1884), Effi Briest (Fontane, 1893), Edna Pontellier (protagonista de *El despertar* de Kate Chopin, 1899) o Madame de Renal (Stendhal, *Rojo y Negro*, 1830). Son burguesas y adúlteras, menos Nora, y podemos analizarlas también a la luz de la transgresión de los severos códigos matrimoniales. Es el descubrimiento de que las mujeres también tienen deseos sexuales y sienten la necesidad de afirmarse a sí mismas como individuos. Ibsen lo refleja magníficamente a través de Nora, que quiere abandonar a su marido para dejar de ser niña, pensar por su cuenta y encontrarse a sí misma. Cuando éste le recuerda que «antes que nada eres esposa y madre», ella contesta: «No creo ya eso; ante todo soy un ser humano con los mismos títulos que tú, o por lo menos debo tratar de serlo.»

La mujer, obligada muchas veces a un matrimonio de conveniencia, sin libertad ni actividades, se abandona a un ocio insatisfactorio y sueña con el amante, como hizo notar Balzac, no sólo como evasión, sino, conscientemente o no, como rebelión. Edna Pontellier toma conciencia de su despertar como ser humano, de sus ansias de independencia física, emocional y económica, y ante la inviabilidad de sus deseos se suicida. La obra obtuvo críticas adversas basadas en criterios morales y no literarios. En efecto, parecía inadmisible que la autora no condenara abiertamente el comportamiento de Edna, sus ansias de libertad y soledad, incluso la plasmación del suicidio como manifestación de libertad. Effi Briest, por su parte, muere consumida por la tristeza de su obligado exilio.

Estas obras reflejan y critican la sociedad de su tiempo, su estructura, leyes y tradiciones. Si nos centramos, por ejemplo, siguiendo a Biruté Ciplijauskaité, en Ana Karenina, Effi Briest, la Regenta y Madame Bovary, ninguno de sus creadores presenta la sociedad que las circunda con amor o admiración. La intención de todos es criticarla, indagar las causas del adulterio —que les sirve como tema principal—, desde su óptica y su país.

Las cuatro mujeres citadas tienen diferente actitud ante el adulterio, pero todas son castigadas, se les impone la muerte como destino y expiación, salvo en el caso de Ana, a la que Clarín condena a la soledad y a la pobreza. Son mujeres insatisfechas que buscan rebelarse y resultan vencidas no tanto por sus maridos como por el ambiente en el que viven. El destino personal depende de la circunstancia social e histórica, y la sociedad en la que se desarrollan estas novelas no tolera aún el adulterio. La trayectoria que siguen es la misma: ilusión-realidad-desilusión.

El primer intento de suicidio de Madame Bovary se debe al amor; el segundo, el que le habría de causar la muerte, al orgullo, la ambición y la penuria económica. Ana Karenina, por su parte, un ser humano completo y lleno de sensibilidad, sufre una gran angustia moral y se suicida para liberarse de sí misma. A pesar de su trágico fin, es la única que se aproxima a la emancipación.

Lo que une a estas cuatro protagonistas es, fundamentalmente, su deseo de evasión del aburrimiento, de la monotonía de la vida diaria, de una existencia enjaulada sometida a reglas precisas.

## VOCES DE MUJERES ESPAÑOLAS

Las ideas sobre la mujer de Rousseau y otros filósofos y pedagogos influyeron claramente en nuestro país. En efecto, los pensadores liberales españoles no se apartaron un ápice de las ideas tradicionales de la femineidad; consideraban que la mujer debía ser educada teniendo en cuenta su misión fundamental: la educación de sus hijos, a los que tenían que transmitir los valores pertinentes para construir una sociedad moderna. Su formación consistía sobre todo en inculcar a las futuras madres y esposas su condición de mujeres domésticas y un carácter adecuado para cumplir con su destino: la modestia, la obediencia y la resignación. En opinión de Mary Nash, «esta construcción ideológica que configuraba un prototipo de mujer modelo —*La perfecta casada*— se basaba en el ideario de la domesticidad y el culto a la maternidad como máximo horizonte de realización de la mujer». Aunque el Romanticismo creó una nueva imagen de la mujer burguesa como árbitro angelical de las relaciones domésticas, también en España hubo voces contrarias, como las de las escritoras Carolina Coronado y Concepción Arenal. En *La mujer en su casa* (1881), esta última argumentaba que la mujer doméstica era un ejemplo equivocado de la perfección, ya que mientras para todos suponía el progreso, se pretendía que para ella supusiera solamente la inmovilidad.

Algunas mujeres logran salir de esos raíles. Son literatas y poetisas que comparten un mismo origen social, generalmente la aristocracia o la alta burguesía. Muchas de ellas residen largas temporadas fuera de España, y el conocimiento de otros idiomas les permite acercarse a otros escritores extranjeros y traducir sus obras. La mayoría se casan siendo muy jóvenes; algunas tienen amantes e incluso llegan a contraer matrimonio varias veces. Pero envejecen solas, presas de la melancolía. No eluden en sus obras el sufrimiento, ni las frustraciones ni las desigualdades, pero no suelen plantear alternativas o mostrar signos de rebelión; más bien contribuyen a consolidar el modelo oficial del ángel del hogar.

Por ejemplo, la conservadora y melodramática Angela Grassi escribe en *Las riquezas del alma*: «Quisiera que todas las mujeres, penetradas de su alta misión, trocasen su alma en templo para ejercer en él el sublime sacerdocio de las madres.» En este punto conviene recordar a Cecilia Bohl, quien escribe una novela titulada *Sola* y cuyo amor por su segundo marido se ha equiparado con el que sintió George Sand por Chopin, en la medida en que se trata de dos seres débiles y enfermizos, necesitados de protección. El suicidio de su marido, motivado por su fracaso en los negocios, la sume en la tristeza y en la soledad.

Un recuerdo merece Josefa Masanes, quien no busca la emancipación total de la mujer porque, a su juicio, se opone a ello la naturaleza, sino sólo su emancipación intelectual, que justifica no basándose en el derecho innato de la mujer a la autorrealización, sino en sus responsabilidades como madre y esposa. Fundadora de un colegio para señoritas y miembro de varias academias e institutos, Masanes cree que la única posibilidad de emancipación para las mujeres es la educación. Por eso denuncia una y otra vez el hecho de que se niegue a la mujer la aptitud para los trabajos intelectuales y, en caso de concedérsela y reconocerle las dotes de una brillante inteligencia, se la amenace con el desprecio en cuanto intente sacar provecho legítimo de tan estimado don, bajo el pretexto de que el saber la perjudica.

Concepción Arenal es fundamentalmente conocida por sus escritos de denuncia de las cárceles, los manicomios y los hospicios. Era contraria a la participación de la mujer en la política porque consideraba que tales trabajos exigían el ejercicio de la autoridad, para la que no estaba bien dotada la mujer, en quien predominaban la dulzura y el cariño. Lo primero era afirmar la personalidad al margen de su estado y persuadirse de que, soltera, casada o viuda, tenía derechos que ejercer y derechos que reclamar, una dignidad que no dependía de nadie, un trabajo que realizar y la certeza de que la vida era algo serio, grave, que no debía tomarse como un juego si una no quería convertirse indefectiblemente en juguete de la misma. Así pues, suponía un error grave y perjudicial inculcar a la mujer que su misión única era la de ser esposa y madre.

Entre todas ellas destaca Emilia Pardo Bazán, la intelectual más eminente de la España de su tiempo y una de las mejores novelistas del siglo XIX. Periodista sobresaliente, fue corresponsal en París y Roma. Fundó y dirigió la revista teatral *Nuevo Teatro Crítico*. Polémica y prolífica, escribió más de sesenta novelas. Especial interés ofrecen sus artículos sobre la situación de la mujer, publicados en *La España Moderna* y recopilados bajo el título *La mujer española*. Una mujer extraordinaria, profunda e inusualmente libre que contrajo matrimonio a los diecisiete años y se separó al poco tiempo. Fue, además, la primera catedrática de la universidad española.

En las revistas que empiezan a aparecer en la época, como *El Periódico de las Damas*, se impulsa, sin embargo, la idea tradicional de la mujer esposa y madre. Lo mismo ocurre en *La Gaceta de las Mujeres*, pese a estar redactada íntegramente por mujeres, entre las que destacan las románticas Gertrudis Gómez de Avellaneda y Carolina Coronado. Mención especial merece *El nuevo pensil de Iberia*. Inspirado en los planteamientos fourieristas y del socialismo útopico, esta publicación se dedica a denunciar las condiciones de vida de la clase trabajadora y especialmente de la mujer. No reclama la igualdad, sino el papel de la mujer como guía del hombre. La revista *Psiquis. Periódico del Bello Sexo*, editada en Valencia en 1840, definía a la mujer de la siguiente manera: «Es el alma de la sociedad; es el espíritu que embellece la existencia del hombre; es el principio de las acciones grandes, el estímulo a la virtud, el descanso de las fatigas; en una palabra, el vínculo más dulce que une al hombre con la vida, y sin el cual sus días serían tristes, insípidos y sin inspiraciones ni goces...» Posteriormente, aparece *La Mujer,* editada en 1882 en Barcelona, que desde un pensamiento más radical proclama que no se alcanzarán las libertades de los hombres si ese logro no va acompañado de la liberación de las mujeres.

En el Primer Congreso Obrero de 1870 se defendieron las ideas proudhonianas de inferioridad de la mujer. En el siguiente, dos años más tarde, se destaca ya la necesidad de incorporarla al movimiento obrero. La mujer, en tanto que ser libre e inteligente y, por tanto, responsable de sus actos, no puede quedar relegada a las tareas domésticas porque eso supone subordinarla al varón. Teresa Claramunt, entre otras, reclama el derecho de la mujer a participar en pie de igualdad con el hombre y defiende la lucha específica por la emancipación.

# LUCES Y SOMBRAS DEL SIGLO XX

El XX es un siglo dominado por la complejidad. En él se producen grandes avances, pero también tremendos desastres. Nadie podrá negar que uno de los acontecimientos más relevantes ha sido y es la presencia de las mujeres como nuevas protagonistas de la vida social, resultado, fundamentalmente, del movimiento de mujeres. El camino ha sido duro, ha tenido luces y sombras, avances y retrocesos y, por supuesto, no ha llegado todavía a su fin.

Ya en el umbral del siglo, en diferentes ámbitos de la vida pública y de la creación artística se afianza la figura de la soltera feliz, urbana, procedente de sectores acomodados, viajera con un barniz cultural, que da ostensiblemente la espalda a los papeles tradicionales. En Inglaterra y Estados Unidos, donde mayores son los progresos jurídicos sobre la propiedad, el divorcio, la educación y el sufragio, es precisamente donde este modelo de vida autónoma se desarrolla y donde más fascina. Gradualmente, las imágenes de independencia económica y de amor libre se van fundiendo para dar nacimiento al ya mencionado mito de la mujer nueva. Entre 1870 y 1920, las mujeres solteras dejaron sus casas en mayor número que nunca; se establecieron colegios de mujeres y las populares revistas femeninas proclamaban la soltería como un estilo de vida viable. Ya nunca más serían las amargadas mujeres sometidas a un montón de humillaciones, sino mujeres alegres, activas y con deseos de autonomía y dignidad a los que, desafortunadamente, se intentaba poner freno. Louise May Alcott escribe en 1887 que las solteras son una raza muy útil, feliz e independiente: «Nunca como hasta ahora, cuando todo el progreso y el honor están abiertos para ellas, fama y fortuna son valientemente ganadas por cualquier miembro de esta hermandad con talento.» Las mujeres empezaban así a entrar en la modernidad.

No pretendo, naturalmente, destacar a todas las mujeres ilustres y célebres del siglo. Son muchísimas las que merecen tal calificativo, aunque todavía caben en un diccionario. Ni tampoco me propongo mencionar a todas aquellas que no se sometieron al rol tradicional. Tan sólo quiero referirme a algunas que me parecen más significativas, incluso más transgresoras, por haber luchado a contracorriente en defensa de su propia autonomía. Tampoco es mi tarea hacer aquí una historia del feminismo, ni detenerme en todas las etapas que conforman este siglo, por lo que sólo voy a aludir a ciertos momentos clave en los que se producen avances o retrocesos. Mucho me temo que, aunque teóricamente se apoya este proceso de emancipación, la sociedad sigue sustentándose en los roles tradicionales, aun cuando hoy las mujeres podamos ya acceder al reconocimiento social a través de los estudios, el trabajo y la participación política.

En este sentido hay que reconocer que ninguna conquista es definitiva. Olvidadas las masacres y los años negros, la percepción positiva del siglo XX —un siglo conquistador que se opone al siglo victoriano— está impregnada de una serie de imágenes: la *garçonne* o *flapper*, producto de la guerra y de los años locos; la mujer liberada, producto de la píldora; y la *superwoman* de los años ochenta, producto del feminismo y de la sociedad de consumo, una mujer capaz de hacer malabarismos entre su carrera, sus hijos y sus amores. En estos nuevos tipos de mujer existe una vinculación directa entre su imagen moderna y la ruptura con el modelo único de madre y esposa, un rol que, como hemos visto, representa la sumisión y la falta de independencia.

Una gran diferencia entre el siglo presente y los anteriores es la existencia de muchas más jovenes cuya preocupación no consiste en hallar un marido, sino en encontrarse a sí mismas. Es como si hubiéramos decidido que la felicidad es más importante que la resignación, que es mejor vivir rodeadas de amor y de afectos, pero que esto no se identifica necesariamente con el matrimonio ya que la soledad no se vincula a un estado civil, ni tampoco la dignidad y el respeto. No existe un único destino para las mujeres, que quieren poder elegir y no tener por qué renunciar de antemano a nada. A lo mejor hoy es más fácil ser valiente y decir que no o que sí, porque somos muchas las que podemos conjurarnos y eso, sin duda, nos da fuerza.

En definitiva, se trata de ver cómo se dibuja un mapa en el que se contemplen el periodo triunfal del feminismo y su carácter internacional antes de la Primera Guerra Mundial, el papel o los papeles de la mujer durante la misma, en las posguerras y en los periodos de entreguerras, la convivencia en el momento en que irrumpe la llamada mujer moderna americana frente a los prototipos de mujer de los totalitarismos de diferente signo en Europa, la llegada de las democracias tras la Segunda Guerra Mundial (de las que, desgraciadamente, quedamos excluidos), los años sesenta, los ochenta y todo lo demás, teniendo en cuenta que no siempre se encuentran líneas divisorias precisas y que, siendo la realidad compleja, existen o han existido imágenes contrapuestas, modelos establecidos y excepciones en su representación.

## DE VIRGINIA WOOLF A LA *RIVE GAUCHE*

Hablando de mujeres solas es preciso hacer el relato de una historia cercana en la que nos hallamos más directamente implicadas. ¿A quiénes destacaríamos? ¿De qué ámbitos? A aquellas mujeres que han tenido una especial relación con la soledad, por haber sido unas adelantadas respecto del tiempo y la sociedad en que han vivido o viven, por su inconformismo, por haber sido marcadas especialmente por el desamor.

Mujeres excelsas ha habido siempre, extraordinarias por su talento, su fuerza o su personalidad. Algunas, que han tenido la posibilidad de recibir una buena educación o han contado con un gran tesón, han adquirido celebridad en distintos ámbitos. Mujeres que han pertenecido a determinados grupos artísticos o intelectuales, a veces mixtos, como el caso del grupo de Bloomsbury o el de Montparnasse, o más específicamente femeninos, como las ya mencionadas mujeres de la parisina *rive gauche*. Estos grupos se configuran casi como burbujas en las que se respira libertad y creatividad; dan forma a un nuevo concepto de vida, a un renacer cultural, a un comportamiento provisto de una mayor autonomía que nunca obliga a renunciar a la propia identidad.

Virginia Woolf es una de las fundadoras del grupo de Bloomsbury, que nació en Londres en 1904, en el distinguido barrio de los alrededores del Museo Británico, un lugar decadente, despejado, elegante, adecuado para que dos mujeres de veinte años, con talento y casa propia, pudieran vivir al margen de toda protección familiar. El grupo constituía una vanguardia especial y disidente de la burguesía que, a juicio de Raymond Williams, asentaba su compromiso en una búsqueda intelectual individual y en la tolerancia mutua y sin trabas. Sabido es que el grupo no sólo se vio modulado, sino literalmente impulsado, por la inclusión de mujeres de educación no académica, inteligentes y elocuentes, y por el impacto del feminismo. En esta y otras vertientes —como su socialismo, su pacifismo y su antiimperialismo—, el grupo representó un papel reformador y por tanto modernizador en la historia de la clase social a la que aparentemente se oponían. Es de sobra conocida la importancia de Virginia Woolf en el feminismo, como luchadora y como teórica; de hecho, *Una habitación propia* es un texto trascendental en la historia de la emancipación de la mujer. En el polo opuesto, Vanessa Bell, que no tenía relación con el feminismo organizado ni su aspecto, precisamente, era el de la mujer nueva, llevaba una vida sexual y profesionalmente liberada que difícilmente puede calificarse de otra manera que no sea la de feminista. En definitiva, se daba una estrecha relación entre emancipación sexual e independencia profesional, porque, como ya entonces afirmaba Virginia Woolf, el futuro de la ficción dependía en buena medida del grado en que era posible educar a los hombres para que admitieran la libertad de expresión de las mujeres.

Se trataba, pues, de un círculo en el que existía una absoluta libertad de pensamiento y de expresión. Un grupo que se mantuvo unido no sólo por los lazos afectivos, de sangre o de matrimonio, pasiones heterosexuales u homosexuales, sino también por la inteligente y entusiasta entrega en la vida y el arte. Este ambiente es el que recrean, por ejemplo, las obras de Vanessa Bell e Isadora Duncan. Los hombres del grupo creían de verdad que las mujeres podían ser inteligentes e independientes, pero, aunque no aceptaban las ideas tradicionales sobre la femineidad, daban muestra de grandes dosis de egoísmo. Por este y tantos otros motivos las tensiones no estaban ausentes del círculo. Virginia y Vita Sackville-West no llegaron nunca, a pesar de la pasión, de su amor y su amistad, a compartir sus soledades. Woolf se suicidó y Vita fue hundiéndose lentamente en la soledad, la depresión y el alcohol.

También Montparnasse se configura como una zona libre. Apenas terminada la guerra, empezaron a afluir a París artistas de todo el mundo, produciéndose durante los años veinte una verdadera eclosión cultural. El barrio de Montparnasse se convirtió en un gran espacio de experimentación artística que iba a suponer un cambio relevante para la historia del arte. Los artistas eran respetados en la medida en que ejercían un interesante reclamo y proporcionaban un indudable prestigio a la ciudad; de ahí la permisividad reinante, impensable en otros distritos de la ciudad. Pero quizás uno de los aspectos más sorprendentes de Montparnasse fue la presencia de un grupo de mujeres independientes y autosuficientes que, liberadas de su papel tradicional en la familia y la sociedad, se integraron en la comunidad artística. Decidían sobre su propia vida con una nueva independencia e igualdad en un ambiente impregnado de sensualidad. Y, aunque la crisis económica acabó con el fenómeno de Montparnasse, el tiempo que duró supuso una época de auténtica libertad y falta de prejuicios, que ofreció a los individuos la oportunidad de ser ellos mismos en los distintos ámbitos de la vida. En el caso de las mujeres, este hecho fue fundamental merced a su excepcionalidad.

Kiki (Alice Ernestine Prin) fue uno de sus símbolos. Según Hemingway, «Kiki reinó en esta era de Montparnasse con mucha más fuerza de la que nunca fue capaz la reina Victoria a lo largo de toda su existencia». No sólo posó para numerosos e importantísimos pintores y fotógrafos —fue la modelo del famoso *Le violon d´Ingres*, de Man Ray—, sino que rodó ocho películas —entre las que destaca la experimental de Léger, *Ballet mécanique*—, cantó, pintó y a los veintiocho años escribió sus memorias, que tuvieron un gran éxito internacional. Nacida en una familia humilde de Borgoña, empezó a trabajar en París a los catorce años y, a los diecisiete, ya estaba integrada en el citado grupo de artistas, en quienes proyectó siempre su afecto. Representó la imagen de la mujer moderna, eso sí, artística y privilegiada, como Meret Oppenheim o Marie Laurencin.

A comienzos del siglo se da una especie de dandismo entre las mujeres de la *rive gauche* de París, a las que se conoce como las «amazonas»: Nathalie Clifford Barney, Renée Vivien, Gertrude Stein y sus amigas creadoras, estetas del *art nouveau* o de la vanguardia, algunas de ellas lesbianas reconocidas. Son mujeres que reivindican el derecho a vivir como los hombres, libres, que quieren correr mucho y amar a su manera. Admiradas y vilipendiadas, nada les resultó fácil. Para afrontar las dificultades necesitaron de la amistad y el amor de otras mujeres y de ciertos hombres. En líneas generales, se expatriaron con el deseo de encontrar en Europa la necesaria libertad cultural y personal para desarrollar su creatividad. La mayoría pertenecía a una clase media muy acomodada, y había recibido una educación similar centrada en el estudio de la música, la pintura y la literatura. Su afinidad procedía también, por lo tanto, de las notables similitudes que les daba su origen familiar, sus aspiraciones intelectuales, sus actitudes políticas y su experiencia infantil.

Algunas se rebelaron contra la norma heterosexual y tuvieron relaciones homosexuales; unas, como Gertrude Stein y Alice B. Toklas, muy duraderas, y otras, como Nathalie Clifford Barney, más promiscuas. La amazona, así le gustaba que la llamaran y éste es también el título del retrato realizado por la pintora Romaine Brooks en 1920, poetisa y protectora de las artes, hizo de su lesbianismo un asunto público. Hija de un hombre de negocios esnob, autoritario y celoso de la vocación artística de su mujer, que era pintora, encontró en la actitud de su padre una razón para rechazar absolutamente el matrimonio, al que consideró una institución que legalizaba la victimización de las esposas y las hijas. Heredera de una una importante fortuna que le permitió vivir en París, ciudad que consideraba el marco idóneo para intentar hacer de su vida una obra de arte, abrió un salón literario que durante décadas fue frecuentado por intelectuales y artistas de varias nacionalidades, con el fin de potenciar las artes y crear una imagen diferente de las lesbianas. Su divisa de conducta era la siguiente: «Compórtate diferente sin ocultar nada», vive y deja vivir, y ama libremente a quien ames. En su libro *Actos y entreactos* (1910), expuso su estética lésbica y desarrolló el tema de la trampa que suele suponer para la mujer la sociedad en la que vive. Tuvo muchos amores y mantuvo una amistad inquebrantable con otra escritora, Djuna Barnes, una mujer imponente, como la ha calificado Javier Marías. Autora de *El bosque de la noche* y *Ryder*, Barnes tuvo igualmente muchas aventuras con hombres y mujeres, como Anaïs Nin y Carson McCullers. Era inflexible y sabía preservar su soledad. Fue elogiada por importantes escritores como T. S. Eliot, James Joyce y Lawrence Durrell, quien llegó a afirmar que «uno se alegra de vivir en la misma época que Djuna Barnes». Su gran amor fue la escultora Thelma Wood. Los últimos cuarenta años de su vida llevó una existencia solitaria, financiada por la mecenas y amante del arte Peggy Guggenheim, e inmersa en el silencio y la escritura.

A través de los salones y librerías, estas mujeres entraron en contacto con otros escritores. Sin embargo, como en el caso de Gertrude Stein, el aislamiento fue casi su constante vital, debido seguramente a su estrategia militante y ferozmente independiente. Stein invirtió mucho esfuerzo en intentar demostrar que era más fuerte, que tenía más talento y que intelectualmente era superior a los hombres. Constantemente competía con Joyce en su genialidad y llegó a enfrentarse con Sylvia Beach, la propietaria de la librería Shakespeare and Co., por haber editado el *Ulises*.

En su rechazo al matrimonio, Renée Vivien decía cosas como ésta: «¿Cree que hoy en día las mujeres no tenemos nada más que pensar que ir hacia un matrimonio como un rebaño de ovejas? Pensaba que era usted un verdadero amigo mío.»

Hay que mencionar, por último, a Colette, la gran dama de las letras francesas, asidua del salón literario de la amazona. Tras la publicación de *Chéri*, el papel de cuya protagonista encarnaría ella después en su propia vida, le fue concedida la Legión de Honor. Dependiente y sumisa a un marido infiel, cuando finalmente se separa afirma a través de una de sus novelas, *Claudine s'en va*: «Él ha sabido tan bien lo que yo debía hacer que me encuentro aquí sin él como inútil juguete mecánico al que se le ha perdido la llave. ¿Cómo sabré yo ahora dónde está el bien y el mal?» En *Nuit blanche,* obra dedicada a su amante Missy, escribe: «Dos mujeres entrelazadas supondrán para él un grupo licencioso y no la imagen melancólica y llamativa de dos debilidades quizás refugiadas una en brazos de la otra para dormir, llorar, y huir en ellos del hombre a menudo malvado y disfrutar por encima de cualquier placer, de la felicidad amarga de sentirse semejantes, ínfimas, olvidadas.» Mantuvo unas relaciones complicadas con su madre, y en sus obras a los hombres, objetos de crítica, las protagonistas los soportan sin esperar que respondan al amor que sienten por ellos.

Aquel ambiente formado por expatriadas norteamericanas y británicas fue excepcional, porque lo común es que las mujeres, a pesar de su preparación intelectual, siguieran viviendo en un clima burgués asfixiante. Tal era el caso de Clara Malraux, de soltera Clara Goldschmidt. Originaria de una acomodada familia de origen judío alemán, vivió desde muy joven de manera independiente, viajando, aprendiendo idiomas, dejándose fascinar por las manifestaciones artísticas y el pensamiento de vanguardia. A pesar de ser rica e inteligente, hubo de enfrentarse al gran obstáculo que suponía ser una mujer sola a la que le estaba vedada la vida intelectual que deseaba llevar. Su propio hermano le aconsejó que se casara para salvar esos impedimentos y, aunque durante años rechazó tal posibilidad, finalmente decidió compartir sus ideas nuevas y sus inquietudes intelectuales y políticas con un compañero. Conoció a André Malraux cuando éste tenía diecinueve años. De inteligencia precoz, mentalidad inquieta y origen humilde, aquel voluntarioso autodidacta resultó sorprendido por la muchacha judía, independiente, provocativa, y cultivada, y se enamoraron. Veinte años después, Malraux se consagró como héroe cultural, y ella alcanzó su esplendor con sus memorias, escritas al término de la guerra. Cuando leyó por primera vez lo que Clara había escrito, le aseguró que más valía que fuera su mujer antes que una escritora de tres al cuarto. Seguramente le movió a esa respuesta el contenido autobiográfico del texto, en el cual su relación ocupaba un papel central. Al finalizar la guerra, ella empezó a vivir una nueva vida en solitario, en busca de utopías políticas, aunque ya para siempre obsesionada con la figura de su marido.

Poco tenían que ver estas mujeres con Alexandra Kollontai, la gran política y revolucionaria rusa que representa un modelo distinto de nueva mujer. En efecto, en *La mujer nueva y la moral sexual*, textos escritos entre 1919 y 1921, plantea el modelo de la mujer nueva con una enorme contundencia teórica. Para ella, la mujer moderna no podía aparecer, como tipo, más que con el aumento cuantitativo de las fuerzas del trabajo femenino asalariado. Estas mujeres nuevas no son, desde luego, las encantadoras y puras jovencitas cuya novela termina en un matrimonio feliz, ni las esposas que sufren resignadamente las infidelidades del marido, ni las casadas culpables de adulterio; no son, tampoco, las solteronas entregadas toda su vida a llorar un amor desgraciado de su juventud, ni las «sacerdotisas del amor», víctimas de las tristes condiciones de la vida o de su propia naturaleza «viciosa». Las mujeres de Kollontai constituyen, por su parte, un quinto tipo de heroína desconocido anteriormente; se presentan a la vida con exigencias propias y afirman su personalidad; protestan de la servidumbre de la mujer dentro del Estado o en el seno de la familia; saben luchar por sus derechos. La denominación más apropiada que podemos darles es la de mujeres célibes.

Esta nueva mujer está bien lejos de ser una resonancia de su marido, ha dejado de ser un simple reflejo del hombre. Posee su propio mundo interior, vive entregada a intereses humanos generosos, es independiente exterior e interiormente. Hace veinticinco años, una definición de esta clase hubiera sido considerada vacía de significado. Los cuadros eran esquemáticos y sencillos: la jovencita, la madre, la literata, la amante o la mundana, como Elena Kurakin, de *Guerra y Paz*. Para la mujer célibe no había, pues, sitio ni en la literatura ni en la vida. Se la consideraba una desviación accidental de la norma. Hoy, sin embargo, es un hecho real, un modelo vivo, según A. Kollontai.

En nuestro país no existió ni Bloomsbury, ni Montparnasse ni la *rive gauche*. Las crisis políticas y el retraso en el reconocimiento de los derechos de los individuos frenaron las conquistas sociales de las mujeres. Pero no me resisto a mencionar a algunas de ellas que, agrupadas o no, tuvieron una especial relevancia. Igualmente quisiera destacar el esfuerzo realizado en los últimos años por investigadoras españolas en dar a conocer la historia de nuestras mujeres.

Entre las mujeres emancipadas de principio de siglo destacaría a Carmen de Burgos, conocida como Colombine, probablemente la primera mujer que pisó la redacción de un periódico. Escritora, cosmopolita y amiga de los intelectuales más relevantes de la época, batalló por la igualdad de sexos como nadie lo había hecho hasta entonces desde un medio de comunicación. Ya en 1906 inició una campaña de prensa por el voto de las mujeres y a favor del divorcio. Colombine se definía así: «Yo soy naturalista romántica, variable como mis yoes. Me gusta todo lo bello y la libertad de hacerlo sin afiliarme a escuelas.»

Hasta bien entrado el siglo XX no empiezan a formarse los primeros grupos feministas, las primeras asociaciones de mujeres que se reúnen para debatir aquellos problemas que les afectan directamente, si bien ya en 1870 había nacido en España la Asociación para la Enseñanza de la Mujer, auspiciada por Fernando de Castro, el primer grupo que intenta conseguir la promoción de la mujer. En 1926, un grupo de mujeres cultas y de ideas avanzadas (algunas de ellas pertenecían a El Mirlo Blanco, compañía de teatro de cámara promovida, entre otros, por Valle-Inclán y Azaña), presidido por María de Maeztu —figura emblemática de la renovación de la sociedad española promovida por la Institución Libre de Enseñanza— crea el Lyceum Club. Carmen Baroja, una de sus fundadoras, en *Recuerdos de una mujer de la generación del 98*, describe de la siguiente manera el nacimiento del club. «Por entonces veníamos reuniéndonos unas cuantas mujeres con la idea, ya muy antigua en nosotras, de formar un club de señoras. Esta idea resultaba un poco exótica en Madrid y la mayoría de las que la teníamos era por haber estado en Londres, donde eran, y supongo que siguen siendo, tan abundantes (...). Las reuniones iban siendo cada vez más numerosas y allí nos juntábamos todas o casi todas las mujeres que en Madrid habían hecho algo y que por ellas o por sus maridos tenían una representación.»

El Lyceum organizaba conferencias y exposiciones y contaba con varias secciones: beneficencia, arte, biblioteca, sociales, etc. El club se enfrentó con dificultades económicas y sociales; fue objeto de duras críticas provinientes de los sectores conservadores y, especialmente, de la Iglesia católica.

En el citado libro, recientemente editado y prologado por Amparo Hurtado, Carmen Baroja confiesa: «No he podido ni escoger ni cambiar mi vida (...). Yo era francamente feminista, veía la poca diferencia que había entre los dos sexos.» Considera que en la educación reside la desigualdad y ridiculiza los esfuerzos de las madres por casar a sus hijas.

Como nos recuerda Pilar Folguera, es en la Segunda República cuando las mujeres son consideradas por primera vez, en nuestro país, como individuos, asociándose la nueva República con el nuevo arquetipo de mujer. Ocuparon nuevos espacios y nuevas profesiones, comenzaron una relación diferente con su cuerpo, libre de corsés, y fueron habituándose a los deportes. Incluso algunas de ellas se plantean la maternidad consciente que les permita desarrollar con mayor libertad sus aspiraciones sociales e intelectuales.

En esta época emergió un importante grupo de mujeres que tuvieron la posibilidad de recibir una educación que daría lugar a las primeras investigadoras, cuyos modelos eran Madame Curie, la primera arquitecta, la primera diplomática, la primera catedrática —recordemos que Emilia Pardo Bazán no accedió a la cátedra hasta 1916—. Para que esto se produjera fue decisivo el interés de los padres en fomentar el gusto por el estudio. Muchas estuvieron relacionadas con la Residencia de Señoritas inaugurada por la Institución Libre de Enseñanza. Una estirpe de mujeres decisiva en la evolución de la sociedad española de este siglo, que a su vez fueron educadas o estuvieron rodeadas por mujeres de «alta tensión», en palabras de Isabel García Lorca.

Aunque la mayoría de estas mujeres ejercieron a la vez de esposas y madres de familia, para otras no fue posible tal compatibilidad, hasta el punto de que renunciaron, como María de Maeztu, a la vida privada para dedicarse a la pública. Surgieron así importantes políticas. Tres fueron las primeras diputadas de un total de 470: Clara Campoamor del Partido Radical,

Victoria Kent del Partido Radical-Socialista y Margarita Nelken del Partido Socialista Obrero Español. Clara Campoamor fue una de las primeras mujeres que accedió a la profesión de abogado y ejerció como tal. Se la recuerda como la gran defensora del voto femenino sin limitaciones, mientras que Victoria Kent creía que debía concederse con limitaciones y Margarita Nelken opinaba que las españolas no estaban preparadas para ejercer el derecho a votar libremente.

Alcanzaron gran popularidad (se las mencionaba en canciones muy conocidas) y, a pesar de su valía, fueron, cómo no, objeto de críticas e incomprensiones sin cuento. Azaña criticó abiertamente a Victoria Kent, primera mujer que ocupó la Dirección General de Prisiones, desde donde luchó para humanizar y mejorar las condiciones de los presos. En relación al enfrentamiento verbal entre Clara Campoamor y Victoria Kent, calificado por Azaña como muy divertido, se podía leer en la prensa: «En el Congreso no hubiera estado mal un par de mujeres de su casa. Y sin que esto sea una censura para el celibato de las diputadas actuales, digamos que las hubiéramos preferido casadas, con unos cuantos hijos. Porque la mejor política, por no decir toda la política de una mujer con hijos, está en el cuidado y defensa de su hogar. Mirando por los suyos, esas dos diputadas mirarían por el de todas las mujeres españolas.»

La diputada Margarita Nelken fue una mujer audaz que preconizó el derecho de la mujer a tener hijos con quien quisiera; una mujer cosmopolita que sin duda vivió momentos de soledad, producto de la incomprensión incluso de sus propios compañeros. Mirada con recelo porque intentó conciliar una vida privada libre, sin someterse a las normas tradicionales, y la vida pública, fue la única que se mantuvo durante las tres legislaturas.

¿Y qué decir de la conocida socialista María Lejárraga, que se incorporó al Congreso posteriormente, en 1933, junto con la también socialista Matilde de la Torre? Un caso especial. Su talento permaneció oculto pues, como es sabido, escribía con la colaboración de su marido, Gregorio Martínez Sierra; sin embargo, él aparecía como el autor de las obras. Esta colaboración continuó a pesar de que Martínez Sierra formó una nueva pareja con la actriz Catalina Bárcena. Un claro ejemplo, pues, de parasitismo masculino. Junto a políticas famosas y ejemplares, como Dolores Ibárruri o Federica Montseny, la primera mujer ministro en Europa (observadas por su compañeros cuando intentaban romper la separación entre la lucha privada y la pública), se encuentran las mujeres anónimas o menos conocidas, igualmente valientes y de profundas convicciones.

Muchas mujeres, que permanecieron voluntaria o involuntariamente en España, vieron truncadas sus vidas por la guerra y la dictadura. A ellas nos referiremos más tarde. Otras tuvieron que exiliarse.

María Teresa León, escritora y compañera de Rafael Alberti, peregrinó por el mundo reclamando una patria «pequeña como un patio o como una grieta en un muro muy sólido». En opinión de Montserrat Roig, tanto ella como María Goyri —la mujer de Ramón Menéndez Pidal— o Zenobia Camprubí —esposa de Juan Ramón Jiménez— «prefirieron ser la lengua, la mano, el pie, la enfermera, la mecanógrafa, el chófer de su marido. En pocas palabras, colas de cometa y no cometas».

Si algunas se exiliaron al otro lado del Atlántico —éste fue el caso de la relevante filósofa María Zambrano, de la interesante y excéntrica pintora Maruja Mallo, de las excelentes escritoras Rosa Chacel o Mercé Rodoreda, de la artista valenciana Manuela Ballester, de la gran actriz Margarita Xirgú—, dejando allí muestras de su talento, otras, como María Casares, se instalaron en Francia. Actriz universal, primera figura de la Comedia Francesa y del Teatro Nacional popular francés, representó obras de Camus, Cocteau, Sartre y Anouilh. En su libro autobiográfico *Residente privilegiada*, escribe que desde que abandonó España en el 36, «he vivido en estado de urgencia. Mi patria es el exilio».

## LA GARÇONNE: FALDA CORTA Y PELO CORTO

Después de la Primera Guerra Mundial, la cuestión del amor libre y la nueva mujer adquiere plena actualidad. En Inglaterra, la joven liberada se encarna en la ya mencionada *flapper* asidua de los bailes populares y entusiasta de las faldas cortas, y en Francia, como hemos dicho, en la *garçonne*, a quien Victor Margueritte inmortalizó como arquetipo novelesco en su obra *La garçonne* (1921). Su protagonista, Monique Lebier, llevaba el pelo y la falda cortos, iba al baile, hacía deporte y asistía a cursos en La Sorbona. En estos años locos, en los que la recuperación de la alegría de vivir al terminar la guerra se combina con la fascinación que produce una revolución rusa que recoge todas las emancipaciones soñadas, se impone el personaje de la *garçonne*. El deseo de conquista de su independencia económica y su libertad sexual, su comportamiento masculino —piensa y actúa como un hombre—, las cualidades viriles que despliega —talento, lógica— y la conciencia de su irreductible individualidad —«sólo me pertenezco a mí misma»— se encarnan en un atributo físico simbólico: el pelo corto, de ahí la denominación *garçonne*.

La citada novela tuvo una importante repercusión, no exenta de escándalo, y generó un debate público y privado. Periodistas, políticos y novelistas formales condenaron, a veces con extremada virulencia, a la mujer emancipada, a quien se quiso identificar con la mujer de mala vida. La mayor parte de las feministas se disgustaron ante el carácter pornográfico de la novela y la izquierda, dividida, defendió la libertad de expresión pero guardó silencio acerca del fondo. Por su parte, los comunistas, que remitían la emancipación femenina a los tiempos posrevolucionarios, miraron con desprecio estas «pseudoreivindicaciones» burguesas. Parece que solamente las feministas revolucionarias, en nombre de la igualdad de los sexos, apoyaron el modelo.

Muchas veces se ha querido ver en esta nueva imagen femenina —faldas y pelos cortos— los símbolos de un nuevo comportamiento ligado a la llegada de las mujeres liberadas. Que la nueva mujer era la mujer moderna se reiteraba en las publicaciones de gran circulación de la década de 1920. Era Nancy Cunard, rica y bohemia; era Coco Chanel, decana de la moda francesa, que ya en 1910 había adoptado la ropa deportiva para la vida diaria. La *new woman* intentaba conquistar su identidad y su autonomía en detrimento de los convencionalismos.

Sin embargo, detrás de las apariencias, las normas tradicionales se mantenían vivas.

En opinión de Whitney Chadwick, la imagen que prometía un nuevo mundo a la mujer moderna en la sociedad industrial del siglo XX sólo fue una realidad para las mujeres ricas y privilegiadas. Cuando se filtró a las masas de mujeres trabajadoras, funcionó como una fantasía, muy alejada de la realidad de las vidas de millones de mujeres, pero enérgicamente afirmada mediante campañas en los medios de comunicación, con el fin de promocionar el consumo: vender juventud, belleza y tiempo libre junto con la última moda.

En nuestro país, la imagen de la Eva moderna, aunque vinculada a la que emerge del simbolismo-modernismo (Valle-Inclán), puede abordarse desde otra perspectiva que se centra en su protagonismo como ser activo. La literatura, la pintura, la escultura y, muy especialmente, la ilustración gráfica proporcionan un interesante y abundante material al respecto. En el marco cronológico particular de nuestro país, de 1914 a 1936, se produce una escalada constante de la mujer en la vida moderna, aunque verdaderamente se trata de una imagen más mitificada que ajustada a la realidad cotidiana española (se reflejan temas relacionados con el trabajo, el deporte o la moda, así como nuevos escenarios: el club, el salón de té, el gran hotel...).

La mujer que conduce, que hace deporte, que acude sola o en compañía de otra mujer a los espectáculos, que fuma y bebe, que se corta el cabello y la falda, exterioriza nuevos hábitos que rompen con tradiciones y prejuicios, y que concretan la revolución de la vida burguesa cotidiana. Esta figura cosmopolita es potenciada a través de la publicidad comercial, que va creando prototipos que se convierten en modelos para las modernas: una mujer libre, desenfadada y trabajadora que, a pesar de su origen elitista, va democratizándose gracias a su asidua presencia en imágenes cinematográficas y semanarios ilustrados, entre los que destaca *Blanco y Negro*, con amplias secciones dedicadas a la mujer. Recientemente han sido reproducidas y comentadas por Javier Pérez Rojas en el catálogo de la exposición «La Eva moderna».

Blasco Ibáñez describe en *El paraíso de las mujeres* dos interesantes fenómenos: el belicismo extremo y la toma de conciencia de las mujeres. La acción se desarrolla en el país de Lilliput, en el que las mujeres logran hacerse con el poder a través de la «verdadera revolución» y «la suprema dirección del sexo que más la merece por su inteligencia superior, desconocida y calumniada desde el principio del mundo». Lamentablemente, las consecuencias no resultan muy gratificantes, ya que las mujeres marginan a los hombres y configuran una sociedad carente de grandeza. Escribe Blasco: «...leyeron, salieron a la calle, se interesaron por los asuntos públicos, frecuentaron las universidades. Las que eran pobres quisieron ganar su vida y no deberla a la gratitud amorosa de un hombre, considerando el trabajo como un medio de libertad e independencia. No vieron ya un misterio en los asuntos científicos que habían sido patrimonio de los hombres hasta entonces, y se asociaron lentamente para una acción común todavía no bien determinada».

Al final de los años veinte se produjo un salto cualitativo debido al cambio de corriente. Si la *garçonne* luchaba entonces por ser tan libre como los hombres, con el paso del tiempo se produce cierta pasividad y, a pesar de los importantes avances habidos en la conquista de los derechos civiles y en el ámbito laboral y de la educación, a pesar de la libertad sexual futura de la que hablan Margareth Sanger y Henry H. Ellis, Sigmund Freud pone en circulación el fantasma de la frigidez femenina como patología sexual.

## DE LA CONQUISTA DE DERECHOS AL HOGAR, DULCE HOGAR

Antes de la Primera Guerra Mundial, la lucha por el voto reforzó enormemente el feminismo, que adquirió carácter internacional. Luego, mientras la guerra tenía lugar, las mujeres del enemigo se convirtieron también en el enemigo, produciéndose una especie de nacionalfeminismo. No obstante, las mujeres participaron entonces en iniciativas pacifistas y se dividieron a favor y en contra de la guerra, acontecimiento que para muchas suponía, por cierto, la posibilidad de acceder al mundo laboral. Sin embargo, también se ensalzaba la femineidad como contrapunto a los valores bélicos. Fueron varias las mujeres que se lanzaron a la calle en su condición de madres, como portadoras de unas virtudes moralmente superiores a las encarnadas por los hombres. Como es sabido, las sufragistas alzaron la voz públicamente para conseguir el derecho de voto. La desmovilización femenina después de la guerra fue rápida y brutal. En nombre de la reconstrucción nacional y de la defensa de la raza se instó a las mujeres a que volvieran a sus casas y a sus oficios particulares, incluso por parte de muchos hombres que antes les habían prometido un futuro de emancipación. Querían encontrar a sus mujeres como y donde las habían dejado, devolverlas al camino recto, y aunque se aprobaron ciertas legislaciones que protegían la maternidad y la familia, todas las políticas de protección social pasaron por alto los intereses específicos de las mujeres trabajadoras. La maternidad tuvo de nuevo la consideración de un deber.

La desmovilización de las mujeres coexiste con la crítica feroz a la mujer emancipada y al feminismo. La mujer no puede ser un ser autónomo, pero se han abierto brechas importantes y se han producido cambios no desdeñables. Las estrategias de producción a gran escala amplían el trabajo femenino, aunque a las mujeres se les asignan los trabajos mecánicos no cualificados, lo cual genera una nueva división sexual del trabajo. También el desarrollo del sector terciario proporciona una gran cantidad de empleo femenino, y las mujeres pueden acceder por vez primera a determinadas profesiones liberales. Conviene no olvidar que son las élites las que acceden en mayor número a los estudios secundarios y superiores.

En 1919, Virginia Woolf escribe *Tres guineas* en homenaje, precisamente, al acta antidiscriminatoria en materia laboral aprobada ese año en el Reino Unido, y que supone la apertura de un nuevo mundo para las hijas de las clases pudientes. Estas jóvenes pueden ejercer una profesión y adquirir cierto derecho al trabajo, lo cual les procura tranquilidad y seguridad. Se pone de modelo a científicas como Madame Curie, a escritoras como Colette o bien a dinámicas profesionales y militantes sociales como Yvonne Knibieler.

Respecto a la conquista de los derechos de las mujeres, el balance varía de un país a otro. Se alcanza, al menos, la libertad de movimientos y de actitud aprendida anteriormente en soledad y también con el ejercicio de responsabilidades. Hay mujeres que comienzan a tener otra relación con el cuerpo y consigo mismas; cambian su indumentaria y sus costumbres, hacen deporte, aprovechan su ocio bailando, saliendo solas o explorando su sexualidad. Viven el presente plenamente y conocen de primera mano la fragilidad de la felicidad. También se pone de manifiesto el carácter conservador de la guerra en las relaciones entre los sexos. Los hombres están hechos para combatir y conquistar, y las mujeres para procrear y cuidar. Esta complementariedad se postula como imprescindible para reencontrar la paz y la felicidad en un mundo desorganizado. Incluso la cultura obrera, con la excepción del comunismo de los años veinte, identifica mujer y hogar, hombre y trabajo cualificado. Las experiencias de la guerra han sido diferentes para uno y otro sexo, que han vivido de manera distinta el sufrimiento, el esfuerzo y la independencia. En medio del desastre, las mujeres han hecho funcionar la sociedad, adquiriendo casi todo el protagonismo y una conciencia clara de su capacidad. Por un momento se han sentido más libres. Por eso la vuelta a casa es resignada. Con el triunfo de las fuerzas democráticas sobre los totalitarismos se produce, sin embargo, la expansión de los derechos del individuo, y las mujeres, que también habían pagado su tributo de sangre, tanto en la guerra como en la resistencia al fascismo, en cierta medida se ven beneficiadas.

Los aires que corren como consecuencia de la desmovilización frenan el discurso de la emancipación y tienden, una vez más, a culpabilizar a las más independientes e impulsar el modelo de la mujer-madre. En los regímenes fascistas una ideología natalista se adapta a las realidades económicas. La Alemania nazi pone a las mujeres al servicio de la comunidad étnica del pueblo alemán, ya sea como madres, militantes o trabajadoras. Fundamentalmente se las privó de su aureola romántica y se las redujo a su función matrimonial: hacer niños y criarlos hasta que el partido se hiciera cargo de ellos. Por entonces se abrió, con finalidades eugenésicas, una escuela de novias para las futuras mujeres de los SS. Los matrimonios se contraían en nombre del Estado. Cada uno tenía su ficha de matrimonio, que por supuesto no contemplaba pasiones ni gustos individuales. Al principio muchos no previeron los horrores a los que podía llegar el nacionalismo, que poco a poco fue generando un clima creciente de violencia, represión y muerte, como reflejan magistralmente películas como *Cabaret, La lista de Schindler, El crepúsculo de los dioses* o *El gran dictador*.

Digno de atención a este respecto es el caso de Leni Riefenstahl. Nacida en Berlín en 1902 y considerada una de las maestras europeas en dirección cinematográfica, fue la gloria del cine alemán en la época nazi. Su gran obra *Olimpiada* es el testimonio de un cine documental que, en principio, supera cualquier obstáculo ideológico, histórico o político para erigirse como verdadero monumento cinematográfico y artístico. Ante las acusaciones que recibió, negó siempre su vinculación al Partido Nacionalsocialista, pero lo cierto es que esta película fue producida íntegramente por el gobierno de Hitler. *Olimpiada* se estrenó en 1938 como parte de los festejos de conmemoración del 49º cumpleaños del Führer. Fue galardonada con el León de Oro de Venecia y reconocida como una de las diez mejores películas de todos los tiempos.

A pesar de casos como éste, la liberación de la mujer supone para el nazismo una degeneración que obedece a la influencia judaica. El lugar de la mujer es el hogar, entendido éste como la patria entera, es decir, Alemania toda. Mientras que las mujeres puras contribuirán a la regeneración de la raza, las impuras serán terrible y mayoritariamente sacrificadas.

De cómo la dictadura fascista, entre otros horrores, atribuye a la mujer un papel subordinado y la excluye de cualquier posibilidad que no sea la de modélica esposa y madre, desgraciadamente sabemos mucho en España. ¿Qué decir sobre nuestro país, sobre nuestras mujeres? Afortunadamente, en los últimos tiempos se ha generado una importante bibliografía producida sobre todo por mujeres, porque, como decía Antonina Rodrigo, «si no hablamos nosotras de nosotras, ¿quién lo va a hacer?». «Contra el olvido está la palabra», escribe Montserrat Roig en la introducción del libro *Mujeres para la Historia*:

«Con la recuperación de la palabra de las demás nuestra vida es menos muerte..., la necesitamos todas para poder atravesar la corriente de este remolino cultural en el que se ha sumergido nuestro sexo durante siglos... Las palabras de las que os han precedido, de las grandes olvidadas, de las que descubrieron mucho antes que nosotras que la Historia ha sido fabricada por los hombres, por los hombres de las castas superiores para provecho de los hombres de las castas superiores.»

En la guerra civil española, también a las mujeres se les robó la prioridad, dice Carmen Alcaide. Mientras unas iban al frente, otras hacían posible que el país siguiera funcionando, ocupando toda clase de puestos y asumiendo todo tipo de responsabilidades. La guerra supuso para ellas, a pesar de todo, un instante de libertad, como decía Juana Doña, autora de *Desde la noche y la guerra. Mujeres en las cárceles franquistas*, entre otras obras. Precisamente en la presentación del libro de S. Mangini, *Recuerdos de la Resistencia*, tuve la fortuna de conocerla, y con ella, a otras mujeres llenas de fuerza que nos contaban los horrores de la derrota, su paso por la cárcel, la solidaridad entre ellas y sus diferencias con las mujeres de derechas, la vigencia de su compromiso político y personal. Hemos aprendido mucho de ellas y espero que de algunas, como Pilar Soler, sigamos haciéndolo por mucho tiempo.

Como veíamos, muchas mujeres tuvieron que exiliarse. Como afirma Montserrat Roig, «el resto fue devorado por el canibalismo legal y religioso del franquismo. Nadie como las mujeres que se quedaron en España saben lo que significa el exilio interior. Mujeres doblemente colonizadas, como cuerpo y como mente, exiliadas en su totalidad, tratadas como subnormales por la ley franquista, devueltas a la pura naturaleza, sublimadas como madres, relegadas a la cárcel dorada y sagrada del hogar donde las más inteligentes e imaginativas ahogan sus suspiros de resentimiento o resignación». La marcha atrás fue tremenda: se acabó para ellas la universidad y la consideración igual en el trabajo, por lo que nunca se las compensará.

Como bien sabemos, el destino exclusivo de la mujer española durante el franquismo era el hogar. La esposa-madre debía subordinarse al marido y ser sumisa, sacrificada, femenina; es decir, dulce, delicada, discreta, recatada. José Botella Llusiá, citado por Maruja Torres, afirma que la mujer debe recibir una formación encaminada no a hacer de ella un buen ciudadano, sino una buena esposa y madre de familia o, si se queda soltera, a ser útil a sus semejantes. La Iglesia católica y la Sección Femenina ejercieron una notable influencia. Este último organismo, dependiente de la Falange en sus orígenes, tiene después de la guerra dos misiones fundamentales: servir a la patria en quehaceres propios de la mujer y prepararla para que el día de mañana pueda formar una familia cristiana, patriótica y ejemplar.

Además de la fuerte represión, este momento supuso tanto un periodo de exilio para el movimiento de mujeres como de regresión en el ordenamiento jurídico, en palabras de Concha Fagoaga.

En los años cuarenta surgen en nuestro país magníficas escritoras a las que no quiero dejar de referirme aunque sea telegráficamente. Carmen Laforet, Dolores Medio, Elena Quiroga, Ana María Matute, Carmen Martín Gaite y Luisa Forrellad empezaron muy pronto —alrededor de los veinte años— a escribir y publicar, y tuvieron un amplio reconocimiento que ha ido incrementándose con el transcurso del tiempo (prácticamente todas obtuvieron en su día el premio Nadal). Estas mujeres establecieron sus propias reglas al margen de la mediocre sociedad española de entonces. Sus obras, en las que abundan los personajes solitarios, suscitaron la desconfianza del régimen por la crítica social que contenían. Incluso fueron censuradas algunas de Elena Soriano.

Sin duda, la novela de Carmen Laforet, *Nada*, es uno de los máximos exponentes de la narrativa de posguerra. A través del personaje de Andrea, la autora nos transmite la lucha entre el mundo o el ambiente represivo familiar y el mundo abierto e inquietante de la universidad. De la misma manera, la novela de Carmen Martín Gaite *Entre visillos* es un ejemplo del realismo de los años cincuenta, en cuyas páginas se llega a respirar el provincianismo de la época. Me interesa particularmente esta obra por su atención a la soledad, el aislamiento, la incomunicación, el paso del tiempo y las relaciones afectivas.

He tenido también la ocasión de conocer y tratar personalmente a Rosa Chacel y a Elena Soriano. Afortunadamente, podemos seguir aprendiendo y disfrutando de la obra y de la presencia de Ana María Matute, la tercera mujer académica de la lengua, de la brillante Carmen Martín Gaite y de la escritora y excelente educadora Josefina Aldecoa.

Por su parte, el modelo soviético da origen a una humanidad industriosa de dos sexos gemelos. Las mujeres, sin embargo, van a ser las primeras víctimas de la legislación sobre la familia, la cual va a ir modificando su estatuto, de acuerdo con los imperativos del poder central. En efecto, el matrimonio fue en principio barrido por el divorcio durante el periodo de los *soviets* y el aborto permitido, pero en la epoca de Stalin ambos se restringieron, restaurándose el matrimonio sobre bases estrictamente utilitarias, colectivistas y eugenésicas.

En los Estados Unidos, los medios de difusión lograron, junto con la publicidad, imponer ciertos modelos de realización femenina. Durante la Gran Depresión, los llamamientos conservadores para que las mujeres retornaran al hogar y las casadas abandonaran sus ocupaciones mostraron lo tenue que era aquella aura de libertad y la frágil individualidad del papel que se adscribía a la mujer moderna.

En los países anglosajones y nórdicos, donde desde hacía tiempo existía ya el modelo de la mujer emancipada, las mujeres accedieron al estatus de individuo-ciudadano. Las tradiciones religiosas no fueron ajenas a esta consecución. La ética protestante, tan proclive a defender los derechos del individuo, se acomodó muy bien a la corriente feminista, que comenzó a organizarse como un movimiento de masas. Las europeas del sur, en cambio, siguieron con el modelo latino y sus derivados, y sobrevivieron subordinadas a un marido al que debían obediencia.

Tal vez el cine sea el arte en el que mejor se puedan contemplar las distintas vicisitudes por las que pasa la consideración de la mujer en el siglo. Ya en 1927, en *El demonio y la carne*, Greta Garbo, que hizo de la frase «quiero estar sola» su divisa pública a lo largo de toda su vida, y a la que la Metro encasilló como mujer fatal, encarnaba el personaje de Felicitas, la mujer que, según Romà Gubern, pisotea los valores de la fidelidad conyugal, el honor familiar, la lealtad al hombre elegido y los imperativos religiosos en virtud de su devastadora y perversa pasión, inmensa y devoradora. Felicitas es el arquetipo de la mujer castradora, imagen que potenciaba con su deslumbrante belleza física, perversidad que enmascaraba con una apariencia de inocencia, ya que tradicionalmente los filósofos y los artistas han asociado los conceptos de belleza y bondad. La película, que acabó convirtiéndose en un fetiche del surrealismo, se erigió como la cima del cine pasional. Como podremos comprobar, las mujeres independientes, solas y bondadosas no existen prácticamente en la cultura audiovisual. Más bien, al contrario, engrosan la categoría de las malas, desde el personaje de *El ángel azul* al de *Instinto básico*.

Cualquier film de Hollywood, como dice E. A. Kaplan, podría servir para mostrar el modo en que se ha relegado a las mujeres al silencio, la ausencia o a la marginalidad mediante el poder dominador de la mirada masculina. Ella se detiene en *Camille* (1936), de George Cukor, basada en el conocidísimo melodrama de *La dama de las camelias* que Alejandro Dumas escribió en 1846. De nuevo Greta Garbo encarna a una mujer caída, fatal, como la que se ha representado durante decenios. Está más cerca de las *demi mondaines*, a pesar de su origen campesino, que de las mujeres que trabajan, y se convierte en una amenaza para el sistema cuando desea a un joven que se encuentra en pleno ascenso de la escala profesional burguesa. La satisfacción de su deseo puede significar la ruina de Armand Duval, porque debido a sus orígenes y su vida promiscua resulta inaceptable como esposa para un hombre así; por tanto, debe renunciar a dicho deseo para que el sistema patriarcal burgués permanezca intacto. Se trata de una proscrita porque osa violar los códigos establecidos para las mujeres, es decir, ser vírgenes y esposas. De manera que en 1936 tenemos la evocación de pautas de relación entre hombre y mujer, así como ideas sobre la familia, los conflictos de clase y la ideología burguesa, que se remontan a una fase del Romanticismo pero que han dominado el melodrama durante mucho tiempo.

Como obra de los años treinta, refleja el deseo de la gente de ver películas alejadas de la deprimente realidad política y social de la época. Garbo es «la mujer eterna, dispuesta a sufrir y morir por el hombre que le ha dado afecto», como se podía leer en los anuncios publicitarios. Fundamentalmente por la sensibilidad que tenía Cukor como director de mujeres, la película termina por mostrar comprensión hacia la condición femenina y, ante la tragedia de Marguerite, que tiene que morir, la sala se queda con la sensación de haber tenido una hermosa experiencia. Probablemente, algunas películas cumplían en estos años la misma función que hoy cumplen los folletones televisivos o culebrones, en los que se transmite a las mujeres un mensaje que hace que terminen identificándose con las víctimas. No hay más que recordar, por ejemplo, *Jezabel* (1938) o *Lo que el viento se llevó* (1939), en las que dos mujeres que mantienen una relación problemática con la sociedad en la que viven se niegan a aceptar su papel en dicha sociedad, frente a las damas perfectas que parecen poseer el secreto de la femineidad.

El control de la sexualidad femenina que se concibe como amenaza ha estado siempre presente. Ser sujeto y dueña de su propio deseo resulta imposible para la mujer, de la misma manera que queda sin resolver la contradicción entre sexualidad y maternidad: la madre debe ser ajena a la sexualidad. Sexualidad femenina y maternidad se muestran incompatibles en la película de Von Sternberg, *La venus rubia*, que también enfatiza el fetichismo como estrategia para disminuir los temores del varón a la sexualidad femenina. Casi al final, Helen se libera de los dos hombres que intentaban poseerla y sojuzgarla, en palabras de Kaplan; es libre, pero a costa de perder el amor y la intimidad; y dado que se siente fría, solitaria, vuelve para reconciliarse con la familia, ya que la narración no le puede permitir que logre ser completa fuera de la familia y alejada de los hombres.

Mujeres que durante la Segunda Guerra Mundial habían conseguido que el país siguiera funcionando, convirtiéndose en mujeres emancipadas, tuvieron que volver a su rol tradicional. Después de la hecatombe de la guerra aumenta el número de mujeres no casadas. Para ellas tener un oficio se vuelve algo vital, salvo que vivan de las rentas. De aquí proviene, sobre todo en la burguesía, el entusiasmo por los trabajos más nobles del sector terciario. La participación de las mujeres en la vida pública sigue siendo muy débil. El derecho al trabajo, a pesar de la discriminación salarial, es tema recurrente, así como el derecho a disponer del propio cuerpo y de los propios bienes. Algunos maridos siguen siendo amos; algunas mujeres siguen mostrándose como esposas sumisas y devotas. Pero, en general, la realidad es más neutra: ni el estereotipo clásico ni la novedad escandalosa. Ni Ofelia ni *Garçonne*; ni pura ama de casa ni marisabidilla. La mujer conquista derechos en su pareja aunque alineándose como madre y en nombre de la modernidad.

Todo esto nos viene a demostrar la dificultad por parte de la sociedad de aceptar y propiciar la existencia y desarrollo de la mujer sola, aquella que no cumplía con el doble mandamiento y que raramente existía en la cultura oficial. Pero, ¿cómo eran las que, no obstante, existían? Compadecidas, fuera de la moral y en gran medida de la sociedad, ¿eran realmente más infelices que las que cumplían con el doble mandamiento? La historia no suele contemplar matices y creo que la valoración no se ha centrado precisamente en la felicidad, ni en la libertad ni en la dignidad de estas mujeres calificadas de extravagantes.

A pesar de que en 1945 se inicia en Occidente una época duradera de democracia y crecimiento económico, a pesar de la generalización del sufragio femenino, que conlleva la categoría de ciudadana, y a pesar del papel que desarrollan las mujeres en las épocas de guerra —aunque más tarde se exalten sus tareas sin reconocer la igualdad de responsabilidades y méritos—, se devuelve a la mujer a la esfera privada, centrada en la procreación y el cuidado del marido, como clave de la reconstrucción nacional. La consecución del derecho de voto no tiene para las mujeres las consecuencias esperadas. Los años cincuenta son los años del apogeo del ama de casa, cuyo condicionamiento ideológico desde diferentes ámbitos es denunciado brillantemente por Betty Friedan en su libro *Mística de la feminidad*, donde pone de manifiesto el sentimiento de malestar y frustración de las mujeres americanas dedicadas exclusivamente al hogar y a los hijos, y que han asumido conscientemente ese destino. Esta dedicación no llena la vida de la mujer, ser humano libre que necesita autonomía para desarrollar su personalidad

—y no pasar de la autoridad paterna a la del marido—, trascenderse y realizarse. El problema que no tiene nombre es el de aquellas mujeres que padecen una insatisfacción radical, depresión profunda y frustración. Las más femeninas, las que han asumido la mística de la femineidad, son las que cuentan con menos dosis de autoestima, las de personalidad más débil y dependiente.

En 1946 se estrena *La dama de Shanghai* de Orson Welles, película que muestra a una heroína totalmente al margen de la familia nuclear que representa a la mujer como enigma y misterio. El precio que ha de pagar por su independencia es la degradación moral: debe ser castigada por su resistencia a los códigos establecidos para las mujeres, ofreciendo además una advertencia a los hombres sobre los peligros de la mujer bella y sexual, si ceden a sus deseos. Sin duda, esta película tiene aspectos subversivos, en tanto que destruye el ideal empalagoso, sentimental y falso de la mujer. La sexualidad femenina se plantea de forma abierta, y Elsa —Rita Hayworth— se resiste a los esfuerzos de los hombres por dominarla. Lástima que nadie pueda admirar su independencia porque está basada en la manipulación, la avaricia y el asesinato.

Como en todo el cine negro, la heroína es una *femme fatale* que destila toda su seducción, el hombre la desea —temiendo al mismo tiempo el poder que ella ejerce sobre él— y, finalmente, la sexualidad de la mujer interviene de forma destructiva y aparta al hombre de sus objetivos. Resulta interesante, al respecto, la tesis de Sylvia Harvey según la cual la extraña e irresistible ausencia de relaciones familiares normales en el cine negro deja constancia de las transformaciones sufridas por las mujeres norteamericanas en lo que a su posición social se refiere.

## ROMPIENDO ESTEREOTIPOS

Es a mediados de los años sesenta, es decir, medio siglo después de los tiempos de la Belle Époque, cuando comienza a esbozarse una nueva división sexual en la mayoría de los países occidentales. Se trata de un proceso de gran lentitud al que, sin duda, contribuyeron la prosperidad reinante, los descubrimientos tecnológicos que facilitan las tareas del hogar, como los electrodomésticos, la invención de la píldora anticonceptiva, los acontecimientos del 68 y, fundamentalmente, los movimientos de mujeres que denunciaban y luchaban contra el patriarcado. En efecto, los distintos movimientos de los años sesenta propiciaron transformaciones culturales radicales que desembocaron en una relajación de los códigos más rígidos y puritanos. El amor entró en un ciclo inédito de politización (se cuestionan la fidelidad y la exclusividad como valores burgueses), y la revolución cultural y el movimiento feminista impulsaron a las mujeres a apoderarse de su propia sexualidad.

Así pues, las mujeres adquieren el derecho a su independencia personal y económica, así como la posibilidad de tener una vida sexual fuera del matrimonio, hacer el amor sin quedarse embarazadas e, incluso, amar a otra mujer. Aparecen solteros y solteras que ya no enfocan su existencia hacia el matrimonio sino a llevar una vida propia y distinta. Además, la sexología contribuyó también en los cambios en el terreno de la sexualidad.

La insatisfacción real de las mujeres de clase media, que teóricamente disfrutaban de una situación idílica, y las nuevas oportunidades laborales van modificando las costumbres en los sesenta. Las mujeres adoptan el lema «lo personal es político» y, en palabras de Amelia Valcárcel, tratan de definir el conjunto de estructuras de poder que las vinculan a un género dado de relaciones de subordinación y conducen su existencia hacia ámbitos cerrados. A ese poder excluyente lo llaman «poder patriarcal» y al socaire del 68 se extiende entre ellas la idea «es mi cuerpo y hago con él lo que quiero». La liberación de la mujer sucede a la maternidad voluntaria. Se generaliza la contracepción femenina y la sexualidad se disocia de la procreación. El matrimonio deja de ser una institución para convertirse, muchas veces, en una formalidad, a la par que aumenta el número de divorcios a solicitud de las mujeres en una proporción muy alta.

Como dice Raquel Osborne, comenzaba a abrirse paso una nueva cultura orientada hacia las adolescentes y las jóvenes, así como cierta subcultura en las ciudades centrada en las/os solteras/os, gente que no enfocaba su existencia hacia el matrimonio sino hacia la consecución de su propia vida. A mediados de los sesenta se comienza a hablar de la revolución sexual. Conviene recordar que en la década anterior se esperaba que las chicas llegaran vírgenes al matrimonio, además de ser las encargadas de controlar los impulsos sexuales de los chicos, concediéndoles limitados y controlados favores sexuales en función de su estrategia matrimonial.

Las mujeres reclaman una sexualidad más libre, de manera que el matrimonio ya no se considera necesario para disfrutar del sexo. En 1962 se publica el libro *Sex and the single girl* de Helen Gurley Brown que plantea las nuevas perspectivas sexuales de las solteras de las grandes ciudades e impulsa la aparición de bares de solteros y solteras «para ligar». Al poco tiempo nace la revista *Cosmopolitan*, que presenta una nueva imagen de la mujer. En opinión de Raquel Osborne, este conjunto de fenómenos denota la existencia de una demanda de este tipo de ofertas y una apertura novedosa pero ciertamente limitada a los sectores privilegiados de la sociedad

Hay que reconocer que, si bien el feminismo no data del 68, los acontecimientos del momento le confieren un innegable impulso que se mantendrá durante varios años. A partir de entonces se busca terminar con los papeles que se asignan según el sexo y que impiden a la persona afirmarse y expresarse.

En la década de los setenta se plantean nuevas formas de relación amorosa, más libres e igualitarias, y se propugna la autonomía de los componentes de la pareja; una propuesta de subversión de los valores establecidos que se va consolidando lentamente. Porque como ya afirmaba Kate Millett en 1969, en su libro *Política sexual*, el sexo tiene una dimensión política si entendemos por política el conjunto de relaciones y compromisos estructurados de acuerdo con el poder, en virtud de los cuales un grupo de personas queda bajo el control de otro grupo. Este periodo representa una conciencia de la falta de autonomía real, que no se puede alcanzar individualmente, e implica por tanto un cambio de mentalidad.

El movimiento de liberación sexual que tuvo su apogeo en estos años propuso una variada gama de comportamientos.

*Buscando a Mr. Goodbar* (1977) y otras películas se ocupan de la independencia femenina y los problemas que ésta suscita. Como dice Kaplan, el idealismo utópico y el amor libre de los jóvenes de las flores y los *hippies*, que tomaban drogas para trascender las limitaciones burguesas, se transformaron en el intercambio de esposas y consumo de marihuana de la clase media, cuya intención era fortalecer un interés sexual languideciente y unas aburridas vidas profesionales; o en la búsqueda desesperada de drogas y cierta dosis sexual que enmascarase la soledad de vidas enajenadas fruto de una mayor movilidad, de los nuevos modelos industriales de la era informática y de la desintegración de la comunidad en los grandes centros urbanos.

Son los epígonos, los discípulos de la Beat Generation, los seguidores de aquella generación de los Burroughs, los Kerouac, los Ginsberg, que calmaban su ansiedad con la carretera, el sexo y las drogas.

Teresa, la protagonista de la citada película, es una mujer ávida de nuevas experiencias que se niega a verse constreñida por los límites que le impone su padre. Se va de su casa, consigue un trabajo para ganarse la vida y vive sola en su apartamento, sin depender de ningún hombre. Representa, pues, a la mujer liberada que lucha por «ser yo y sólo yo». Cabe observar que, en varios aspectos, los hombres de la película, a pesar de su promiscuidad, continúan reproduciendo la dicotomía virgen-puta, respetando únicamente a la mujer virgen. Así, se critica que la promiscua protagonista, que frecuenta bares, sea maestra de niños pequeños, con los que es cariñosa y protectora. En tanto que sexualmente agresiva, Teresa infringe su rol, no acepta el matrimonio con un hombre formal —con el que su padre quiere que se case— y ello tiene consecuencias fatales: es asesinada, cuando está a punto de empezar una nueva vida, víctima de la ira sexual. Por tanto, recibe el castigo que merece por no aceptar su lugar en la sociedad; el patriarcado, la sociedad, la castiga por atreverse a la transgresión, es decir, a ser dueña de su propia sexualidad y en definitiva de ella misma. En los sistemas simbólicos, concluye Kaplan, sencillamente no hay hueco para la mujer soltera y sexual. La cultura patriarcal teme a la mujer sin ataduras y los procesos edípicos siguen haciendo que los hombres esperen el sometimiento de la mujer a la ley del padre.

También en los primeros años de esta década tienen lugar películas cuyo núcleo es la violencia contra las mujeres. Así, por ejemplo, *La naranja mecánica* o *Klute*, en las que se abusa de las mujeres, se las degrada, se las viola o se las asesina. En otras, como *El último tango en París* y *Perros de paja*, las mujeres se ven asaltadas por la fuerza y sucumben porque se excitan sexualmente.

El paso siguiente, ya en los ochenta, es la imagen de la mujer vengadora, de gran éxito entre el público masculino. Lamentablemente no podemos hablar de ella ni de «la máquina», la replicante, ni de la mujer dominadora, adaptada a un entorno de alta competitividad profesional y a las costumbres del capitalismo salvaje post-*yuppie*, que toma el relevo a la vieja *femme fatale* a la hora de bañar de aroma venéreo las intrigas del *thriller* de nuevo cuño, que casi siempre suele ser un *ero-thriller*, como en el caso de Sharon Stone en *Instinto básico*. Ella es el triunfo, es el fracaso; es el sexo, la mirada lujuriosa, «la perfecta fiera sexual de los noventa», en palabras de Jordi Costa.

Como consecuencia de lo anterior, la familia cambia y se producen asociaciones, alianzas o uniones al margen del matrimonio. Las familias monoparentales son hoy cada vez más frecuentes. Frente a la imagen de la mujer seducida y abandonada que lleva el fruto del amor pecaminoso en su vientre, la imagen actual se aproxima más a la de la soltera que decide, elige o acepta voluntariamente la maternidad. Incluso se acepta la sexualidad en la maternidad, como sucede en *Una mujer descasada*. Quizás lo más interesante de esta película, aparte del proceso de separación y la valoración de su autonomía por parte de la protagonista, sean las exigencias contradictorias que afrontan las mujeres en el momento en el que empiezan a asumir nuevas funciones en el marco de una sociedad que no parece estar preparada para ello.

El siglo XX, siglo de la psicología y de la imagen, confirma ante todo que la cultura occidental ha desarrollado pocas maneras de representar positivamente a las mujeres. La nueva valoración de la sexualidad y la aceptación del deseo femenino han ido acompañadas de una fuerte presión a favor del matrimonio, así como de renovados ideales de belleza. Mientras, entre las definiciones visuales de la femineidad moderna se impone la de un ama de casa profesional, reina del hogar, experta e insaciable consumidora, a quien la publicidad le vende, entre otras cosas, representaciones de sí misma muy cercanas a determinados modelos antiguos.

El arte pop exalta la cultura popular que recibe el impacto de la televisión, de la publicidad y, a su vez, reacciona ante la sociedad de consumo de los sesenta. La cantidad de libros, revistas, películas, anuncios, programas televisivos y discos disponibles aumentan la capacidad de creación de símbolos. En ocasiones, como en el caso del pintor británico Richard Hamilton, la femineidad y la masculinidad toman la forma fetichista de la relación entre bienes de consumo.

A propósito de la obra de Roy Lichtenstein *Mujer en el baño* (1963), perteneciente a la colección del Museo Thyssen, el escritor Manuel Rivas, sitúa a esta madonna pop en una encrucijada: el presente esplendoroso de los electrodomésticos, momento en el que el ámbito doméstico ya no representa la esclavitud, la expansión del rock, la idolatría de la adolescencia y la irrupción de la clase media, y el futuro inquietante que también se evidencia en el cuadro, en el ojo izquierdo de la mujer, porque, según Rivas, en esta etapa la mujer empezó a dejar de ser «productora social de armonía», se intranquilizó y comenzó a adoptar posturas que la sociedad no podía aceptar.

El cine, inmensamente popular, desempeñó un notable papel en la definición de los sexos propuesta por la cultura de masas. Estrellas como Marilyn Monroe, Jane Mansfield, Sofía Loren o Brigitte Bardot representan ese «objeto sexual» cuya posesión se desea, ese «objeto de placer» para la mirada masculina en torno al cual se elaboran guiones e historias en busca de la identidad y la felicidad de los hombres.

Pero el siglo XX es, asimismo, el siglo en el cual cada vez más mujeres toman la palabra y el control de su identidad; subrayan las implicaciones políticas de la desigualdad, intentan romper los estereotipos y proponen múltiples vías de realización personal. Se habla de la *superwoman*, de la tercera mujer. El hecho de que la imagen de las mujeres se haya hecho más compleja y cambie hoy más rápidamente que nunca constituye el primer signo de un salto cualitativo.

Es preciso señalar la importancia que han tenido ciertas mujeres en el mundo del arte y la cinematografía. Si en la primera mitad del siglo hubo figuras destacadas vinculadas al movimiento surrealista, como Remedios Varo, Leonora Carrington o Frida Kahlo, y a las vanguardias rusas, como Sonia Delaunay, Natalia Goncharova o Varvara Stepanova, la reciente producción artística está representada por tendencias de gran diversidad y potencia, en las que la memoria y el tratamiento del propio cuerpo cobran especial relevancia.

# Solas y solos. Una nueva categoría social

## EN LA FRONTERA DE UN CAMBIO CULTURAL

Uno de los fenómenos más destacables de los últimos años, que se concreta en la década de los ochenta y que se genera fundamentalmente en las grandes ciudades, es, como ya hemos señalado, el incremento del número de personas que viven solas y que constituyen una nueva categoría social: singulares (*singles*), solos, solteros, solitarios urbanos cuya soledad tiene más que ver con la elección de un tipo de vida que con la antigua soltería. Un celibato al que se llega desde la voluntad propia o la incapacidad de vivir con alguien. Su importancia creciente demuestra no tanto que la pareja está en crisis, sino que individuos de ambos sexos aspiran a otras formas de relación. Es como si el hecho de vivir solo hubiera perdido su dimensión trágica. Pero, al mismo tiempo, se puede considerar a este colectivo como un reflejo de ciertos valores dominantes en las sociedades contemporáneas.

Casarse ya no es un fin en sí mismo. Tanto los hombres como las mujeres pueden sobrevivir social y económicamente sin matrimonio. Como demuestran los datos, las mujeres españolas se casan menos y se casan más tarde que las generaciones anteriores. En 1991, un 77 por ciento de las mujeres que llegaron a los 24 años no estaban casadas, mientras que diez años antes sólo el 60 por ciento seguían solteras. De las que cumplieron 30 años en 1991, un 39 por ciento no estaban casadas mientras que sólo un 23 por ciento de las de esa misma edad estaban solteras en 1981. Influyen también las nuevas formas de convivencia, causa y consecuencia de los cambios ideológicos en torno a la familia. En las sociedades modernas coexisten, pues, una movilidad personal muy grande y una fuerte estabilidad de las relaciones familiares; se advierte, por un lado, la reducción de matrimonios y de hijos y, a la vez, la existencia de unos lazos familiares muy estrechos, así como una buena valoración de la familia.

El fenómeno social del celibato ha empezado a tener repercusiones mercantiles: coches pequeños, sobres de sopas de una sola ración, viviendas, vacaciones organizadas... Hasta tal punto que, por ejemplo, en París, ya en 1985 se celebró el primer Salón de los Solteros, en el que se ofrecían productos o servicios adaptados a ellos que son, al mismo tiempo, objeto de estudio o presas de los publicistas. Muchas de estas personas responden a un determinado perfil, mediatizado en ocasiones por su carrera profesional. Se podría pensar que las personas que viven solas sufren más la soledad, y es así si la vinculamos al elemento físico, es decir, a un espacio que se organiza de acuerdo con esta circunstancia, pero no van indisolublemente unidos ni es su patrimonio exclusivo.

Los solos urbanos actuales no tienen nada que ver con los eremitas, aquellos hombres y mujeres que se sentían fuera de lugar en el mundo y que abandonaron la sociedad en la que vivían de forma temporal o definitiva. Tengo que confesar mi debilidad por Simeón el Estilita, que vivió en Siria entre los años 390 y 459, y permaneció en lo alto de una columna siendo visitado por gente para que rezara por ellos. Mi debilidad nace, sin duda, a partir de la extraordinaria recreación de Buñuel, *Simón del desierto*.

También los solitarios literarios tienen poca relación con los solos modernos. En efecto, el protagonista de *El lobo estepario* de Hermann Hesse, de *La náusea* de Sartre o de *El innombrable* de Samuel Beckett, por citar algunos ejemplos masculinos, motivados por la angustia, la desesperanza, la misantropía o la locura, se extravían en un mundo que ha perdido para ellos su sentido. Sin embargo, los solos modernos forman parte de la sociedad, encajan en ella e incluso, en ocasiones, tienen una actividad frenética, con las agendas apretadísimas. A veces, las personas que optan por vivir solas quieren proteger su individualidad construyendo un refugio que las aísle de una vida urbana agresiva y ruidosa, pero esto no es exclusivo de ellas. Todos necesitamos en algún momento el silencio y la quietud. Vivir solo facilita tal quietud, si bien su reverso es no tener un hombro en el que llorar o alguien a quien contar una anécdota divertida.

El solo —se dice— da lugar a un nuevo estado civil. Es una opción, no una catástrofe, aunque en cada caso hay que ver las razones por las que una persona vive sola. Si la soledad es impuesta por un abandono o por incapacidad, la vivencia de la misma no será igual que si es fruto de una decisión motivada por una estrategia profesional, por ejemplo, o una peripecia personal que no tiene por qué asociarse al fracaso, ni tampoco al desvalimiento o al rechazo. Pero cuando se hace referencia a un nuevo estado civil, se supone que no se está olvidando que la soltería es y ha sido siempre un estado civil, sino que hay características nuevas que de alguna manera definen a los integrantes de ese grupo, como su número, su visibilidad y, seguramente, su posición social. Pero, sobre todo, porque en esta categoría se incluye no sólo a los solteros, sino también a los divorciados, separados y viudos.

Pero, ¿qué está pasando realmente? Nuestro mundo se ha convertido en una sociedad segmentada, en el sentido de que estamos acostumbrados a tener múltiples fuentes en las que beber para saciar nuestras necesidades emocionales, sociales y económicas. Por ello parece más difícil encontrar a una persona que pueda conectarnos con el universo, a la vez que anhelamos mayor atención. Queremos ser amados y, al mismo tiempo, queremos tener nuestro propio espacio. En el caso de las mujeres esto puede resultar especialmente problemático.

Estas nuevas actitudes y estados se vinculan, obviamente, a los cambios sociales, demográficos y económicos que nos han permitido una mayor libertad individual para vivir y actuar independientemente. A cambio de esa libertad el precio puede ser sentirse o estar solo, vacío que intentamos llenar sin examinar en muchas ocasiones las causas de ese sentimiento. Conceptos como autonomía, independencia, identidad, individualidad o emancipación se relacionan estrechamente con las mujeres solas, aunque no exclusivamente con ellas. En efecto, para algunas mujeres la privacidad y la independencia son muy importantes para su bienestar y se dedican a cultivarlas propiciando las actitudes adecuadas para obtenerlas. Y, por otra parte, como no necesitan casarse para mantener unas relaciones íntimas gratificantes, ni les compensa lo que un marido tradicional les puede ofrecer —estatus, dinero o identidad social—, desconfían del matrimonio por los compromisos, renuncias y pérdidas que éste les puede suponer. Así, van descubriendo otros placeres, como por ejemplo levantarse solas y no al lado de alguien a quien no aman, que las decepciona constantemente, con quien se sienten frustradas o limitadas, y que se dedica, consciente o inconscientemente, a darles patadas en las espinillas, en sentido real o metafórico. No es que rechacen de plano las relaciones con los hombres, sino que, como decía Simone de Beauvoir, «preferimos guardarles un lugar en nuestra vida y en nuestra cama».

Tampoco podemos olvidar el aspecto de los propios miedos, entre los que destaca el miedo a la intimidad emocional. Algunas mujeres temen estar demasiado controladas o quedar anuladas por una relación, incluso temen sufrir o ser abandonadas. Otras, por el contrario, están solas porque no han sintonizado ni logrado comunicarse con su pareja.

Lo cierto es que nos encontramos ante un problema no sólo conceptual, sino terminológico, dada la multiplicidad de significados que encierra la palabra «soledad»; desde la soledad institucional —relacionada con el estado civil— a la soledad íntima. Dejando a un lado la soledad como sentimiento profundo que inevitable e intermitentemente aparece, como experiencia o vivencia subjetiva, vamos a centrarnos en las mujeres solas que viven sin pareja, de forma provisional o definitiva: divorciadas, separadas, solteras y, en cierta medida, también viudas, aunque el tránsito de estas últimas a la soledad no suele presentar las mismas características, porque la ruptura proviene de algo externo y no dependiente de la voluntad de las partes.

Cuando una mujer que no tiene pareja se siente, en un momento dado, infeliz o insatisfecha, se suele atribuir al hecho de no estar casada y no se piensa que esa sensación de melancolía acompaña esporádicamente a todos los seres humanos conscientes de su condición, cualquiera que sea su estado civil. La soledad nace dentro de una misma, como una especie de vacío espiritual que necesitamos llenar. Pero, insisto, no es un sentimiento privativo de las mujeres sin pareja. Es conocida la típica depresión del ama de casa porque se siente poco valorada o querida, así como la soledad de las religiosas. Resulta a este respecto interesante la relación entre soledad y mística. En otras épocas, como ya dijimos, el convento era a pesar de todo un lugar en el que las mujeres podían sentirse más libres, sin presiones sociales, y donde tenían oportunidad de estudiar, cultivarse y crear. Basta recordar a Teresa de Ávila y a sor Juana Inés de la Cruz, que ejemplifican la soledad en que se ve sumida el alma de los diferentes.

Generalmente nos referimos a las mujeres heterosexuales, ya que creemos que las experiencias de las lesbianas son cualitativamente distintas en tanto que han excluido al varón de su mundo erótico-afectivo. Sin embargo, esto no quiere decir que no se reproduzcan algunos comportamientos típicos de las parejas heterosexuales. Al fin y al cabo se trata de amor, y cuando las pasiones se instalan en el corazón los amantes producen una fuerza tan intensa como el dolor de la herida primitiva, que sólo puede encontrar alivio en el objeto que enciende su deseo, como un veneno agridulce que les impide escapar del maleficio en el que inevitablemente resultan atrapados. En esos casos, únicamente la sabiduría y el conocimiento pueden aportar alguna disciplina.

La verdad es que no resulta fácil encontrar la palabra adecuada que englobe todas estas situaciones. Los anglosajones recurren a *single*, término más amplio que el de soltera que no tiene una traducción precisa en español, ya que puede significar también singular, solo o único, que no se corresponde en nuestra lengua. A su vez, la expresión «sin pareja» implica una carencia y «mujeres que viven solas», además de larga, no acaba de ser exacta y completa. Me gustaría, pues, utilizar «mujeres individuales» o «mujeres singulares», pero no todas las mujeres singulares están solas.

Esta situación, que puede o no tener que ver con una manera de estar en el mundo, no se plantea generalmente como una meta a alcanzar o un objetivo a conseguir. Claro que puede haber solteras vocacionales por diferentes motivaciones, como el personaje de *La tía Tula* de Unamuno, que no quieren soportar a un hombre y se sienten orgullosas de ser solteras, pero no son la mayoría entre nuestras mujeres. Ni tampoco todas buscan persistentemente la libertad entendida como ausencia o rechazo a cualquier tipo de compromiso. Hay mujeres que viven inmersas en la renovación cultural y son partícipes de un fenómeno social que rompe esquemas. Mujeres que sin «glorificar» su estado demuestran que vivir sin pareja es una alternativa legítima y positiva que, por otro lado, no necesariamente ha de ser definitiva.

## LLANERAS SOLITARIAS

Hace algunos años, durante mi primera visita a Japón, me comentaba una periodista que muchas jóvenes profesionales decidían no casarse y que este hecho era consecuencia del choque que se había producido entre una sociedad moderna y al mismo tiempo fuertemente tradicional, en la que la posición de la mujer casada resultaba prácticamente invisible; una sociedad jerarquizada en la que para el mantenimiento del orden se presionaba a las personas, incluso en las empresas, para que contrajeran matrimonio a partir de una determinada edad. El acceso de las mujeres al mundo laboral las alejaba, pues, de contraer matrimonio, que para ellas siempre suponía un gran retroceso por la rigidez de las tradiciones.

Este fenómeno, por supuesto, no es exclusivo de las mujeres japonesas. Desde hace algún tiempo se habla y escribe de él en Estados Unidos, Francia e Inglaterra —en 1989, según *Le Nouvel Observateur*, en Francia había diez millones de mujeres solas; solteras por elección, jóvenes cualificadas que no quieren adquirir compromisos y que aplazan el matrimonio por no constituir ya una prioridad. Frente a la imagen conservadora de la mujer competente que paga con la cama vacía el éxito profesional, se contrapone la que duerme a pierna suelta en diagonal, las urbanas treintañeras que practican la autonomía, que poseen un determinado nivel cultural y de bienestar. Mujeres desenvueltas, «llaneras solitarias» en palabras de la revista *Harpers*. Y también mujeres más maduras que no tienen pareja, una situación que, como veremos, está repleta de matices.

La denominación de «llaneras solitarias», acuñada por la revista *Harpers&Queen* de septiembre de 1997, alude a un fenómeno quizás más conocido en el mundo anglosajón que, sin embargo, está presente en otros países, incluido España, donde el porcentaje de mujeres que no se han casado y han cumplido ya los veintinueve años asciende al 15 por ciento. De acuerdo con las estadísticas del Ministerio de Asuntos Sociales, parece que dos terceras partes de ellas no contraerán matrimonio, sumándose así a las otras *singles* mayores y con un currículum vital y un entorno cultural diferentes. Se trata de jóvenes profesionales competentes y competitivas, más seguras de sí mismas pero no necesariamente agresivas —como se las intenta representar—, que ya no buscan al Príncipe Azul ni a un marido que les asegure la estabilidad económica, el ascenso y la referencia social. Estas jóvenes han dejado la casa de sus padres para vivir solas, les gusta su independencia y, por diversas razones, entre ellas la dificultad de encontrar al hombre adecuado, no quieren asumir un compromiso, ni institucionalizar una relación ni renunciar a las comodidades que disfrutan. Valoran su profesión, invierten mucho esfuerzo y energía en su consolidación o ascenso profesional, se consideran críticas y exigentes y no quieren sufrir experiencias dolorosas o defraudantes. No buscan o temen las relaciones dependientes y no se consideran preparadas para vivir en pareja. Se sienten, pues, cómodas en su soltería más o menos elegida.

Valga, como ejemplo de lo que digo, la siguiente participación que fue enviada a doscientos amigos y colegas por Susan Hesse, directora creativa de una empresa publicitaria, de treinta y ocho años, cuando se mudó a su nueva casa:

*Carl Hesse y su esposa Alice,*
*de Washington D.C.,*
*se complacen en comunicarle*
*que su hija*
*Susan A. Hesse,*
*de Piedmont, California,*
*asumirá el estado civil de*
*Solterona Contenta*
*la noche del sábado 23 de junio de 1984,*
*tras lo cual cesará de*
*buscar al Príncipe Azul*
*y comenzará a ofrecer*
*deslumbrantes fiestas y banquetes.*
*Para contribuir a celebrar*
*este jubiloso acontecimiento,*
*se ha abierto una lista de regalos*
*en las Grandes Tiendas Macy's.*
*Agradeciendo de antemano su atención,*
*saludan a usted,*
*Carl y Alice.*
*Las fechas de los banquetes serán anunciadas*
*tan pronto como Susan adquiera una mesa de comedor.*

Las *singletons* son definidas así por Bridget Jones, personaje creado por Helen Fielding que se ha convertido en un referente de las mujeres en torno a los treinta años, que viven solas y han conseguido un importante grado de autonomía: «Hay más de una jodida forma de vivir; en este país [Gran Bretaña] uno de cada cuatro hogares está compuesto por un solo individuo, la mayor parte de la familia real está divorciada, varios estudios han demostrado que los jóvenes ingleses son absolutamente incasables y, como resultado, hay toda una generación de chicas solteras como yo, con sus propios ingresos y hogares, que se divierten mucho y no necesitan lavar los calcetines de nadie. Estaríamos como unas pascuas si las personas como vosotros no conspirasen para hacernos sentir estúpidas sólo porque estáis celosos.»

El fenómeno al que nos referimos puede ser consecuencia de la complejidad de nuestra sociedad actual, en la que existe una pluralidad de comportamientos de mujeres de distintas generaciones, con una perspectiva diferente ante la vida y significativos cambios de mentalidad, que finalmente conllevan un cambio cultural. Esta transformación puede ser más rápida o más lenta, dependiendo del país en cuestión. Como sabemos, la situación de las mujeres escandinavas o anglosajonas no es exactamente la misma que la de las europeas del sur. Las primeras consolidaron ciertas conquistas por la igualdad mucho antes que las mediterráneas.

Existen, además, ciertas generaciones de tránsito, y aunque las fronteras no se pueden trazar con exactitud dados sus muchísimos matices, no tienen la misma visión de las cosas las mujeres de más de cuarenta años que las de menos. Todo depende de las posibilidades personales, de la época que les ha tocado vivir y, por supuesto, de la educación recibida, de esa cultura que nos lleva a interiorizar diferentes mitos y mandamientos de una manera nítida o subterránea.

Afortunadamente, parecen haber quedado atrás los tiempos en los que se afirmaba que a las mujeres solas no las respeta nadie. En la conciencia y la lucha por la igualdad se han producido transformaciones impensables hace pocos años, aunque no en todos los rincones del planeta. También en España contemplamos a diario situaciones de discriminación e incluso de extrema violencia.

¿Soledad elegida, voluntaria, o soledad fatal, impuesta? En principio ninguna mujer está destinada a vivir sola; más bien esta soledad es resultado de una compleja interacción de aspectos estructurales, culturales y biográficos, no es una elección tajante. Pero siempre surge la pregunta: ¿hasta qué extremo somos libres para tomar nuestras decisiones? Lo que parece conveniente es realizar, o al menos intentarlo, elecciones racionales, no elecciones sin tener en cuenta el temor o la inseguridad.

Si nos dejamos llevar por el intento de clasificar a las mujeres desde la perspectiva de la voluntariedad y de la duración, serían *voluntarias temporales solas* las que no se han casado o se han divorciado o separado, esto es, mujeres interesadas en el matrimonio pero que no lo buscan de manera activa; y serían *involuntarias temporales solas* aquellas que lo buscan activamente. Frente a las *voluntarias estables solas*, solteras o divorciadas satisfechas con su situación que no quieren volver a casarse, encontraríamos a las *involuntarias estables solas*, es decir, solteras, divorciadas o viudas que desean el matrimonio pero que creen no tener muchas posibilidades. O, dicho de otra manera, entre las mujeres que han probado el matrimonio podemos encontrar aquellas que vuelven a casarse, las que les gustaría o no tendrían inconveniente en repetir la experiencia si se dan unas determinadas condiciones, y las que decididamente han abandonado tal idea.

La terapeuta norteamericana Betty Carter nos narra la experiencia de un grupo de mujeres entre treinta y cinco y cincuenta y cinco años que pusieron en evidencia la convicción de que no podían sentirse felices ni plenas sin un hombre, partiendo de la creencia de que si hacían lo que debían hacer y resolvían sus problemas personales, la dificultad para encontrarlo o para conservarlo quedaría superada. Por el temor que les producía la ausencia de un hombre a su lado, parecían dispuestas a tolerar casi cualquier cosa en la relación antes que arriesgarse a perderla. A lo largo de la terapia hubo muchas manifestaciones de empatía y comprensión, y aunque cada una se sentía abrumada por su propia situación, todas pudieron considerar con mayor objetividad la de las demás y cuestionarse mutuamente su sensación de impotencia.

Sara, una psicóloga de sesenta años a la que su marido alcohólico había abandonado hacía veinte para casarse con su secretaria, con tres hijos y sin profesión, se sentía orgullosa de haberse doctorado en Psicología y haber podido mandar a sus hijos a la universidad. Tenía amigas, viajaba, asistía a conciertos... Irradiaba competencia, calidez, seguridad, inteligencia y sentido del humor, pero reconocía que no podía vivir con los hombres ni sin ellos. Desde hacía cinco años mantenía una relación exclusiva con un abogado de sesenta y cinco años que le resultaba frustrante y deprimente. Nunca había contemplado la posibilidad de volver a casarse; le gustaban los hombres y el sexo, y nunca había pasado mucho tiempo sin una pareja estable. Sin embargo, ahora le daba miedo que, por su edad, la única opción fuera Robert. Necesitaba ayuda para dejarle. Sara ejerció un papel importante en el grupo, ya que se negaba a aceptar la impotencia de las demás, no se unía a sus habituales diatribas contra los hombres y ubicaba resueltamente el conflicto en los mitos y expectativas que se nos han inculcado.

A medida que pasaron los meses, las preocupaciones de las mujeres fueron cambiando lentamente de foco para centrarse en el tema de cómo hacerse cargo de sus propias vidas, tomar decisiones ventajosas para ellas mismas y pensar en lo que podían y deseaban hacer y no en lo que otros les «permitían» hacer o deseaban que hicieran. En una de las sesiones Sara afirmó: «Me gustaría conocer a otro hombre, pero no renunciaría a ninguna de mis actividades por él. Tendría que estar dispuesto a amoldarse a mi vida tanto como yo a la suya. Y si no encuentro a nadie ya no me parece tan importante. No estoy sola en la vida, únicamente vivo sola. El cambio principal para mí es no sentirme fracasada sin Robert ni sin cualquier otro.» Según la terapeuta, la experiencia resultó positiva, entre otras cosas, porque las mujeres más jóvenes ayudaron a informar a las mayores y la sabiduría de éstas también tuvo una acogida favorable.

Este ejemplo me parece ilustrativo del asunto que nos ocupa, uno de los más hondos y persistentes en la vida de las mujeres: la sensación de que no tener un hombre al lado supone un descrédito para ellas y que, de algún modo, les quita la posibilidad de alcanzar una vida plena y satisfactoria.

Un caso distinto es el de las mujeres que han estado solas intermitentemente. Todas podemos evolucionar, construyendo nuestra propia vida solas o en pareja, compartiendo emociones y sentimientos con hombres diferentes, sucesivamente, con mayor o menor compromiso, con mayor o menor formalización de la relación. Estar sin pareja supone una etapa de ese ciclo evolutivo y hay que aprovecharla ya que sin duda constituye una experiencia nueva. La soledad es necesaria a la hora de construir un mundo interior rico e intenso y para mantener desde el propio equilibrio las relaciones interpersonales.

Nos referimos a las mujeres que viven la madurez sin pareja y con cierta plenitud; a las divorciadas que piensan que el divorcio no es un fracaso sino el final de un proyecto que no ha podido seguir adelante. Estas mujeres no entran en el estereotipo de la amargada que detesta o tiene miedo a los hombres, que no se siente con fuerzas para aguantarle o compartir la vida con él. Al contrario, a estas mujeres les gustan los hombres y les encantaría «estar enamoradas», tener una pareja, pero ciertas exigencias las obligan a perseguir una relación de más calidad. Saben lo que quieren y no están dispuestas a negociar a la baja. Muchas confiesan que un mayor grado de intimidad personal con una pareja enriquecería su existencia, pero se sienten satisfechas con su autonomía y cómodas en su soledad. Buscan el equilibrio y sólo se comprometerían a fondo si encontraran a la persona adecuada. Han descubierto la fuerza del amor, su belleza, pero también sus exigencias. Saben que el amor supone dar y recibir afecto y que necesita un aprendizaje que se alcanza gracias al esfuerzo de ambas partes, pero no están dispuestas a hacerlo a cualquier precio. No desconocen los obstáculos que pueden surgir si logran trasformar el enamoramiento —esa fase maravillosa en la que no se puede estar permanentemente— en una unión más duradera y son conscientes de la necesidad que tienen de un espacio de libertad, de oxígeno, de autonomía.

Por diversas razones, a muchas mujeres no les convence el modelo de la relación tradicional. Quieren conservar su independencia y, ya se sabe, las mujeres con un alto grado de autonomía inquietan a muchos hombres.

No abundan, pues, las posibilidades de encontrar a la persona adecuada. De hecho, se habla con bastante insistencia del «desabastecimiento del mercado» —expresión poco afortunada—, en clara referencia a la escasez de hombres «libres». Las mujeres están, de momento, en inferioridad de condiciones, porque mientras que los hombres de cualquier edad pueden elegir a mujeres de cualquier edad, no sucede lo mismo en sentido contrario. Muchos hombres, por la educación que han recibido, siguen esperando ser el eje de la vida de una mujer o, al menos, parten de la idea de que la mujer se adaptará a sus necesidades y exigencias. Quizás este tipo de relación pueda resultar más adecuada a una mujer joven, con una personalidad poco definida y con menos experiencia, aunque cada día hay más mujeres jóvenes decididas y que saben bien lo que quieren.

Las mujeres hoy tienen una vida bastante completa. No necesitan ni buscan los beneficios materiales que les pueda aportar un hombre, ni una excusa para llenar sus vidas. Tampoco necesitan la compañía de un hombre para sobrevivir, ni para sentirse bien consigo mismas, ni alguien que defina sus vidas y dé sentido a su existencia, al haberlo logrado en buena parte. En consecuencia, no consideran el matrimonio como algo imprescindible para ser adultas, de manera que por primera vez hay un sector numeroso de mujeres que puede elegir no casarse. No precisan estar casadas para estar satisfechas, porque no estar casadas no es para ellas el fin del mundo. Están comprometidas consigo mismas y a gusto dentro de su piel.

Entonces, ¿qué buscan estas mujeres? Una buena amiga me decía que quería un hombre como ella, una compañía buena y estimulante con la que compartir una misma escala de valores, una proximidad estética. Es importante reírse con la pareja, jugar, compartir secretos, confiar, discutir, guardar silencio; es importante también la atracción sexual, el ser buenos amantes... Para que una relación funcione resulta imprescindible sentirse aceptado y respetado, poder compaginar libertad e intimidad sin que nadie interfiera en nuestro estilo de vida.

En estos tiempos, incluso dentro de la misma generación se producen desfases entre hombres y mujeres porque parece que las mujeres hemos evolucionado más y hemos aproximado posiciones. Se trata de una ola cultural cambiante. Pero en realidad, ¿cuántos hombres pueden superar sus tics y tolerar el grado de independencia que necesitamos, sin presiones ni temores de herir o sentirse heridos? También nuestro nivel de exigencia respecto a los hombres es cada vez mayor. Como dice la escritora norteamericana Patti Putnicki en su divertido libro *Celibacy is better than really bad sex*, «subimos el listón al mismo tiempo que descienden nuestras tetas».

No sabemos qué va a pasar en el futuro con las nuevas generaciones, formadas por niñas nacidas y educadas en una sociedad en principio más libre, más permisiva y, sobre todo, en la que, aunque de manera lenta, se va aproximando la igualdad real a la igualdad legal; niñas criadas en familias diferentes a las tradicionales, que han jugado con Barbies, que idolatran a las Spice Girls, que además de consumir horas delante del televisor se familiarizan con los ordenadores, aunque en menor medida que los chicos, y que parecen no tener espacios ni caminos vedados.

Corren nuevos tiempos. Hasta la factoría Disney ha configurado nuevas heroínas, la última de ellas Fa Mulan, procedente de una leyenda milenaria de la dinastía turco-mongol Wei que reinó en China del norte entre los años 386 y 557. Mulan se disfrazó de guerrero para relevar a su padre en el campo de batalla. Igualmente, Esmeralda, la Sirenita y Pocahontas representan mujeres libres, eficaces, atractivas, pero la diferencia entre ellas y Mulan es que las primeras van en busca del romance y acaban ligadas a sus héroes, generalmente menos sagaces e inteligentes que ellas mismas. Este destino no es asumido por Mulan.

Y, en el ciberespacio, ahí está Lara Croft, la primera heroína de la era digital, a la que *Libération* ha definido como «un icono perfecto de nuestro fin de siglo». Se trata de un personaje de videojuego que es más que una mujer, es un símbolo social y sexual. Los hombres la adoran porque representa el modelo sexual de mujer moderna espectacular e independiente, y a las mujeres las cautiva su actitud valiente y su feminismo descarado.

## EL PRÍNCIPE Y LA BELLA DURMIENTE

Sin duda las mujeres solas atraviesan épocas más duras que otras, momentos en que vuelven los mitos y sentimos nostalgia de lo que fue o pudiera haber sido. Es normal. La sobrevaloración de la vida familiar conlleva la devaluación de las vidas construidas de otra manera. La familia ha monopolizado el cuidado, la seguridad, la confianza y la intimidad, tanto que se ha extendido la idea de que la intimidad amorosa es más fácil en el marco de las relaciones monógamas, el matrimonio o la familia. Quizás esto sea cierto en parte, pero no siempre sucede así, porque ¿hasta qué punto podemos revelar nuestros deseos más profundos, nuestras frustraciones y temores, es decir, compartir nuestra intimidad, si no estamos seguros de la reacción de la otra persona o ésta resulta ser un desconocido?

El territorio de las mujeres ha sido siempre el de la intimidad, la vida privada, aunque no existen tratados sobre ella que comprendan bien los deseos femeninos. Curiosamente, a las mujeres nos ha interesado sobre todo la vida privada, la intimidad, pero ello no quiere decir que acreditemos grandes conocimientos en este asunto. A lo mejor resulta que nos manejamos mejor en los roles tradicionales, aunque no actúen en nuestro favor. Por ejemplo, no dominamos a la perfección los recursos emocionales y afectivos; prueba de ello es que seguimos sufriendo más que los hombres en ese terreno e, incluso, nuestros éxitos profesionales no repercuten de la misma forma en el aumento de nuestra autoestima.

Se dice que los logros y el reconocimiento no modifican un ápice el sentimiento íntimo de malestar, soledad o indefensión, incluso desarrollando actividades importantes. El trabajo personal ayuda a solventar los problemas económicos y a desarrollar cualidades como el sentido de la responsabilidad, la seriedad, la generosidad o la empatía para el trato, pero no nos hace aumentar la confianza en nosotros mismos ya que tenemos la profunda convicción de que vivimos para los otros.

Según la Biblia —«... y tu voluntad estará sujeta a la de tu marido, y él se enseñoreará de ti»—, seguir al hombre es la dimensión sacrificial de la femineidad, en palabras de Celia Amorós. El poder no es femenino. A las mujeres no les resulta fácil sentirse potenciadas en su identidad cuando acceden a posiciones de poder, y por ello no necesariamente ven incrementada su autoestima.

Se afirma que para las mujeres el bienestar descansa, sobre todo, en la experiencia de estar incluidas, de ser parte activa de una relación amorosa y cuidar de ella. Aquí se concentran una serie de ansiedades, temor al rechazo de los hombres, competitividad y conflictos reales derivados de las exigencias que imponen tanto la familia como el trabajo en lo que a tiempo y energía psíquica se refiere.

Siendo todo esto relativamente cierto, es decir, que la interacción entre el reconocimiento exterior y la satisfacción interna no funciona de la misma manera en los hombres y en las mujeres, me resisto a creer que nuestra digna incorporación al mundo profesional y a la vida pública no nos reporte beneficios en nuestra propia valoración, como individuos y como colectivo emergente. Seguramente lo que sucede es que no lo exteriorizamos, que no tenemos tendencia a hablar de nuestros éxitos. Como comentaba un día una amiga, siempre hablamos de nuestros problemas sentimentales, pero invertimos nuestros esfuerzos, nuestras energías y nuestra inteligencia en la esfera profesional o pública. Creo que tenía razón.

Y me pregunto, ¿estamos donde estamos porque hemos desistido de construir una relación casi perfecta, gratificante, enriquecedora, generosa y no conservadora, dado que a nuestro entender no es posible por las limitaciones de la inmensa mayoría de los hombres, o es que no sabemos hacerlo porque no acabamos de controlar el mundo de las emociones, un mundo que por otra parte se supone que es nuestro dominio, porque los mitos han calado muy hondo o porque realmente ponemos el corazón pero no la inteligencia en ello? ¿Hemos dejado realmente atrás los cuentos en los que un príncipe —un hombre idealizado— llega para salvar la vida de mujeres como Blancanieves o la Bella Durmiente, o aquellos otros, como *La Cenicienta*, que acentúan en la protagonista cualidades supuestamente femeninas como la docilidad, la laboriosidad, la renuncia o la entrega en silencio? No encontramos en ellos ninguna muestra de rebelión, ni siquiera en defensa de los propios y legítimos derechos, y de esta manera lo que trasmiten es un comportamiento de sumisión. ¿Y qué decir de los relatos de caballería, en los que el rey otorga la mano de su hija a aquel que se destaque por su inteligencia o valor, como si se tratara de un trofeo, de un objeto codiciado? En ninguno de los dos modelos la mujer es tomada como un ser completo, total, valioso por sí mismo, ni la propuesta de pareja que se hace en ellos muestra una madura interdependencia. (Por cierto, siempre me he preguntado por qué, en lugar de batirse en duelo, no le preguntan a la dama de turno su opinión.)

En la actualidad, muchas mujeres creen haber dejado atrás estos modelos, pero no resulta tan fácil desembarazarse de ellos. Pueden volver una y otra vez bajo los más diferentes disfraces. Con frecuencia la situación se repite y entonces la mujer, que se siente contenta, reconocida y segura en su trabajo, se desdibuja cuando está junto a su hombre. Según Graciela Moreschi, la razón por la que muchas mujeres quedan unidas a dichos modelos es que a la fuerte carga atávica que llevan se suma una sociedad favorecedora de patologías narcisistas. Como es sabido, al sucumbir al amor la verdadera mujer se ve obligada —siguiendo la metáfora— a romper su espejo, a renunciar a su identidad y a ser absorbida espiritualmente por el hombre. Y dado que el mundo moderno crea numerosas inseguridades, a partir de ese sentimiento de temor a no ser aceptada, se inicia tal relación narcisista. Así pues, a pesar de los avances trascendentales de las últimas décadas no acaban de quedarse atrás los cuentos, no nos desprendemos de los vínculos de dependencia.

Debemos también tener presente que las mujeres a las que nos referimos han interiorizado una serie de mitos como consecuencia del adoctrinamiento a que han sido sometidas. Resulta difícil combatir al «enemigo» si se ha instalado en nuestro cerebro; de ahí las dudas más o menos frecuentes sobre la validez de nuestra experiencia y las tentaciones de volver a intentarlo. Queremos compartir cosas con nuestra pareja, momentos de tensión y de dolor, sentir placer juntos, ofrecer y recibir ayuda y estímulo, pero encontramos bastantes obstáculos para que ello pueda producirse y sobre todo mantenerse.

En pocas palabras, nos enseñaron que el matrimonio es y debería ser el sueño de toda mujer; la familia tradicional, su estado ideal y satisfactorio; y, tener hijos, no sólo un destino marcado por nuestra biología, sino un deber cuyo cumplimiento se verá convenientemente recompensado. Una mujer, pues, no se realiza si no es madre. Una mujer sin pareja es irremediablemente infeliz y socialmente no cumple con su misión.

En consecuencia —continúa el mensaje—, a las mujeres les es inherente la abnegación, el sacrificio e, incluso, el olvido de sí mismas, en tanto que cuidadoras y proveedoras de los afectos y responsables del buen funcionamiento de la familia. Sin duda hay y ha habido mujeres que encuentran su felicidad cumpliendo con este destino, pero la felicidad no puede ser impuesta y no tiene por qué conducirnos a ella un camino único.

Lo que con el transcurso del tiempo se ha generado en muchas mujeres, aunque afortunadamente cada vez menos, es la autocompasión, la actitud pasiva ante la propia existencia, el abandono del sentido de identidad la disposición a prescindir de las ideas propias o a no manifestarlas por el bien de todos. Sin embargo, las pequeñas venganzas son bastante frecuentes y llegan a formar parte de nuestra cotidianeidad.

Muchas mujeres se han dado cuenta que sin un esfuerzo continuo y deliberado para transformar las estructuras tradicionales, ambos sexos retornan fácilmente a sus roles tradicionales. Las mujeres, como hemos dicho, siguen cuidando el mundo de los afectos, manteniendo el hogar, aspirando a establecer una comunicación sincera con los hombres, no basada en la dominación, ni en la guerra de los sexos ni en la reivindicación permanente. Y aquellas que han descubierto que quedarse solas es mejor que involucrarse en relaciones amorosas destructivas o poco gratificantes, usan su tiempo en su propio desarrollo, comparten su intimidad con amigos y compañeros que les proporcionan estabilidad —con o sin relación sexual o amorosa de por medio—, y todo ello les permite fortalecerse a sí mismas, autoafianzarse, lo que a su vez redundará en mayores posibilidades de establecer otras relaciones más satisfactorias.

Hay que buscar la libertad, desprenderse de la dependencia para ser capaces de pactar, si no los términos del amor, al menos los de la relación. Lo malo es que muchos hombres no están preparados ni dispuestos a acompañarnos, no reconocen el esfuerzo que se necesita para mantener un vínculo honesto y satisfactorio. Cuidar una relación para que sobreviva resulta más fácil y probable cuando se ha controlado la propia supervivencia y no se está esperando la salvación a través del amor romántico. En esta tarea han de trabajar ambos sexos, que necesitan aprender cómo mantenerse en contacto con sus emociones y, también, descubrir cuáles son las exigencias de la seducción.

Así pues, en las mujeres habría que fomentar su independencia y en los hombres, su capacidad para asumir una interdependencia madura y equilibrada, sin anhelos de fusión permanente porque somos completos, si no más bien con la firme voluntad común de alcanzar la mayor plenitud posible.

Por su parte, en la cultura oficial el hombre ha sido considerado siempre como un premio para la mujer, como su mejor posibilidad de supervivencia. En consecuencia, las mujeres debíamos adaptarnos y aprender a ser menos exigentes. Pero el problema reside en que nosotras nos sentimos capaces de compartir y, además, tenemos el recuerdo de algunos momentos de plenitud en nuestras relaciones, cuando casi lo único que nos preocupaba era su duración. En efecto, el enamoramiento, esa especie de sueño, ejerce sobre nosotras una atracción casi irresistible; ser elegida y mantener un vínculo amoroso es una situación muy gratificante. Las mujeres y los hombres que han podido crear y mantener un matrimonio o una relación estable satisfactoria se sienten generalmente felices; viven juntos de manera placentera y están decididos a superar los problemas, tratando de mantener la ilusión y los niveles de seducción del principio. Según Françoise Giroud, una pareja feliz es «una voluntad común de alcanzar la felicidad». Es el producto de un cuidado extremo por parte de ambos miembros de la pareja; una obra nunca acabada. Pero cuando no resulta posible alcanzar esta situación ideal, cuando estos sueños no se llegan a realizar o se frustran por cualquier circunstancia, debemos pensar en cómo lograr nuestra propia plenitud.

Pero también es cierto que muchas mujeres han optado por tomar sus propias decisiones asumiendo la responsabilidad sobre su existencia, valorando positivamente su autonomía, efectuando un cambio profundo de actitud, pensando en lo que realmente desean y teniendo en cuenta las limitaciones existentes, los obstáculos que impiden nuestra aproximación a la felicidad. Hoy estamos viviendo un momento complejo de transición. Y si somos capaces de resolver la problemática que se nos presenta cotidianamente, aceptar el desafío y pactar, las relaciones de las futuras generaciones se transformarán y mejorarán porque habrá seres humanos más libres, más iguales y más plurales.

## EL ESPEJO CULTURAL

En nuestros tiempos se configura el estereotipo de la soltera urbana, más diversificado y positivo que el de la soltera de antaño. Así, por ejemplo, se expresaba la protagonista de la obra de García Lorca *Doña Rosita la soltera o el lenguaje de las flores*: «Me he acostumbrado a vivir muchos años fuera de mí, pensando en cosas que estaban muy lejos, y ahora que estas cosas ya no existen sigo dando vueltas y más vueltas por un sitio frío, buscando una salida que no he de encontrar nunca. Yo lo sabía todo. Sabía que se había casado; ya se encargó un alma caritativa de decírmelo, y he estado recibiendo sus cartas con una ilusión llena de sollozos que aun a mí misma me asombraba. Si la gente no hubiera hablado; si vosotras no lo hubierais sabido; si no lo hubiera sabido nadie más que yo, sus cartas y su mentira hubieran alimentado mi ilusión como el primer año de su ausencia. Pero lo sabían todos y yo me encontraba señalada por un dedo que hacía ridícula mi modestia de prometida y daba un aire grotesco a mi abanico de soltera. Cada año que pasaba era como una prenda íntima que arrancaran de mi cuerpo. Y hoy se casa una amiga y otra y otra, y mañana tiene un hijo y crece, y viene a enseñarme sus notas de examen, y hacen casas nuevas y canciones nuevas, y yo igual, con el mismo temblor, igual; yo, lo mismo que antes, cortando el mismo clavel, viendo las mismas nubes; y un día bajo al paseo y me doy cuenta de que no conozco a nadie; muchachas y muchachos me dejan atrás porque me canso, y uno dice: "Ahí está la solterona... a ésa ya no hay quien le clave el diente."»

El término «soltera» se ha asociado a las promesas incumplidas, la represión, la sublimación, el autoengaño. Mujeres frustradas, o compadecidas o sometidas a la autoridad paterna, como las protagonistas de *La heredera*, *Calle Mayor* o la Blanche Dubois de *Un tranvía llamado deseo*.

Según Tuula Gordon, mientras la solterona no podía conseguir un hombre, la soltera actual decide no tenerlo; mientras la primera se consideraba rara, la segunda resulta egoísta y hedonista. Es un ejemplo relativamente envidiable de mujer autónoma con una carrera profesional no controlada por un hombre. En cualquier caso, estos estereotipos ilustran los intentos de encerrar a la mujer no casada dentro de unas determinadas categorías.

¿Hasta qué punto las personas que viven solas siguen bajo sospecha? ¿Cuál es su valoración social? ¿Es indiscutiblemente una persona egoísta? Seguramente no hay respuestas contundentes a estos interrogantes, ya que dependerán de la situación personal, económica y social y, evidentemente, del sexo. El doble mandamiento sigue vigente aunque el discurso haya perdido virulencia, y la misoginia persiste aunque con nuevos ropajes. A las nuevas mujeres solas, en su mayoría, se las sigue compadeciendo o culpabilizando por no cumplir la función que la sociedad les ha asignado. Existen al respecto claros avances, pero también retrocesos, y esto no depende fundamentalmente de la voluntad de las mujeres, sino de los recelos y las reacciones que suelen ponerse de manifiesto cuando la crisis emerge, con el desempleo progresivo, el descenso de la natalidad y la nupcialidad, el neoconservadurismo.

Por contra, la soltería en el hombre no se contempla ni se juzga como algo negativo. A él le son inherentes la responsabilidad y el ámbito de lo público, por lo que puede elegir deliberadamente la soledad, que se entiende como un noble sacrificio para cumplir con su vocación creadora. Curiosamente pervive el mito del soltero y, curiosamente también, los hombres se casan y recasan más que las mujeres. Por ello resulta paradójico que el matrimonio haya sido en todos los discursos el fin último de las mujeres cuando parece tratarse de un destino más masculino que femenino.

Incluso se acusa a las mujeres emancipadas de ser responsables del nuevo egocentrismo, del donjuanismo femenino, de la crisis de la pareja, de la angustia y el desamparo masculinos, del hombre traumatizado y de la guerra de los sexos. La soledad se utiliza como amenaza ante sus pretensiones liberadoras o su rebeldía frente al sometimiento, hasta por los medios de comunicación y la publicidad, aunque de manera muy sutil.

Sin embargo, es también cierto que las nuevas mujeres solas encarnan hoy un modelo más positivo, porque han accedido a responsabilidades profesionales y a privilegios masculinos, pueden casarse más tarde o incluso no casarse, y han conseguido una autonomía profesional. Si han conquistado su derecho a la ciudadanía, es ya el momento de adquirir el derecho a la visibilidad.

El término «solterona» ya no se utiliza. Ser soltera no se concibe hoy como una anomalía, pero la mirada social sobre las mujeres solas no es precisamente positiva y ejemplificadora.

¿Cuántas veces se piensa que si una mujer no tiene pareja es que ningún hombre quiere estar con ella? ¿Y esto qué tiene que ver con los sentimientos y las aspiraciones de las mujeres solteras, divorciadas, separadas, viudas? ¿También nosotras nos compadecemos y nos infravaloramos? En efecto, los cambios en las costumbres sexuales, una mayor flexibilidad en las relaciones personales y, por supuesto, la independencia económica han producido nuevas opciones que ya no necesitan basarse en relaciones heterosexuales exclusivas a largo plazo.

¿Por qué preocupa tanto la mujer que no parece dispuesta a casarse o recasarse? Porque dicha decisión se percibe como una amenaza: si elige no casarse se supone que durante toda su vida será independiente económica, sexual y socialmente. Esto crea inquietud en los padres, que piensan que nadie va a cuidar de ella, y en el *establishment* masculino por las enormes implicaciones de una revolución de este tipo: salarios completos, competitividad y éxito profesional que puede amenazar la estabilidad del matrimonio.

Cada época ha tenido un modelo de mujer sola, a la vez reducido y sublime, pero es difícil encerrarla en una u otra figura predeterminada, ya que no encaja en las clasificaciones tradicionales. La reivindicación de una identidad personal huye de una visión rígida y va contra toda actitud reductora que presente a la mujer como un ser no completo.

## FEMINISMOS Y REACCIÓN

En este siglo se han reconocido los derechos humanos y los derechos de la mujer como parte de ellos, en la medida que se exige la no discriminación por razones de sexo; se ha consagrado el principio de igualdad al máximo nivel legal, desencadenando las diversas políticas de igualdad; se han generado cambios importantes en el derecho de familia y, dentro de él, en los derechos de las mujeres; se ha producido el acceso masivo de las mujeres a la educación y, en consecuencia, la posibilidad, al menos teórica, de acceder a cualquier trabajo o profesión, llegándose a reconocer en algunos países la discriminación positiva; se ha conquistado el derecho al voto y la consiguiente legitimación para acceder al poder político, impulsándose la democracia paritaria. Es el siglo de los feminismos, de la liberación o revolución sexual, del derecho al goce y disfrute del propio cuerpo, de la anticoncepción, de la maternidad consciente o elegida —y la consecuente separación entre sexualidad y maternidad, es decir, la posibilidad de escapar del rol tradicional—, de los importantes cambios de costumbres y mentalidades, de la crisis de la familia tradicional hacia formas convivenciales menos jerarquizadas y represivas, de la revolución tecnológica y la ingeniería genética.

Sin embargo, no podemos ni debemos ignorar la realidad, porque el llamado triunfo de la mujer puede anestesiar la conciencia de la desigualdad, ya que, como repetimos insistentemente, frente a la igualdad legal existe la desigualdad real. Las mujeres no ocupamos o participamos del núcleo duro del poder, ya sea económico o político, y el acceso a los máximos niveles de responsabilidad sigue estando para ellas lleno de obstáculos, e incluso vedado, de manera que el principio por el cual a igual trabajo corresponde igual salario no se plasma de forma generalizada.

Por otra parte, pero en la misma línea, hay un tema que evidencia de una manera trágica el hecho de que a la mujer se la considera todavía un objeto propiedad del hombre. Me refiero, obviamente, a la violencia sexual, que, como es sabido, no se restringe a países lejanos ni a prácticas exóticas, sino que adquiere un rostro cotidiano en la sociedad occidental: los malos tratos, los asesinatos, las violaciones, el acoso sexual, el sexismo rastrero y el diario temor doméstico.

Por todo ello parece claro que el feminismo, aunque tenga ya una historia, no es sólo historia, y sus objetivos no atañen exclusivamente a las mujeres, sino que su consecución es requisito imprescindible para la construcción de una democracia más plena y verdadera. Es, como diría Victoria Camps, entre otras, una tarea de interés común. A pesar de ello, y aun siendo conscientes de que el poder no se cede o se comparte sin resistencias, y de las nuevas argucias o estrategias que pueden inventar quienes lo detentan, a las mujeres nos gustaría poder hablar con posibilidades de éxito y verosimilitud de un nuevo contrato social entre hombres y mujeres que llevara a compartir los derechos y las responsabilidades en las esferas públicas y privadas, a sabiendas también de las dificultades que un pacto así puede tener cuando una de las partes ocupa todavía posiciones de subordinación, lo que la lleva a rechazar y denunciar constantemente todo lo que sea un impedimento para la igualdad. A esto no debe ser en absoluto ajena, desde luego, la acción política, que necesariamente ha de impulsar políticas activas de apoyo a las mujeres con el fin de seguir progresando y evitar retrocesos. Porque en este ámbito nada es neutral ni automático, ni tan siquiera en el seno del llamado Estado del Bienestar.

Entre las fundadoras del feminismo destaca una amplia galería de mujeres que eligieron en un momento u otro de su existencia la soledad, entendida como ausencia de un hombre a su lado; entre ellas, las sufragistas y las bostonianas a las que antes nos hemos referido. Nuestra generación ha tomado de ellas su concepción de la soledad, aunque repensada no sólo desde la variable demográfica o económica, sino desde la psicológica, como motor y elección existencial.

Pero, evidentemente, como hemos señalado, estamos en la frontera de un cambio cultural y ello comporta complejidad y confusión por la heterogeneidad y pluralidad de las situaciones y los mensajes, que a veces incluso resultan contradictorios. Mientras el feminismo insiste en la capacidad de las mujeres para utilizar su autonomía como estimulante y revelador de potencias ocultas, exaltando su capacidad creativa, al mismo tiempo se le acusa de condenar a las mujeres a la soledad. En efecto, la soledad se configura como una sanción a las mujeres liberadas, como un destino fatal. Megan Marshall denuncia que el triunfo en el trabajo tiene como coste para algunas mujeres la infidelidad, la carencia de afectos, la soltería y su cruel correlato de amargura y soledad forzada. Las mujeres emancipadas, con piso propio, pagan su libertad con una cama vacía, un vientre yermo. Viven deshumanizadas por las carreras, carentes de amor e inseguras sobre cuál es su verdadero sexo.

En los medios de comunicación, los audiovisuales, circulan mensajes condenatorios y culpabilizadores: las mujeres sin hijos están deprimidas y desorientadas, y son más numerosas cada día; las mujeres solteras son unas histéricas que se derrumban bajo una profunda crisis de confianza. También los manuales de psicología aluden a la soledad de las mujeres independientes como un importante problema de salud mental: las mujeres son infelices precisamente porque son libres. Esto es algo terrible, injusto, falso. Se nos culpabiliza sin atenuantes, sin aludir a las resistencias masculinas al cambio, al rechazo de los hombres a renunciar o compartir el poder, olvidando que todavía vivimos en una sociedad en la que la inmensa mayoría de las mujeres ocupan una posición subalterna, en que la normalidad está teñida de situaciones discriminatorias.

Efectivamente, se ha llegado a afirmar que la liberación de la mujer nos ha quitado aquello en lo que se apoya la felicidad de la mayoría de nosotras: los hombres. Que hemos perdido terreno en lugar de ganarlo y que estamos en un callejón sin salida. El feminismo —se dice— es culpable de la crisis de identidad de las mujeres, obviando, entre otros, el hecho de que las crisis a veces también son necesarias. Pero no es que reivindiquemos nuestra condición a ser tratadas como seres humanos y nos coloquemos en la cima del mundo, como afirman los mensajes que esquematizan el movimiento feminista, sino que buscamos formar parte de él dignamente, intentando superar la discriminación más antigua y más injusta de la historia, la que se basa en la mera pertenencia a un sexo y no aplica un principio básico de la modernidad: el principio de igualdad.

Estos mensajes, que tan extensa y profundamente desvela Susan Faludi, en su obra *Reacción: la guerra no declarada contra la mujer moderna* —ganadora del premio Pulitzer—, tras analizar medios de comunicación, series televisivas y películas que reproducen, lanzan y afianzan unos determinados modelos, conforman una reacción antifeminista que se relaciona con el neoconservadurismo de Estados Unidos y que no se desencadenó precisamente porque las mujeres hubieran conseguido plena igualdad con los hombres, sino porque parecía posible que llegaran a conseguirla. Se trata de un golpe anticipado que las frena mucho antes de que lleguen a la meta. Pero, además, ¿de qué igualdad hablan? Si la pobreza es fundamentalmente femenina, si los salarios de las mujeres son más bajos, si se nos intenta manipular constantemente, si somos víctimas del abuso y la violencia sexual, si las verdaderas instancias del poder permanecen en manos masculinas, si seguimos sin compartir con los hombres las responsabilidades públicas y privadas.

Hacer del feminismo un enemigo de la mujer contribuye a los fines del neoconservadurismo cuyo objetivo es propiciar que cierto número de mujeres se vuelva contra su propia causa. Como escribía en 1913 Rebecca West, «no he podido descubrir exactamente qué es el feminismo: lo único que sé es que la gente me llama feminista cada vez que expreso sentimientos que me diferencian de un felpudo». La propuesta del feminismo es muy simple: que no se obligue a las mujeres a elegir entre la felicidad privada y la justicia pública, y que tengan libertad para decidir por sí mismas acerca de su identidad —y no que sea definida por la cultura de la que forman parte y los hombres con los que conviven.

También resulta contradictorio que se haga referencia al año 2000 como el comienzo de un milenio eminentemente femenino y, al mismo tiempo, se incite a la perpetuación de los roles tradicionales. Produce la misma perplejidad que la afirmación de algunos hombres de que las mujeres somos mejores y tratan a éstas como a un inferior.

No soy partidaria de hablar de guerra de sexos. Sólo luchamos por una sociedad de seres humanos más justos, más libres y más felices; en definitiva, una sociedad mejor. Si por fin hemos descubierto que la felicidad es preferible al sacrificio o la abnegación, no debemos sentirnos culpables. No debemos tampoco resignarnos, sino impedir el retroceso; buscar sistemas de vida y de relaciones en los que la independencia y la asunción de responsabilidades no conlleven una afectividad quebrada; desmitificar los clichés de las mujeres solas, y no interiorizar la culpa o desculpabilizarnos.

Para lograr esto debemos, pues, detectar los mensajes desestabilizadores. Dominique Frischer, en su interesante libro sobre la nueva misoginia —*La revanche des misogynes*—, recoge testimonios de mujeres entre veinte y cuarenta años —publicados en revistas femeninas— acerca de la desestabilización que en ellas han producido los estereotipos negativos ligados a la imagen de la mujer sola cuando se han encontrado en una situación de precariedad afectiva tras una ruptura. Muchas manifiestan no saber qué hacer para conciliar el deseo de autonomía, sus intereses profesionales, sus exigencias en la relación con la pareja y su nostalgia de una vida familiar idealizada.

La satisfacción de las necesidades afectivas y el coste que hemos de pagar por ello crea en las mujeres un terrible dilema. No parece justo que se castigue a la mitad de la humanidad a sufrir una soledad afectiva total o parcial por el hecho de desarrollar actividades o tener aspiraciones que van más allá de las que marcan los roles tradicionales. Las mujeres emancipadas, es decir, las que viven sin la protección oficial ni el sostén económico de un hombre, que optan por llevar un tipo de vida distinto al tradicional, no cuentan todavía hoy con un claro apoyo social. Pero finalmente se tendrá que comprender que hemos luchado por nosotras y no contra los hombres, que se declaran víctimas de aquellas mujeres que valoran su profesión. ¿Quién o qué es el responsable de que haya tantas mujeres solas? ¿La demografía, demasiadas mujeres?, ¿las exigencias marcadas por la revolución sexual y el feminismo?, ¿los hombres demasiado tradicionales?, ¿la búsqueda de las mujeres de una mayor calidad en los sentimientos, de una mayor autonomía? Lo esencial es vivir la propia vida, no la del otro. Y desde luego, cuando se vive sola, se aprende a vivir así.

Pensamos, con Lourdes Ortiz, que no se tiene por qué asociar inevitablemente la vida propia, la independencia y la igualdad social entre hombres y mujeres con cargas imposibles, desventura y soledad irremediable.

En la concepción de la soltería se ha pasado insidiosamente del estado civil —la soltera— a un sentimiento —la soledad—, sin contemplar que vivir sola no es equivalente a vivir aislada, ni ser solitaria ni misántropa. En algunas ocasiones, de hecho, supone lo contrario, ya que tener una mayor disponibilidad favorece nuestra capacidad de encuentro y relación con los demás. A esto se suma la extendida idea de que el divorcio comporta soledad, cuando en realidad se trata de un acto jurídico de ruptura y de cambio del estado civil y vital que no tiene por qué conllevar automáticamente soledad, puesto que este sentimiento difuso es difícil de cualificar y calibrar. La mayoría de las demandas de divorcio son planteadas por mujeres; por algo será. No creo que la causa determinante sea su ambición desmedida, ya que los testimonios y las estadísticas reflejan otras causas, más relacionadas con situaciones inaceptables o decididamente insatisfactorias. Sin embargo, porcentualmente es mayor el número de hombres que se divorcian porque encuentran un nuevo amor que las mujeres que actúan por esta motivación. Que la gran mayoría de las mujeres que se separan no lo hacen por egoísmo queda claro desde el momento en que un elevado número de hogares monoparentales tiene por cabeza de familia a una mujer.

A pesar de los mensajes negativos y otro tipo de obstáculos, a pesar de los impedimentos del neoconservadurismo, la concienciación de las mujeres sigue avanzando. Entre estos mensajes cabe señalar uno de los más difundidos en Estados Unidos, según el cual el mal de la mujer soltera moderna, mayor de treinta años y sobre todo profesional, es la *androfobia*, consistente en un temor profundamente arraigado a los hombres debido a la pésima influencia del feminismo. Igualmente, hay que hacer referencia al libro de Susan y Stephen Price *Se acabaron las noches solitarias* acerca de las propuestas para superar el «problema sin nombre». Ante cuestiones fundamentales como los temores ocultos que le cierran a la mujer las puertas del matrimonio o le imposibilitan la intimidad con un hombre, el libro destaca como principal actitud culpable la insistencia de la mujer de ser tratada con respeto y de forma igualitaria por el compañero: «El deseo de evitar una situación de sumisión en relación con los hombres puede llevarte a una vida sin amor (...). Nosotros ayudamos a las mujeres solteras a comprender que lo que ellas consideran un problema del hombre en realidad es algo que está en ellas mismas», sin ninguna alusión al patriarcado y sus trampas, ni a la educación ni a las actitudes de los hombres, sin percibir la «colonización interior», más resistente que cualquier tipo de segregación y más uniforme, rigurosa y tenaz que la estratificación de las clases, como diría Kate Millet.

Y de la androfobia se pasa a las «mujeres que aman demasiado», título del libro de Robin Norwood que insiste en recordar que quienes suelen tener este problema son las mujeres, en tanto que «adictas a los hombres». Su propuesta es la sumisión espiritual, ya que sólo la conexión con un poder superior permitirá a las mujeres adictas a los hombres evitar este sufrimiento emocional, cambiando una forma de pasividad por otra.

A pesar de todo, algunos estudios de opinión realizados en Estados Unidos en 1985-1986 mostraban que el objetivo principal de las mujeres ya no era el matrimonio. El 60 por ciento de las solteras opinaban que eran más felices que sus amigas casadas, y las mujeres entre veinte y treinta años mostraban una preferencia cada vez mayor por la soltería; muchas, en lugar de casarse, preferían vivir con el hombre al que amaban. También se constató en las mujeres una correlación entre mayor nivel de ingresos y rechazo al matrimonio, al contrario que los hombres, que manifestaban más deseos de casarse. Algo que no debe sorprendernos ya que, en la actual sociedad patriarcal, el matrimonio resulta más beneficioso para el hombre que para la mujer en lo que a salud mental y supervivencia se refiere.

En general el hombre no ve en peligro su autonomía —por otra parte nunca cuestionada— y tiene aseguradas sus demandas afectivas. Sin embargo, el caso de la mujer es diferente porque su aprendizaje desde niña se ha centrado sobre todo en cómo agradar, y no se la ha impulsado a «ser alguien»; por eso seguramente no sentimos la frustración en la misma medida que los hombres y, además, lo que conseguimos, a pesar del gran esfuerzo supuesto, lo percibimos también de otra manera.

Se ha comentado que las mujeres hemos salido perdiendo porque ahora nos tenemos que esforzar mucho más que antes. Sin embargo, creo que contar con la posibilidad de elegir, de ejercer todos los derechos y asumir responsabilidades, de no estar discriminadas por razón de sexo es innegociable. Cuestión diferente es que a veces nuestra preocupación sea mayor por la falta de confianza, por tener que vivir demostrando nuestra capacidad, por evitar siempre cometer un error de consecuencias imprevisibles... o porque en un momento determinado decidamos posponer nuestros éxitos y nuestra carrera profesional para cuidar más nuestra vida privada. Valga el ejemplo de la «superdirectora» de Pepsi-Cola que ha renunciado a su puesto para dedicarse a su familia. Ha querido y ha podido elegir.

La inseguridad que sienten muchas mujeres separadas se debe en gran parte a los escasos modelos conceptuales que existen de una vida sin matrimonio. Porque, como ya he señalado, vivir sola no es estar sola ni ser solitaria.

## LAS TENTACIONES O DESLIZAMIENTOS

Nada más lejos de mi intención que eludir la responsabilidad de las mujeres, a las que no nos gusta asumir el papel de víctimas. Por eso debemos conocer nuestras propias debilidades, defectos y carencias, así como las trampas que nosotras mismas nos tendemos. A muchas mujeres les preocupan, con razón, sus inclinaciones. Dada la educación recibida y a la que ya nos hemos referido, no es de extrañar que en un momento de apasionamiento olvidemos por un instante lo que hemos ido aprendiendo respecto a nosotras mismas y nuestras relaciones con los hombres, que olvidemos nuestra propia experiencia o que la asumamos sólo parcialmente, y que se diluyan nuestras ansias de libertad. Incluso mujeres con un matrimonio fracasado, una vez superada la ruptura han percibido en sus nuevas relaciones el riesgo de pérdida de su independencia.

Una amiga me contaba que cuando se enamoraba se situaba en otra realidad y de forma muy sutil empezaba a acomodarse y subordinarse al rol que desempeñaba su pareja, es decir, comenzaba a deslizarse hacia un comportamiento más tradicional en el que se siente la necesidad de complacer al otro (inclinación nada reprobable que ojalá estuviera más extendida en el lado masculino), minusvalorando lo que se ha conseguido; y, poco a poco, se iba sintiendo atrapada a la par que se desvanecía su personalidad. Mi amiga me decía: «En cuanto te descuidas estás en la cocina encantada, sin que nadie te lo haya impuesto, hasta que un día te preguntas ¿qué hago yo aquí? y suena la alarma, porque tus deseos de complacer se están convirtiendo en una obligación.» Esto suele coincidir con la fase de normalización, es decir, cuando, pasado un tiempo, te has acomodado de tal manera a la situación que empiezas a no reconocerte y tu pareja no se ha dado ni cuenta de los esfuerzos que has realizado. Tras la fascinación inicial percibes que no existe equilibrio entre lo que das y lo que recibes; te has comprometido muchísimo y lo peor es que ha sido de forma unilateral, con lo que descubres que no merece la pena haber entregado tanto, sobre todo si llegas a perder el respeto y la estima hacia ti misma.

En casos extremos se puede, incluso, perder el sentido de la identidad. Una mujer confesaba que en una de sus relaciones se había sentido tan bien que no había tenido en cuenta sus propios principios y había dejado a un lado determinadas cualidades y actividades que valoraba y que había sacrificado por el bien de la relación. «Por un lado te cansas de los sacrificios y por otra, si te pasas la vida siendo alguien que no eres, acabas aburriendo a todo el mundo y a ti a la primera.» Es lo que yo llamo los peligros del travestismo: distintas maneras de poner de manifiesto ciertas tendencias subterráneas que afloran cuando nos enamoramos y que debemos adoptar con cautela, aunque nos parezca que esta vez es algo diferente.

También existe un cierto temor por parte de algunas mujeres a casarse tras años de convivencia porque piensan que pueden emerger valores culturales profundamente arraigados que modificarían su relación. A veces nos sorprendemos dando rienda suelta a sentimientos represivos e instintos posesivos. Algunas de estas relaciones estables se deterioran tras el matrimonio, como si sufrieran una transformación por la ceremonia conyugal. Una amiga me decía: «Me casaría sólo si al otro le hiciera muchísima ilusión.» Así pues, si lo haces ponlo en tu haber, para que no se reconvierta la situación en tu contra, y si lo que necesitas es sentirte más segura, piénsalo dos veces, ya que un mayor compromiso externo no implica necesariamente mayor confianza y felicidad.

Igualmente, existen tentaciones más positivas, como la de alcanzar el amor sin conflictos y poder demostrar que es posible. ¿Por qué —pensamos— resulta tan difícil hacerse entender, lanzar mensajes que no parezcan reproches o reivindicaciones, que nos proporcionan una imagen poco favorecedora de nosotras mismas?

# Las transiciones

Vamos a referirnos al desencuentro, a la incompatibilidad de la pareja —que acaba en una ruptura casi siempre compleja y dolorosa— y a los abandonos. Sin duda, las causas que motivan una ruptura son determinantes en nuestro estado de ánimo y para nuestro proyecto vital.

## LOS ORÍGENES DE LA RUPTURA

En su *Discurso sobre la felicidad* decía Madame de Châtelet, una de las mujeres más sabias de la historia, que hay que abandonar al amor cuando el amor nos abandona, que hay que curarse de él. La virtud y la voluntad no bastan para garantizar la felicidad. Así fue su historia con Voltaire, de quien ella tuvo que distanciarse cuando la pasión se enfrió.

Se puede vivir durante años al lado de una persona, haber formado una pareja en la que los dos se entienden, concuerdan en algunos terrenos importantes, tienen unas relaciones placenteras y funcionan bien sexualmente. Y, de pronto, todo cambia sin que nada haya cambiado. Se produce el desamor, la pasión se apaga y de la misma manera que el transcurso del tiempo suele agotar el deseo, la vida hace nacer otro dirigido a un objeto amoroso distinto. O, simplemente, la persona que tenemos al lado cambia y nos parece una extraña, porque muchas veces se ama a un ser que poco tiene que ver con el que amábamos; lo que antes nos encantaba ahora nos exaspera. En estas ocasiones muchas parejas se deciden por la ruptura, siendo generalmente las mujeres las que explotan primero. Cuando se trata de personas a las que les gusta vivir juntas, que han establecido un fuerte vínculo, no se da una sustitución global, sino que la pareja se compatibiliza con amores contingentes y aventuras fulgurantes y efímeras. Y por último, en otros casos, la nueva pasión viene a ocupar el sitio de la persona amada antes. Como dice Bernard-Henri Lévy, el deseo no se ha gastado, sino que ha sido expulsado. La pasión no se ha cansado, sino que se ha vuelto imposible dado que, de pronto, otra la ha reemplazado. Incluso con la misma persona puede invadirnos una pasión distinta, fuerte, imperiosa, que viene a parasitar la primera y saturar su espacio. Y así surgen el resentimiento, los rencores ocultos, los celos por el poder, por el dinero, la decepción, la amargura y mil obsesiones que vuelven el cuerpo del otro impenetrable al antiguo deseo.

Lo que parece claro es que difícilmente existe el amor para toda la vida. De la constatación poética del desamor, pasamos a la fría estadística, puesto que las rupturas matrimoniales crecen cada año. En España, según datos del Instituto Nacional de Estadística, en diez años (1985-1995) el número de rupturas matrimoniales ha aumentado un 47,5 por ciento, lo que significa que de cada diez parejas que contrajeron matrimonio hubo otras cuatro que pusieron fin legalmente a la relación. En 1997 se separaron o divorciaron 111.854 parejas, un 33 por ciento más que en 1996.

La soledad aparece cuando eres consciente de la distancia que separa tu propia alma de la persona que está sentada en la butaca de al lado.

La sensación de vacío resulta insoportable y la ansiedad que produce la incomunicación puede ser causa de ruptura, pero para tomar esta decisión es necesario perder el miedo a la soledad institucional y asumir la responsabilidad de organizar la vida propia. A veces existe una circunstancia detonante que nos saca de la apatía cotidiana y nos hace reflexionar. Valga como ejemplo el personaje de la novela *La soledad era esto* de Juan José Millás, que, tras la muerte de su madre, inicia el aprendizaje de la soledad y la liberación.

La decepción, la búsqueda de algo mejor, el no conformarnos o resignarnos ante una situación decadente pueden dar origen a la separación, pero muchas veces los hábitos y la costumbre nos conducen a la aceptación de dicha situación que consideramos normal aunque sea insatisfactoria.

Mención aparte merece la separación motivada por malos tratos por parte del marido o el chantaje sentimental. En estos casos, el temor y la vergüenza pueden llegar a paralizar a las mujeres maltratadas. Hablaremos de ellas más adelante.

Otra causa de separación para las mujeres es la infidelidad del marido, aunque no siempre, ya que en algunas ocasiones se opta por aguantar y disimular, por ser condescendiente con ese impulso masculino de «plantar su semilla» en otros territorios. La mayoría de estos hombres pretenden amar a su mujer y no quieren hacerlas sufrir a ningún precio, pero parece que no pueden resistirse al placer, la seducción, el descubrimiento de un cuerpo nuevo y de uno mismo. Por contra, la ruptura depende en gran medida del grado de autonomía de la mujer. Muchas entienden que el amor y el respeto hacia una misma son los que establecen el límite.

Otro motivo de conflicto es a veces el propio matrimonio, cuando se convierte en un obstáculo para la realización profesional o artística. Aunque el problema no responda tanto al deseo o las exigencias de la mujer como a que su pareja no soporte una relación igualitaria o no acepte a su lado una figura más relevante socialmente, sintiéndose en inferioridad de condiciones en una relación que vive como competitiva. Y mientras que la incompatibilidad entre ámbito profesional y vida privada no se plantea por lo general en los hombres, que asumen su intensa dedicación, muchas mujeres han tenido que elegir y renunciar. Aunque las mujeres estén dispuestas a asumir todas las responsabilidades, con gran esfuerzo por su parte, los hombres, en ocasiones, no están a la misma altura y surgen los celos profesionales. ¡Y ni hablar de convertirse en el reposo de la guerrera! De este modo, el éxito genera distanciamiento, reproches, incomprensión, desconfianza y silencios, o pura indiferencia, y de ahí al deterioro matrimonial sólo hay un paso.

La ruptura también puede producirse cuando se evoluciona de manera diferente, sobre todo en matrimonios jóvenes. Un progresivo y profundo distanciamiento nos conduce a no reconocer al otro, que acaba convirtiéndose en un extraño al que no se ama o, simplemente, un compañero con el que se sigue conviviendo hasta la aparición de un tercero o tercera que nos exija exclusividad. En los años setenta estaba de moda la pareja abierta, es decir, la posibilidad de mantener relaciones múltiples sin destruir el núcleo convivencial y afectivo. Restringir la libertad era reaccionario y el matrimonio se entendía como una institución burguesa. La fidelidad, al menos teóricamente, no estaba de moda.

Adelaida García Morales nos describe en *Mujeres solas* el sentimiento de liberación de Estrella, una profesora de matemáticas de cuarenta y cinco años, al separarse. Su historia de amor se había ido acabando poco a poco y, antes de tomar la decisión, contemplaba con angustia y desesperanza cómo unos sentimientos que habían surgido en la pareja con tanta intensidad en un principio se habían diluido paulatinamente hasta llegar a transformarse en un cariño casi imperceptible. La convivencia no era ya más que una costumbre arraigada en una cotidianeidad en la que predominaban la abulia, la apatía y la resignada renuncia a una pasión que les había abandonado, desprendiéndose de sus vidas día a día hasta apagarse por completo. Al separarse, Estrella se liberó de la angustia y la amargura que le provocaba el advertir diariamente el declive de su relación, tan desgastada y cenicienta... Desde que empezó a vivir sola, deseaba que cada minuto fuera nuevo y excepcional, sentía la necesidad y la urgencia de ser feliz, y tenía la esperanza, o más bien la certeza, de que podía lograrlo sin ayuda de nadie, sin la interferencia de otra persona. Presentía que su mundo interior era un mundo complejo y rico, repleto de sorpresas por descubrir.

Existen mujeres que no soportan las situaciones de progresivo deterioro y cuando ven que hay pérdida de pasión o interés abandonan a su pareja, aunque les duela. Incluso, en ocasiones, lo hacen ante el temor de ser abandonadas, por puro amor propio, porque quieren sentir siempre que son las elegidas y no que imponen su presencia. Tengo una amiga que es una auténtica especialista en el tema. Hasta hace poco tiempo se creía incapaz de transformar sus relaciones amorosas, próximas al amorpasión, al idilio, en relaciones más comprometidas, de manera que cuando éstas comenzaban a cambiar se alejaba sin dar demasiadas explicaciones, porque siempre había preferido la figura de la amante a la de la esposa. Seguramente había influido mucho en ella su primera experiencia, su primer enamoramiento de un hombre casado, vínculo pasional que mantuvo hasta que ella misma se casó. Su matrimonio duró poco y nunca jamás volvió a vivir con un hombre.

No obstante, la separación, el abandono o la ruptura por parte de las mujeres, quizás con la excepción de aquellas que sufren malos tratos, no han sido tan frecuentes. Hasta hace muy poco tiempo, la legislación establecía que las esposas eran consideradas parte integrante del marido, recogiendo y afianzando de este modo unos valores subyacentes en la sociedad. Carentes de autonomía, sin profesión ni independencia económica —porque el marido era el administrador de sus bienes— y sin destino fuera de la familia —porque, además, les hicieron creer que la autonomía no era un valor para ellas—, ¿cómo podían tener opinión, talento y atrevimiento para actuar?

No podemos olvidar otras causas de separación, como la de Pilar, una mujer espléndida que me contaba su historia de la siguiente manera: «Figúrate que un hombre se enamora de ti, se supone que porque eres de una determinada manera que le resulta atractiva, y luego haga esfuerzos por cambiarte, eliminando parte de tus características, sobre todo las relacionadas con la autonomía o la libertad. Al final, si no te resistes, puede suceder que pierdas interés para él y, lo peor de todo, que tú no te reconozcas a ti misma y no sepas cómo desenvolverte. En realidad no has cambiado, sólo has intentado adaptarte para que por ti no quede, pero quizás es puro voluntarismo y el nuevo personaje te desconcierta y te llena de contradicciones, y entonces se desencadenan las frustraciones, los reproches y por último la ruptura.»

Evidentemente, no siempre se trata de una cuestión de supervivencia, sino de dignidad y respeto. El sentido de la dignidad y el respeto hacia una misma dependen de una misma y no cabe generalizar, ya que muchas mujeres encuentran excusas para mantener su relación que para otras, o vistas desde fuera, resultan insostenibles. De nuestra conciencia y de nuestras circunstancias dependerá lo que percibimos como situación límite. A veces parece necesario tocar fondo. Cuenta Marcela Serrano en su libro *El albergue de las mujeres tristes* la historia de una mujer que lo que más intensamente sentía era el terror de quedarse sin su marido; prefería cualquier humillación al abandono porque pensaba que no podía vivir sin él, hasta que un día estando sola empezó a darle vueltas al sinsentido de su vida, tocando físicamente el vacío. Entonces fue a ver a su marido a su oficina y, a pesar de las evidencias de que había estado con otra mujer, insistió en quedarse con él y le pidió que hicieran el amor. Así logró tocar fondo.

Algunas mujeres, sin embargo, que han querido compartir su vida desde la autonomía y la individualidad, han abandonado sus relaciones porque se sentían insatisfechas, infravaloradas, limitadas, y han preferido arriesgarse para poder vivir otras experiencias. Este tipo de separaciones resultan más fáciles si no hay hijos menores y hay independencia económica. De hecho, una mala situación económica puede llegar a impedir una separación deseada. Creo que siempre es importante tener sentido de la orientación, como dice Carmen Martín Gaite, y saber que muchas veces nos autoimponemos las limitaciones. Por ello debemos descubrir cuáles son nuestros deseos reales y aprender a distinguir lo accesorio de lo esencial.

## LAS ABANDONADAS

«Mi marido se fue a comprar una camisa a Bloomingdale's y se enamoró de la dependienta.» De esta manera se expresa la protagonista de la película *Una mujer descasada*. Ante un hecho así te quedas atónita, dolida, engañada, sin reconocerte a ti misma, y aunque sabes que no debes pensar que es una mala persona por haberse enamorado de otra mujer, le desprecias, llena de rabia y justificadamente, porque te ha estado engañando, porque ha estado haciendo el amor contigo. Algunos hombres demoran la elección hasta que son descubiertos *in fraganti* o porque la mujer de la que se han enamorado es más joven y quiere formar una familia, tener hijos, y para él supone empezar una nueva vida. En estos casos al dolor se añaden antiguos fantasmas —la otra es joven, bella, deseable...— que nos hacen caer en la trampa de sentirnos devaluadas. Sabemos que muchos hombres, de vez en cuando, sienten la tentación de conocer su «cotización» en el mercado y procuran que todo actúe en su favor, al alza, pero de ahí a la sustitución hay más de un paso.

El «tenemos que hablar» pronunciado con un determinado tono de voz presagia lo peor. Irrumpe en la vida cotidiana como anuncio de algo que nos hará cambiar radicalmente. Sabes que las cosas ya no funcionan desde hace tiempo: la intimidad ha desaparecido, las explicaciones de las ausencias suenan a excusa, lo que antes te hacía gracia ahora te produce un cierto fastidio, sueles quedarte perpleja mirándole como si no le reconocieras o identificaras con el hombre con el que te casaste, seguramente enamorada... Y entonces, cuando dice que hay otra y que además se va a ir a vivir con ella, sientes rabia. Primero te quedas algo anonadada, como si no pudieras reaccionar, y luego sientes ganas de pegarle y tirarle cosas a la cabeza, y gritar y decirle que te ha estafado.

A veces todo esto se acompaña de un dolor profundo y ninguna sensación de alivio, porque sigue siendo «tu chico», con quien compartes muchas cosas, y porque no te imaginabas algo así. Cuando le veías raro pensabas que debía tener relación con el trabajo o incluso con la edad, con el paso del tiempo. Entonces se abre una herida profunda, no sabes cómo sacudirte la ansiedad y te encuentras además hecha un lío, como desgajada, y le odias y le deseas a la vez. El dolor resulta más fuerte que la decepción. El respeto hacia ti misma o la autoestima te impiden entretenerte pensando en cómo disuadirle y recuperarle. Y surgen las preguntas. ¿Qué hemos hecho mal, qué ha pasado?, ¿la culpa es mía o tuya?... Más o menos dramatismo, más o menos «cine forum», más o menos lágrimas, consuelos...

A veces los hombres también se van sólo porque quieren cambiar de vida, porque lo que les unía a su mujer se ha esfumado, porque buscan sentirse libres para vivir otras experiencias, pero no es lo más frecuente.

Sea como fuere, de repente te encuentras sola y tus sensaciones y reacciones son diversas y cambiantes. Confusión, incertidumbre, dolor. De entrada esto significa que tienes que repensar tu vida, una vez superado el golpe inicial, que te paraliza y te descontrola. En un periodo de turbulencias como éste, en el que tiendes a abandonarte y compadecerte, piensas que nunca vas a volver a estar con un hombre. Se atraviesa un periodo parecido al luto. Estás obsesionada y no puedes hablar de otra cosa, aunque odias hacerlo; no quieres ver a nadie y tampoco soportas estar sola; te comportas compulsivamente; lloras.

Además, debes volver a organizarte. Hasta ahora no has tenido tiempo ni fuerzas, ya que tus energías estaban invertidas en superar la crisis o simplemente te encontrabas *in albis* por lo que se te venía encima. Ya es hora de recomponerte, ganar tu individualidad, asumir nuevas responsabilidades... y te da un miedo terrible la soledad y la vida en solitario. Si tienes hijos, lo cierto es que no te quedas tan sola, pero al mismo tiempo participas de su sufrimiento y crece tu preocupación por ver cómo van a vivir la nueva situación. Y si tienes trabajo y una profesión que te interesa, también será menos duro, no tanto desde el punto de vista emocional, sino por el hecho de tratarse de una parcela propia, aunque subsidiaria, a la que dedicas una parte importante de tu vida que te permitirá distraerte de tu dolor y olvidarte parcialmente de tu angustia.

Creo que pocas mujeres se lanzan de inmediato a la búsqueda de otro hombre para superar una separación. Aunque podría tratarse de un consuelo, no se está todavía en condiciones, porque el sentimiento de derrota es demasiado fuerte. Resulta arriesgado y de momento no se quiere volver a sufrir, da miedo que te vuelvan a hacer daño. Yo tenía una amiga que, tras una ruptura por la que sufrió mucho, quería pintar en la pared de su dormitorio la siguiente frase: «No hay que bajar nunca la guardia», para conjurar las trampas, los errores y las debilidades que pudieran surgir en el futuro.

Pero tras el dolor, el vacío y el desconcierto, y a su pesar, puede iniciarse una época enriquecedora personalmente, como consecuencia del cambio de actitud y perspectiva. Se abre un camino que facilita la elección, empiezas a sentirte bien y sube tu autoestima porque has sido capaz de superar una situación difícil y dolorosa.

Evidentemente, para algunas mujeres, el periodo de recuperación es más largo que para otras. Al final del mismo empiezas a disfrutar de tu libertad y, entonces, puedes elegir entre regodearte en tu situación, recrearte en el abandono, o empezar la fascinante tarea de reconstrucción. Tienes la posibilidad de actuar con autonomía, hacer uso de tu libertad y de tu responsabilidad, aunque inicialmente no hayas sido quien haya tomado la iniciativa. Pero también cabe anclarse en el pasado y recrearse amargamente en lo que hubiera podido ser. Es la típica actitud negativa de la que serás la principal víctima. Aunque la separación siempre resulta un proceso difícil, influirá bastante en su desarrollo y en la toma de algunas decisiones el cómo hayas construido tu vida hasta ese momento —tu entorno, tu situación socioeconómica, tu mundo afectivo al margen de la pareja— y, por supuesto, tu actitud interna.

Ahora bien, cuando tú decides, cuando eres la que abandonas, el dolor, si es que existe —yo creo que en toda ruptura se sufre—, se verá mermado por la libertad que descubres al terminar con una situación en la que no te sentías bien. Has hecho una evaluación más o menos serena y has tomado una decisión, motivada, como hemos visto, por distintas razones. Pero también existen mujeres que nunca han tenido muy claro su destino y que han conservado o desarrollado amplios espacios de autonomía; mujeres que plantean su matrimonio o relación con cierto carácter de provisionalidad, no asumiendo a rajatabla aquello de «hasta que la muerte os separe». Por ello su objetivo principal no es el mantenimiento del vínculo a toda costa. Suele tratarse de mujeres que no han tenido hijos, parejas «progres» que vivieron aquellos tiempos en los que la moral dominante no era la misma que ahora respecto a la cohabitación, cuando en nuestro país circulaban y se asentaban muchos prejuicios sobre ella. Tanto era así, que incluso para algunas mujeres el matrimonio tenía un componente liberador, puesto que constituía la manera más ortodoxa o menos problemática de escapar a la autoridad paterna y a las presiones familiares, y establecer una vida más libre con un «compañero» que te respetara. La cohabitación estaba muy mal vista y generalmente se sucumbía al chantaje del sufrimiento de los padres. No olvidemos que hasta para casarse por lo civil había que apostatar. Los supervivientes de aquellos matrimonios, al menos en el entorno en el que yo me desenvolvía, no son numerosos, sino más bien escasos.

La capacidad de resistencia y aguante en una relación insatisfactoria dependerá también de nuestros valores, de nuestros miedos, de nuestras necesidades, de nuestra información, de nuestras posibilidades de elección y, por supuesto, de la situación económica. Pero también dependerá de lo que hayamos soñado. Con la ruptura no sólo se abandona a un hombre porque no encaja con nuestra manera de ser, sino que se deja atrás un mundo conocido que te proporcionaba cierta seguridad en pos de lo desconocido. No obstante, para las mujeres que optan por dejar su matrimonio será más fácil adaptarse a la nueva vida que para aquellas que se han visto forzadas a una vida en solitario como consecuencia de la decisión de su marido. Por lo general no se trata de una separación brusca, sino de un proceso en el que la decepción y la insatisfacción se van apoderando de la pareja hasta llegar al vacío emocional.

El contrapunto consiste en soportar un matrimonio insoportable porque se tiene la idea que no cabe hacer otra cosa en la vida. El matrimonio, en tanto que destino único y posible, no permite a estas mujeres sin autonomía plantearse nada diferente. Así pues, para ellas no hay alternativas, no hay preparación ni se sienten capacitadas para asumir nuevas responsabilidades.

En cualquier caso, llegar a sentirse cómoda en la soledad es una tarea compleja y laboriosa de la que hablaremos con detalle más adelante. Implica un esfuerzo que también es necesario en la convivencia y que suele tener otro tipo de compensaciones. La soledad entra así en la vida de una manera distinta, con otro perfil, y podemos llegar a comprobar sus ventajas. El miedo a la soledad es peor que la soledad misma, sobre todo si nos obliga a soportar relaciones asfixiantes.

# LA SEPARACIÓN DE MUTUO ACUERDO, SIN VÍCTIMAS NI VERDUGOS

También cabe, lógicamente, la separación sin víctimas ni verdugos. Muchas de estas separaciones amistosas se producen cuando la evolución personal ha llevado al distanciamiento, a importantes desajustes o a diferentes perspectivas vitales, y lo mismo cuando existe incompatibilidad de caracteres o desamor. Dice Proust en *El mundo de Guermantes* que el desamor es algo inevitable y sin causas, ya que el amor y el desamor constituyen dos polos, como la vida y la muerte en la naturaleza. Simplemente existen. Pero también hay factores que ayudan al desamor, como la seguridad de la posesión del amado, la costumbre de su presencia y los hábitos comunes, terribles enemigos. La costumbre es, de todas las plantas humanas, la que menos necesita de suelo nutricio para vivir y la primera que surge sobre la roca en apariencia más desolada. Claro que en su concepción del amor-pasión ligado a la sensualidad y al deseo, sólo existe el deseo cuando no se posee; desaparece cuando desaparece el interés de explorar el espacio intermedio entre ambos. La novela de Albert Cohen *Bella del Señor* describe con perfeccionismo y minuciosidad el deseo, cómo se alimenta la pasión hasta su asfixia por el del aislamiento.

## ¿POR QUÉ NOS DIVORCIAMOS LOS ESPAÑOLES?

Si las personas piensan primordialmente en el amor a la hora de casarse, a la hora de divorciarse aparecen otras razones más allá de la incomunicación de la pareja: problemas graves de enfrentamiento o distanciamiento personal, violencia del cónyuge, infidelidad, ludopatía, alcoholismo o drogadicción, entre otros. Por contra, no se consideran más que mínimamente causa de divorcio el reemplazo del amor por la amistad, las relaciones sexuales insatisfactorias o el hecho de que uno de los miembros de la pareja esté demasiado absorbido por su trabajo, según Inés Alberdi. Aunque la infelicidad y la búsqueda de una vida mejor comienza a vencer el miedo que sienten las mujeres a quedarse sin pareja y los hombres a perder a sus hijos.

En opinión de José Juan Toharia, «la inmensa mayoría de los hombres sólo se arriesgan a romper su matrimonio cuando han encontrado repuesto. Si piensan en dejar a su mujer es porque tienen otra. No falla».

En España se piensa mayoritariamente que cuando una pareja no es capaz de solucionar sus problemas, el divorcio suele ser la mejor solución (78 por ciento), mientras que sólo un 12 por ciento considera que no se deberían separar si tienen hijos. Las razones que se señalan como más importantes para evitar el divorcio aun en caso de falta de entendimiento son: los hijos pequeños (62 por ciento), los hijos adolescentes (34 por ciento), el miedo a la soledad (29 por ciento), y otros motivos como «el qué dirán» o el considerar el divorcio como un fracaso (2,51 por ciento) y las dificultades materiales de la ruptura (20 por ciento). En general, los hombres justifican más el divorcio especialmente en caso de personalidades incompatibles, relaciones sexuales insatisfactorias o cuando no existe ya amor, sino amistad y respeto. En cambio las mujeres son más partidarias de la separación cuando el marido es violento, los cónyuges infieles o uno de ellos adicto a las drogas y/o al alcohol, según el estudio realizado por Malpas y Lambert, citados por Inés Alberdi.

A la hora de opinar acerca de si merece la pena divorciarse, los solteros son más liberales que los casados y los divorciados más favorables a aceptar el divorcio por las razones señaladas. Por contra, los que tienen hijos se muestran más intransigentes.

## ¿QUÉ HACER DURANTE LA DIFÍCIL TRANSICIÓN?

No hay rituales en el divorcio, pero sí procesos que pueden evitar que la soledad se transforme en desesperación o depresión. La adaptación a una nueva vida entraña dificultades y, desde luego, hay que comenzar por descartar ciertas ideas, como por ejemplo que la vida sin él no tiene ningún sentido. Las norteamericanas, tan proclives a las técnicas de desarrollo de la autoestima, dicen que hay que confeccionar un listado positivo de lo que nos gustaría hacer y antes no podíamos hacer por defectos de nuestra pareja o limitaciones de la relación.

Hay, pues, diferentes maneras de asumir, sentir o vivir la ruptura, desde el odio a estar sola hasta el deseo de volver a controlar nuestra vida. ¿Qué se puede hacer cuando te duele todo el cuerpo, tienes la cara hinchada de llorar, no puedes estar quieta y cada minuto te parece una eternidad? ¿Qué se puede hacer para fingir que no importa lo ocurrido? ¿Qué puedes decirle a tu corazón para que no te duela? No hay nada que retenga tu atención, te mueves compulsivamente, comes, bebes, te quedas paralizada, te buscas excusas para no pedir ayuda... Tu orgullo y el terror que te da molestar te lo impiden, y estás harta de sentir lástima de ti misma. Las mujeres maduras sufren una especie de pérdida de rol que con frecuencia les genera depresión. Para vencer este estado de ánimo las amigas son fundamentales y a veces es necesario recurrir a algún tipo de ayuda profesional, algo normal en países como Estados Unidos.

Es cierto que la ruptura casi nunca está prevista. Muchas mujeres fantasean sobre su vida cuando se casen y tengan hijos: el amor, la pasión, la ternura, la complicidad, el entendimiento... Como en las películas, todo maravilloso, todo modélico, incluso la superación de los problemas, que sólo se ven como elementos que sirven para afianzar la relación. Pero como ellas no son las autoras exclusivas del guión, pueden ocurrir imprevistos: quedarse solas, verse sustituidas, no ser felices, tener que reconstruir el espacio vital, el trabajo, la economía, las relaciones, el ocio, la cama.

Incluso para aquellas que han sido más escépticas respecto al matrimonio, aunque no respecto al amor, la separación no deja de ser un «palo» o un riesgo si la decisión la tomamos nosotras. Podemos sentirnos culpables, egoístas, sobre todo si dejamos a nuestra pareja por otro. Hace algún tiempo leí que una mujer soñaba constantemente con su lapidación porque había abandonado a su marido, al enamorarse de otro. Hasta que llegó al convencimiento de que había algunas cuestiones, como el amor, que no eran negociables ni reprimibles.

No quisiera, por supuesto, caer en el maniqueísmo, ni en el victimismo ni en la glorificación de las mujeres. No debemos pensar que todos los males proceden de los «otros» ni eludir nuestra responsabilidad. No todas las mujeres son maravillosas ni siempre estupendas. El mito de la mujer malvada, la vampiresa, la devoradora de hombres, la mujer de los tangos ha estado y está presente; y, sin llegar tan lejos, en muchas ocasiones se nos ha minusvalorado acusándonos de mezquindad, interés, vanidad y superficialidad. Por contra, a la mujer perfecta —o mejor la perfecta esposa, que viene a ser lo mismo— se le han atribuido grandes dosis de bondad y honestidad, cualidades asociadas por lo general a la sumisión, la abnegación y el sacrificio.

Dice el Hombre Airado, protagonista masculino del magnífico libro *Elisabeth y su jardín alemán* (1898) de Elisabeth von Arnim, que la mujeres somos responsables de las mentiras de los hombres. «Su increíble vanidad les hace tragarse halagos tan desmesurados que resultan insultantes, y los hombres estarán siempre dispuestos a decir todas las mentiras necesarias que una mujer esté dispuesta a escuchar (...). La vanidad de una mujer es tan inconmensurable que, después de haber recibido noventa y nueve lecciones sobre la diferencia entre las promesas y los hechos, y sobre la futilidad de las bonitas palabras, al comienzo de la número cien se verá de nuevo y el mismo oído atento a la elocuencia de los halagos que prestó con ocasión de la primera (...). No tiene sentido decirle que es víctima de su hombre, que es su juguete, que la están engañando, que la están oprimiendo, que la están esclavizando, que se están riendo de ella, que está siendo tratada vilmente en todos los respectos; que no son palabras verdaderas. Tal mujer es víctima de su propia vanidad y ¿quién puede esperar que una mujer se rebele contra eso, contra la creencia en su propia fascinación, contra esa precisa parte de ella misma que da color a su vida? (...) Las criaturas que dicen habitualmente sí a todo lo que propone un hombre cuando nadie les obliga a ello, y cuando por regla general lleva consecuencias fatales, no pueden considerarse seres responsables.»

Sobra decir que no estoy de acuerdo con lo dicho. Puede haber y hay mujeres frías y calculadoras, intrigantes, miserables, necias o deshonestas, pero no son la mayoría. No vamos a olvidar que existen, pero no nos vamos a preocupar de ellas.

Demasiado se ha insistido ya en estos y otros aspectos negativos. El pacto entre nosotras es necesario.

Indudablemente el camino en solitario está lleno de obstáculos, pero también de una serie de ventajas, sobre todo si adoptamos la actitud adecuada. Y para recorrerlo no hay recetas mágicas, ni soy yo quién para dar consejos. No obstante, creo que en general es importante ser valiente —lo cual no significa no tener miedo—, ser honesta y no autoengañarnos; saber bien lo que queremos y averiguar si es posible y en qué medida depende de nosotras. Hemos de alcanzar la madurez y no permanecer eternamente en la adolescencia, ni tampoco convertirnos en unas viejas precoces y aburridas; hemos de ser conscientes de que el transcurso del tiempo tiene aspectos positivos y, sobre todo, que nos permite ser más sabias y algo más felices. Y de eso se trata.

Querer estar contentas no significa que no podamos y debamos ser generosas. Además es muy saludable. En sus orígenes hacía referencia al buen destino o la buena suerte, que ahora podría equivaler al carácter o personalidad interna que nos permite decidir sobre nuestra propia vida. La armonía anímica está por encima de la riqueza, el placer o los honores. El bienestar psicológico, afirma Bertrand Russell, es la fuente de la felicidad. Y la preocupación y el interés por los demás supone un comportamiento virtuoso que nos hará sentirnos bien y que propiciará que ellos requieran nuestra compañía si observan que nos encontramos bien. Porque la alegría genera energía y más alegría.

Como sabiamente decía Elizabeth von Arnim, en la obra anteriormente citada, someterse a «lo que toca» es algo sencillamente innoble. Si lo que te toca te hace llorar y sentirte infeliz, cámbialo por otra cosa; actúa conforme a tus ideas y no temas a la opinión pública encarnada en el vecino de la casa de al lado, cuando tienes frente a ti el mundo entero, nuevo y deslumbrante. Pon tus energías en lo que elijas y aprovecha las oportunidades. ¿Por qué llorar por cosas que ya están resueltas, por qué hacer cosas desagradables si después te vas a arrepentir? Nos figuramos que se nos debe todo, cuando en absoluto es verdad. Destruimos aquello que deberíamos esforzarnos en proteger, herimos a los que amamos y después nos preguntamos por qué nos sentimos tan mal.

La voluntad es también un elemento esencial en épocas de transición. Resulta imprescindible tener un sentido progresivo de la vida para afrontar los principales inconvenientes, como por ejemplo el de no pisar tierra —aunque las mujeres tenemos fama de pragmáticas—, que nos impide reconocer la realidad, asumirla y transformarla si nos es adversa. Aunque a veces no nos creamos capaces, sí lo somos. Y, además, antes de lamentarnos eternamente es preferible pedir ayuda para ver las cosas claras, con realismo, estableciendo prioridades; es decir, aprender y desaprender. Este aprendizaje supone, entre otras cuestiones, descubrir nuestras zonas erróneas, nuestro lado oscuro, nuestras obsesiones, así como las diversas maneras de sabotearnos a nosotras mismas.

## EL TRABAJO COMO RITO DE TRÁNSITO

Vamos a hablar ahora de la importancia de la independencia económica, del trabajo y sus tipologías, de cómo podemos enfocarlo desde una doble perspectiva: como rito de tránsito, elemento fundamental para nuestra autonomía y autosatisfacción, estimulante y a la vez necesario para ampliar nuestras posibilidades vitales, y como parte de nuestra actividad pública, con los retos que plantea a cualquier mujer sola.

Al margen de que el trabajo suponga un esfuerzo para todos, cuando nos referimos al trabajo remunerado de la mujer nos encontramos con problemas añadidos, entre los que cabe señalar la desigualdad real y la doble jornada. Pero también se puede enfocar positivamente, ya que nos proporciona la posibilidad de desarrollo personal y la satisfacción de nuestras necesidades económicas, crucial para mantener nuestra independencia, y la de las personas que dependen de nosotros, y nos permite lograr una mayor calidad de vida. Muchas mujeres también se muestran satisfechas con su trabajo porque les brinda la posibilidad de contactar con la gente, así como gratificaciones de índole creativa, intelectual, emocional o política.

Como ya hemos señalado, la creciente entrada de las mujeres en la esfera pública a través del empleo les ha ofrecido la oportunidad de esforzarse para conseguir una mayor individualidad y autonomía; les ha permitido establecer un sentido del propio ser no circunscrito al matrimonio ni la maternidad. Para muchas mujeres sin pareja el trabajo ocupa un lugar central en sus vidas; incluso en algunos países más desarrollados, como Estados Unidos, algunas mujeres no se casan porque la profesión les parece muy importante. En los últimos decenios, ha sido habitual posponer el matrimonio hasta haber conseguido un empleo o alcanzado cierta seguridad profesional.

Si bien, como hemos apuntado antes, una dedicación intensa a la profesión puede generar conflictos en el matrimonio, creo que es perfectamente lícito que una mujer sea ambiciosa y lo manifieste. En ocasiones, las feministas que se declaran ambiciosas no definen la ambición tanto como progreso exclusivo en sus carreras, sino en términos de desarrollo personal y cooperación en la sociedad.

Es cierto que las mujeres se encuentran con todo tipo de barreras y que las connotaciones del éxito son tales que muchas sienten menos deseos de competir, la educación recibida ha disminuido sus expectativas y, por supuesto, tienen menos posibilidades que los hombres, entre otras razones porque si están casadas y tienen hijos disponen de menos tiempo. Refiriéndose al mundo de la creación artística, Simone de Beauvoir afirmaba que la mujer, o un tipo generalizado de mujer, no se pierde apasionadamente en sus proyectos, es incapaz de olvidarse de sí misma y en esta imposibilidad de trascender su condición humana se vuelve incapaz de crear obras de arte incandescentes. Creo que ahora ya no se podría afirmar esto con tanta rotundidad.

El hecho de que las mujeres trabajen fuera de casa, algo en lo que se ha invertido mucho esfuerzo, provoca sentimientos encontrados entre hombres y mujeres. Se ha afirmado en muchas ocasiones por algunas autoras (Cecilia Castaño, entre otras) que entre las mujeres la satisfacción de tener un empleo o profesión se ve contrarrestada por los enormes costes personales que implica en términos de doble jornada, dadas las dificultades para compartir las tareas domésticas y de cuidado de los hijos. Aunque ha aumentado el empleo femenino, las mujeres siguen concentradas en los trabajos con peores condiciones laborales y económicas. Por eso hablamos de «techo de cristal» cuando nos referimos a las dificultades de promoción. Y aunque en este terreno hemos avanzado, es preciso saldar la deuda histórica que ha postergado a la mujer como consecuencia de la división sexual del trabajo, relegándola a un lugar secundario en la esfera de las relaciones sociales y de poder y, lo que es aún peor, a un lugar muy determinado por el hombre —ya sea su pareja, su padre o su hermano— en el plano íntimo.

Existe todavía una cultura masculina imperante en el mundo empresarial que, entre otras cosas, impide que las mujeres participen en las redes de contactos personales necesarios para moverse en el mundo de los negocios, un fenómeno más presente en la Europa meridional que en Estados Unidos.

Salvo algunas privilegiadas, las mujeres han trabajado siempre. La novedad consiste en que ahora realizan un trabajo remunerado y que ha aumentado el acceso a puestos más cualificados. El problema del trabajo en casa es que no es reconocido ni valorado, ni agradecido ni, en la mayoría de las ocasiones, elegido, aunque representa, en España, el 40 por ciento del PIB. Por eso en el llamado Estado del Bienestar existen determinadas parcelas que se configuran como servicios sociales y liberan a las mujeres, que vuelven a sobrecargarse cuando se producen retrocesos en ese ámbito. Para participar, en igualdad de condiciones con los hombres, en todas las actividades sociales hay que tener un empleo remunerado. La posición de desventaja de las mujeres en el ámbito laboral puede hacer que abandonen el empleo y vuelvan al hogar. Y ante las dificultades de compaginar el empleo con las responsabilidades familiares, que siguen asumiendo ellas fundamentalmente, muchas prefieren retrasar el matrimonio y la maternidad o quedarse solteras.

En la actualidad, la inmensa mayoría de mujeres solteras o casadas de los países desarrollados considera el empleo remunerado como la vía más directa para la emancipación y la autonomía personal (y también para compartir la responsabilidad y las cargas económicas familiares). Esto se refleja en un aumento considerable de las tasas femeninas de actividad, empleo e inevitablemente paro. En Europa el fenómeno comenzó en los sesenta y en España un poco más tarde por el retraso con que se produjeron muchos de los cambios económicos y sociales típicos de las sociedades desarrolladas. El nacionalcatolicismo que dominaba hasta hace unas décadas era más propio del mundo rural que de las sociedades industrializadas, con una fuerte influencia religiosa, y ya sabemos cómo afectan las corrientes reaccionarias a las mujeres. Los prejuicios sobre su independencia y participación social, la defensa de la pureza como rasgo femenino que se perdería en el lugar de trabajo y todo tipo de chantajes morales obstaculizaron el acceso de la mujer a la educación y al empleo. Sin embargo, en los últimos años la actitud o predisposición para trabajar se extendió a todos los países europeos. Un porcentaje creciente de mujeres, especialmente las que han finalizado estudios superiores, no sólo no abandonan el trabajo al contraer matrimonio o tener hijos, sino que lo compaginan con las tareas domésticas, menos duras en la actualidad que antaño.

En España, sólo el 36 por ciento de las mujeres en edad legal para trabajar, entre los 16 y los 65 años, se consideran económicamente activas. De los 16,6 millones, 6 millones trabajan o buscan trabajo. No obstante, desde los años sesenta ha mejorado mucho la tasa de actividad. Una vez iniciado el proceso de cambio se avanza rápidamente. Las generaciones de las dos últimas décadas se comportan de manera similar a las europeas y de manera distinta, en general, a como lo hacían sus antecesoras. La diferencia se establece, en opinión de Cecilia Castaño, entre las que alcanzaron la edad legal para trabajar, que coincide con la edad para procrear, antes de los primeros años setenta, y las que lo han hecho posteriormente. Las primeras recibieron una educación y una preparación profesional escasa, tuvieron bastantes hijos y las que se incorporaron al mercado laboral lo hicieron tarde y con baja calificación. Sin embargo, para las nuevas españolas los estudios y el empleo no constituyen una mera etapa anterior al matrimonio, sino una opción vital definitiva, con entidad propia suficiente, que ha de compaginarse con las responsabilidades familiares que se adquieran.

Una tercera parte de las mujeres casadas y la mitad de las solteras participan en el mercado laboral. El tamaño de la familia se ha reducido, puesto que gracias a la anticoncepción existe la posibilidad de elegir el número de hijos así como el momento de tenerlos. Con ello se acorta el tiempo dedicado a la gestación y crianza y aumenta el dedicado al desarrollo profesional, sobre todo en las mujeres con mayor nivel cultural, que explican su participación laboral como resultado de un deseo personal (CIS, 1985), mientras que las que tienen escasa formación manifiestan trabajar sólo por necesidad económica. Las primeras pagan a otras para que realicen las tareas domésticas, mientras que las segundas tendrán que trabajar a cambio de un salario bajo y arreglárselas como puedan con la casa y los hijos.

La discriminación y los prejuicios en el ámbito laboral siguen existiendo, a pesar de la excelente preparación de las mujeres en la actualidad. Salvo en determinadas actividades, sobre todo de empleo público, en las que se observa una clara feminización, el trabajo suele ser irregular. El desempleo de larga duración también afecta más a las mujeres, sobre todo casadas, así como el paro, que afecta igualmente a las solteras y a las jóvenes menores de 35 años. En cualquier caso, es evidente la reducción del número de mujeres entre 25 y 50 años que se dedican exclusivamente a las tareas domésticas.

Una investigación realizada en nuestro país en 1995 sobre mujeres entre 18 y 30 años concluye que de todas las mujeres entre 18 y 21 años sólo un 4 por ciento se ha independizado. Entre 22 y 25 años el 20 por ciento; entre 26 y 30 años, el 79 por ciento. En cuanto al estado civil, entre las mujeres emancipadas de 18 a 30 años predominan las casadas, que representan el 77 por ciento; las solteras son el 17 por ciento y en otra situación se encuentra el 6 por ciento. Respecto a las ocupaciones, el 51 por ciento trabaja fuera del hogar y el 13 por ciento está en el paro o busca su primer empleo. Un 4 por ciento se declara estudiante y el 32 por ciento se ocupa sólo de las tareas domésticas, como ama de casa. En un 65 por ciento de esos hogares hay niños. Por tanto, en los hogares jóvenes se sigue reproduciendo en gran medida la división tradicional de funciones entre hombres y mujeres. Aunque ellas trabajen fuera del hogar, al pasar a ser independientes tienen que hacerse cargo de la marcha del hogar. Un 65 por ciento de las amas de casa jóvenes se sienten responsables de estas tareas y sólo un 18,5 afirma que las comparte.

Cuando se les pregunta a estas mujeres qué tipo de empleo prefieren fuera del hogar, afirman que aquellos que les permiten estar más tiempo en casa, sobre todo si tienen hijos. Un 41 por ciento desearía trabajar a tiempo parcial, y a un 20 por ciento le gustaría realizar el trabajo en casa. En conclusión, muchas mujeres jóvenes expresan su deseo de casarse y tener hijos, pero piensan prioritariamente en encontrar trabajo o en su carrera.

Cada vez que se me ha planteado un nuevo reto profesional, ha surgido en mí un conflicto entre la ilusión de aceptar el reto, es decir, la experiencia personal de asumir el riesgo y la responsabilidad, y la tendencia a no complicarnos la vida, con el argumento de una mayor disponibilidad del tiempo. Hasta el momento, siempre he aceptado los retos y me alegro de ello. Aparte de las posibles contribuciones a proyectos que he considerado importantes para la sociedad, han dado a mi vida un sentido evolutivo. También me han proporcionado, junto a inevitables sufrimientos o tensiones, grandes alegrías y satisfacciones por haber conseguido determinados objetivos. Me siento afortunada por lo que ello significa, puesto que lo común es no esperar grandes cosas de las mujeres. La ambición, la competitividad, los infartos y los fracasos han sido siempre masculinos.

Tengo amigas admirables que, después de casarse y tener hijos, con una situación económica nada holgada y un escaso nivel de formación, se han superado de manera extraordinaria. Obtuvieron un trabajo de baja cualificación, se prepararon para ingresar en la universidad, aprobaron las pruebas del acceso para mayores de veinticinco años, cursaron las carreras respectivas y algunas han terminado por ocupar puestos de responsabilidad en la administración. De este modo, su mundo se ha abierto enormemente y su autoestima y confianza se han incrementado.

Así pues, el trabajo es, o puede llegar a ser, una fuente importante de realización y autosatisfacción. Para acceder a él muchas mujeres han tenido que romper moldes y esquemas, estereotipos diversos, con ilusión, ambición, o por mera necesidad. En épocas de crisis, las mujeres que abandonan su trabajo y se quieren reincorporar más tarde suelen tener muchos problemas, y deben reciclarse para competir con generaciones de jóvenes con una preparación más completa y un espíritu más competitivo.

Hasta hace poco, la ausencia de modelos femeninos —con la excepción de algunas transgresoras antes citadas— producía cierta desorientación en las mujeres que querían o debían centrarse en su profesión. Pero el enfrentarse a una responsabilidad les ha dado seguridad, no sólo porque se han sentido útiles y competentes, sino porque han podido establecer un orden de prioridades en su vida. Como dice Pearl S. Buck, «el secreto de la satisfacción profesional se resume en una palabra: eficiencia». Cuando se sabe cómo hacer bien una cosa se disfruta de ella.

Decíamos antes que existe una serie de prejuicios respecto a las mujeres en el ámbito laboral. Se dice, por ejemplo, que no tienen el mismo interés que los hombres y que, al dar prioridad a las labores domésticas y el cuidado de los hijos, su productividad puede ser menor, así como mayor la probabilidad de que falten al trabajo o lo abandonen de forma provisional o definitiva. Obviamente, esto no se ha confirmado con tasas reales de productividad por sexos ni con datos de absentismo laboral. De hecho, según Cecilia Castaño, los hombres faltan más al trabajo que las mujeres, pero el prejuicio está extendido y ello dificulta la contratación y promoción de las mujeres.

Una mujer soltera es, profesionalmente, un «chollo» para los jefes y, a veces, un problema para los compañeros. Los primeros tienden a considerar que son menos exigentes y más cumplidoras, esto es, menos ambiciosas que sus compañeros porque no tienen una familia que dependa directamente de ellas y, por tanto, sus necesidades económicas son menores. No hay más que ver el sinnúmero de películas en las que la secretaria eficiente se queda encantada en la oficina hasta que su jefe le permite marcharse, sin reivindicar nada ni mirar el reloj, sin prisa por llegar a casa porque allí no la espera nadie, movida por una mezcla de espíritu de sacrificio, dedicación y enamoramiento. Y un buen día, cuando su jefe está abatido, se quita la horquilla del pelo y las gafas de miope, y se trasforma en una mujer deliciosa. No sé si esto ocurre también en la realidad, pero resulta una imagen un tanto esquemática y trasnochada.

Lo que sí es cierto es que por lo general las mujeres no han desarrollado un fuerte sentido de la competitividad y se arriesgan menos. El poder les interesa menos que a los hombres, no están empeñadas en triunfar a toda costa y por ello es mayor su sentido de la cooperación. Sin embargo, las jóvenes de hoy sí son más competitivas, porque han recibido una educación más igualitaria o menos sexista. Son más independientes, más estudiosas que los chicos y acumulan títulos para enfrentarse en mejores condiciones a una sociedad cuyo bien más preciado es el empleo. A pesar de todo, su ambición no tiene la misma intensidad que la de los hombres, porque valoran otros aspectos de la vida. Las mujeres no queremos —quizás ni sabemos— pasarnos la vida intrigando y trazando estrategias de conquista del poder, como hacen los hombres a menudo. Aunque en el cine norteamericano ya existe el estereotipo de la mujer poderosa, atractiva, a veces malvada y sin demasiados escrúpulos, la realidad es más plural y está llena de profesionales rigurosas que superan sin malas artes las dificultades de un mundo todavía muy masculino.

Sin duda, existen mujeres solteras que obtienen recompensas por su esfuerzo y cooperación en el trabajo, lo que las hace sentirse competentes y necesarias. De este modo, refuerzan su ego y su espíritu de superación. Y tras demostrar una y otra vez que son capaces y competentes, llegan a conseguir la aceptación, el respeto y el reconocimiento, incluso el cariño o la simpatía, de sus colegas. Yo he tenido siempre la suerte de tener magníficos compañeros; algunos han llegado a ser mis mejores amigos. Me han exigido tanto como yo a ellos y hemos realizado juntos proyectos ambiciosos con mucho esfuerzo, convencimiento e ilusión. Y a veces, cuando he sufrido un ataque de pereza, impotencia o inseguridad, me han sabido pinchar para que reaccionara.

En cuanto a la discriminación en el trabajo, ésta afecta a la posibilidad de acceso, promoción y retribución, como dijimos, y crea una serie de barreras sexistas no siempre explícitas contra las que hay que luchar. Así, se dice que la mujer soltera muestra una mayor vulnerabilidad a verse envuelta en relaciones románticas o eróticas, a convertirse en «presa». Parece ser que el espacio laboral es un lugar propicio para encontrar pareja, menos arriesgado que la barra de un bar, porque se supone que las personas tienen intereses parecidos o comunes, comparten preocupaciones y temas de conversación (a veces también rivalidades), y conocen mejor sus reacciones cotidianas. No obstante, estas situaciones pueden ser delicadas y finalmente perjudicar a la mujer, que ha de hacer verdaderos equilibrios para no verse involucrada. De hecho, tener marido funciona como un parapeto ante determinadas pretensiones del jefe o de los compañeros de trabajo, pero la mujer sin pareja parece llevar colgado el cartel de «disponible». Cuando estas pretensiones no coinciden con los deseos de la mujer, surgen las complicaciones, y el sentimiento de derrota del hombre puede desencadenar pequeñas venganzas o acosos.

Ciertamente, las mujeres no son siempre angelitos y, en ocasiones, pueden tener la tentación de promocionarse mediante prácticas de índole sexual, pero no creo que sea lo más común. En tales casos se produce un acceso oculto al poder a través de la influencia, lo cual genera otro tipo de conflictos: envidias, resentimientos, críticas y sospechas sobre la valía profesional, y acusaciones de favoritismo muchas veces injustificadas. Lo cierto es que cuando el jefe tiene favoritos, la mirada y el juicio sobre ellos son diferentes; se trata de un nepotismo más asumido. Lo importante, pues, es no mezclar ni confundir sentimientos e intereses profesionales, porque la mujer puede resultar la víctima perfecta, independientemente de su nivel de competencia.

Por otra parte, parece normal que la cotidianeidad, el pasar tantas horas juntos, haga surgir la complicidad y la amistad e, incluso, que se genere una relación intensa, con implicaciones amorosas o sexuales.

En conclusión, tenemos la impresión de que cualquiera que sea la actitud o el comportamiento de una mujer sin pareja, siempre existe un riesgo mayor de ser objeto de especulaciones y cotilleos que finalmente erosionan su credibilidad y le causan perjuicios profesionales. Si es atractiva, se la acusará de utilizar sus cualidades para beneficiarse laboralmente; si, además, es espontánea y se comporta con cierta libertad, puede llegar a ser mal interpretada. Para la *single*, como ya hemos señalado, la profesión supone una mayor presión porque el éxito profesional ocupa un lugar central en su vida, para bien y para mal. Nadie se ocupa de ella al llegar a casa, pero tampoco ha de asumir la extenuante doble jornada de sus amigas casadas, sobre todo si son madres.

# LA AMISTAD ENTRE MUJERES:
## UN BUEN ANTÍDOTO

Frecuentemente se hace referencia a la difícil relación entre las mujeres, empezando por la primera relación, la de madre e hija. ¿Quién no ha escuchado decir en alguna ocasión que el peor enemigo de las mujeres son las propias mujeres? No obstante, la amistad entre mujeres, el apoyo y la transmisión de la experiencia han existido siempre de forma generalizada. Se habla, pues, de rivalidad y envidia, pero también de solidaridad, fraternidad, *affidamento* (relación social que da origen a un proyecto político). Las mujeres tejen redes, se asocian y forman grupos de autoayuda no sólo porque en la actualidad los seres humanos necesitamos sentirnos parte de algo en una sociedad cada vez más veloz y fragmentada. Esta tendencia al asociacionismo tiene, en el caso de las mujeres, unas características especiales que derivan o se conectan con el feminismo.

Pero empecemos por los aspectos problemáticos. Por supuesto, de nada nos sirve negarlos, sino que parece más conveniente analizar por qué están ahí. Entre otras razones, porque sentimientos tales como la envidia pueden impedir la alianza entre iguales con un objetivo común. Es archiconocida la rivalidad de las mujeres por un mismo hombre, así como la reacción de odio y culpabilización hacia ella, y de amor y perdón hacia el hombre o el chico que la engaña y la hace sufrir. Educada para seducir y valorada sobre todo por su capacidad de atraer y mantener el deseo de los varones, la mujer centra sus esfuerzos en conseguir y mantener una relación amorosa que le dé seguridad. En muchas ocasiones, la figura de la rival se vincula no sólo a la posesión del objeto amoroso, sino a la seguridad económica. Si la definición y valía de una mujer viene dada por la relación que guarda con el varón y no por la relación consigo misma y el mundo, las mujeres serán para ella las rivales, las otras.

Una vez más, tenemos que recurrir al proceso de socialización de las niñas. En opinión de la psicóloga e impulsora del feminismo científico, Victoria Sau, con la decepción de la niña respecto a su madre empieza la insolidaridad femenina, tan necesaria a los hombres para que las mujeres, divididas, no tomen conciencia de su situación como grupo social y lo esperen todo de los varones a lo largo de su vida, incluso aquello que es imposible que ellos les puedan dar. Así, resultará que serán eternas insatisfechas que, a su vez, transmitirán dichas insatisfacciones a sus hijas. Una víctima hace otra víctima.

La niña —comenta Charo Altable, experta en coeducación—, viendo que la sociedad no confía en las mujeres, crecerá con desconfianza en sí misma y se atribuirá valores inferiores. Tenderá a no confiar o fiarse de las otras; le quedará el espacio de la intriga, del cuchicheo, del pensar y no decir, de la sospecha y de la intuición en lugar de la demostración, produciéndose en ella la susceptibilidad y la envidia. Esta desconfianza puede acentuarse en la adolescencia e, incluso, continuar en la madurez. Por otra parte, si una mujer no cree en su valía, se sentirá disminuida, aislada y desamparada frente a las mujeres que son capaces y que actúan, por lo que tratará de desvalorizarlas también haciendo coincidir su mundo interno (no se siente capaz) con el externo (tampoco las otras lo son). Esta simbiosis responde a su imposibilidad de aceptar que otra persona —mujer, diría yo— valga más, haga mejor las cosas o tome opciones diversas a las suyas. Entonces, ofreciendo detalles risibles sobre ella o generalizando su manera de actuar, escribir, pensar o sentir, la desvaloriza por su concepto menos favorable del conjunto de su sexo, en palabras de Victoria Sau.

En definitiva, si a la mujer se la educa para la dependencia, se la prepara necesariamente para establecer relaciones simbióticas con otras personas. Pero mientras en el caso de los hombres puede que les sobrevalore —y así ella también será valiosa e importante—, al tratarse de mujeres es más frecuente la desvalorización. Por lo general, a las otras mujeres no se les da importancia o se las desprestigia.

Surgen entonces los celos y la envidia, reflejados en personajes como la madrastra de Blancanieves o la madrastra y las hermanas de Cenicienta. O también es el caso de las hermanas de Psique, en el mito de Eros y Psique, capaces de ser solidarias sólo en la desgracia, ya que primero lloran por ella cuando la creen perdida o muerta, pero cuando conocen la noticia de que está junto a su esposo Eros, y que es rica, sienten envidia.

Únicamente la mujer que se ama a sí misma y se coloca en el mundo como primera persona puede amar también a las otras mujeres.

La envidia no es patrimonio exclusivo de las mujeres, pero tiene en ellas especiales repercusiones. En efecto, según María Jesús Izquierdo, la envidia conduce a destruir lo bueno con tal de que no lo disfruten los demás, e impide por ello la alianza entre iguales con un objetivo común. Pulsar ese sentimiento y regularlo es un recurso básico para impedir que se unan los iguales contra quienes ocupan ilegítimamente posiciones de poder; en consecuencia, dadas las condiciones de socialización de las mujeres, el sentimiento de envidia es un obstáculo para la acción política. Dicho de otra manera, tiene un papel muy importante en la disolución o parálisis de los movimientos sociales. Si es verdad que somos envidiosas, al margen de que lo sean también los hombres, la posibilidad de que nos organicemos como movimiento político social depende en gran medida de nuestra capacidad para reconocer y procesar ese sentimiento que obstaculiza la defensa de intereses comunes. La envidia, según Freud, se ejemplifica en la historia de Salomón y las dos mujeres que pretenden ser madres del mismo niño: una de ellas corre el riesgo de que se parta en dos a la criatura, porque «si no ha de ser mío que no sea de nadie». Como cualquier persona puede percibir, la envidia se estimula o es utilizada como móvil o argumento en los mensajes publicitarios y en las conversaciones cotidianas.

Pero, sin duda, siempre ha existido la complicidad entre las amigas y las mujeres de la familia, e incluso me atrevería a decir que la solidaridad, con distintas vestiduras, nombres u objetivos. En la actualidad se han multiplicado y enriquecido estas relaciones. Hasta hace poco existía una clara división entre el mundo de los hombres y el mundo de las mujeres. Los vínculos, en general, estaban más delimitados por la familia, la jerarquía paterna y la ausencia de movilidad de las mujeres en el mundo exterior. Una imagen casi de fatalismo: mujeres de negro, mujeres lorquianas, beatas... A lo largo de la historia, las mujeres se han venido ayudando mutuamente a mantener su papel de protectoras y cuidadoras. Como guardianas de la vida, han intercambiado información esencial, se han enseñado a convivir con los hombres, los niños y consigo mismas, se han enseñado a amar y a sobrevivir a los desengaños del amor, se han observado, se han transmitido el conocimiento de cómo celebrar la vida y cómo dolerse de la muerte, se han alegrado juntas de su éxito, se han alentado cuando han fracasado. Sin estas amistades, nada de ello hubiera sido posible.

Al cambiar el lugar que la mujer ocupa en la sociedad y la manera de percibir su identidad, también se ha ampliado y enriquecido la concepción de la amistad de las mujeres. La complicidad ha ido tiñéndose de conspiración y se han ido sustituyendo algunas funciones antiguas. Es decir, antes las mujeres se ayudaban a adaptarse, a superar o soportar duras condiciones de vida, y servían de válvula de escape para aliviar la soledad, la injusticia y el enfado; ahora se alientan mutuamente para transformar los viejos modelos de subordinación y para luchar con sus emociones, de modo que no supongan un impedimento en el camino hacia el crecimiento y el cambio. La intimidad o confianza base de la amistad supone igualmente poder mostrar lo difícil que es creer en una misma y convencer a los demás para que crean en una, expresando la soledad y el desaliento que se siente a veces al intentar alcanzar la autonomía.

La reivindicación, pero también la superación conjunta y el aplauso ante los logros, ha hecho que aquellas mujeres que llegaron primero o lo consiguieron antes apoyen a otras a acceder a los diferentes espacios. La hermandad femenina, consecuencia del compromiso y la solidaridad, constituye una especie de nueva familia escogida, basada en una percepción compartida de la realidad, que ha ayudado a muchas mujeres a sentirse menos solas. Las mujeres se necesitan, pues, para esclarecer o diluir la confusión, determinar o concretar las situaciones que nos causan problemas y renovar la confianza en nosotras mismas, ya que nos hemos convertido en espejos unas para otras. Cuando se tienen las cosas claras, o en caso contrario, lo que se transmite es la propia inseguridad.

La toma de conciencia de las mujeres, tanto a nivel colectivo como individual, pasa por tres fases: el victimismo, la denuncia y la actuación. A cada una de ellas Victoria Sau le añade el nombre de una mujer de la antigua Grecia que representa dicha fase en su arquetipo. El victimismo (Casandra) corresponde a la fase en que se deploran los hechos de los que se va tomando conciencia con horror; la denuncia (Antígona) refiere no a las quejas de lo que se profiere, sino a las protestas; no se deplora, sino que se piden explicaciones. La conciencia se ha despertado y se produce un proceso de autoafirmación de la subjetividad. Por último, la actuación (Lisístrata) comprende el espacio sociocultural, político y económico al que las mujeres tienen derecho.

También la «sororidad», como suceso histórico, es tan antigua como la fraternidad. Claramente, el modelo de sororidad del siglo XIX jugó un papel indiscutible a la hora de mantener los lazos y evitar en parte el aislamiento de las mujeres. Posiblemente, según Luisa Posada, fue esta vía de escape la que permitió que las mujeres no desaparecieran del todo del mapa político. La conciencia común que han ido tejiendo las mujeres, que se conceden —en palabras de Amelia Valcárcel— «libre y mutuamente el rango de individuas», acerca de la necesidad de hermanarse con otras mujeres confiere al término «sororidad» ese eco positivo que supone el ponerse del lado de la otra (y no del otro) para cuestionar y modificar su puesto de relegación. No se trata, pues, de misticismo, sino de un camino hacia la lucha política feminista por el reconocimiento de la igualdad. Creo que a veces las mujeres no nos ayudamos todo lo que deberíamos, y no estoy hablando de falsas hermandades, de bondades superficiales, sino de respeto y confianza auténticos que, por supuesto, no excluyen la crítica. Según Virginia Valian, de los estudios por ella realizados se deduce que también las mujeres infravaloran a las mujeres.

Las mujeres seguimos tejiendo redes de apoyo, también para obtener información y estar conectadas. Nos organizamos de manera más o menos formal o institucional con el fin de denunciar cuestiones concretas como la violencia contra las mujeres, la maternidad libre y la igualdad, entre otros muchos aspectos. Hace escasamente un año, por ejemplo, causó un gran impacto la manifestación de más de medio millón de afroamericanas que irrumpieron en las calles de Filadelfia dejando oír su voz a ritmo de gospel y sin ninguna gran organización detrás. «Unidad, diálogo y respeto» era uno de los lemas más extendidos, pero había muchas consignas improvisadas que se referían a la liberación de la mujer negra (*Black is beautiful*), la atención a las escuelas, el tráfico de *crack*, una mayor asistencia social para las madres solteras... Lo que en definitiva se intentaba era que el mayor número posible de hermanas sintieran que no estaban solas frente a problemas como el desempleo o la violencia doméstica, entre muchos otros. «Las mujeres negras hemos cuidado siempre de todo el mundo en este país, de las mujeres blancas, de los hombres blancos, de los niños blancos, hemos cuidado de nuestros propios hombres y de nuestros niños... Ya va siendo hora de que nos ocupemos de nosotras mismas», decía una de las organizadoras.

Insistiendo en el tema de la solidaridad cito de nuevo a Amelia Valcárcel, para quien significa algo tan fuerte como lo siguiente: «Yo, persona del sexo femenino, estaré dispuesta a no criticar ninguna de las acciones o decisiones que otra persona de mi sexo esté tomando, a no ser que estas acciones desbordaran ciertos límites que un ser humano no puede normalmente desbordar.» No existe el compromiso de apoyar a las mujeres indiscriminadamente, sino sólo el de no criticarlas. La solidaridad entre nosotras es como un pacto de silencio, porque podemos estar bien seguras de que las acciones públicas de una mujer tenderán a ser juzgadas no como acciones humanas, sino como acciones femeninas. «Solidaridad por encima de antipatías —continúa diciendo—, de insolidaridades y de distancias políticas. Tanto mejor si aquella con quien debemos ser solidaria nos agrada, pero si no es así nos tiene que dar igual.» Aunque sea complicado practicar la solidaridad por encima de antipatías e insolidaridades, se puede hacer individualmente, con valor y esfuerzo. Más difícil resulta la solidaridad por encima de distancias ideológicas, sobre todo si se trata de una organización que no apuesta por el cambio de la situación de la mujer. Pero junto a estos pactos de silencio o de no agresión, también la solidaridad consiste en dar ayuda y solicitar ayuda, y su práctica sistemática puede hacer que las cosas varíen. Por estas razones algunas feministas distinguen los pactos entre mujeres, que abarcarían a todas, y la solidaridad, que sería selectiva.

En efecto, el encuentro con otras mujeres nos debe servir, nos ha servido, para construir un sistema de valores y de actitudes nuevo, así como para comprender lo que nos pasa, lo que nos degrada, nuestras reacciones, nuestros estados de ánimo, nuestras experiencias. Una de las vivencias más extraordinarias del movimiento de mujeres es el encuentro entre mujeres de edades diferentes, incluso de distintas generaciones. Las mayores han sido y son verdaderos modelos por su valor y su energía en tiempos difíciles; las jóvenes nos sorprenden, nos cuestionan, nos empujan, y su presencia nos reconforta porque representan la continuidad necesaria.

También ha llegado el momento en que las mujeres reconocemos la autoridad de otras mujeres. No es algo absolutamente nuevo, pero está más extendido que antes. Y no sólo respecto a las mujeres sabias y valientes del pasado, sino a las coetáneas. Entre las mujeres que se apoyaron y reconocieron podríamos citar a Madame de Sévigné y Madame de Lafayette, Jane Austen y Anne Radcliffe, Emily Dickinson y Elizabeth Barrett Browning, las poetisas rusas Marina Tsvietaieva y Ana Ajmatova, entre tantas otras. Algunas, además, eran amigas, como es el caso de Hannah Arendt y Mary McCarthy, un vínculo apasionado entre dos mujeres de gran talento que formaban un partido de dos y buscaban en su amistad un refugio contra los otros partidos cuyos fracasos habían marcado su generación. «A veces parecían dos colegialas —escribe la editora de su correspondencia, Carol Brightman, recientemente publicada bajo el título *Entre amigas*— tomadas del brazo en el recreo, que en voz baja se cuentan las historias que circulan entre sus compañeros y compañeras.» Se fortalecieron intelectualmente y, como se observa en su correspondencia, no se privaron tampoco de hablar de «cosas de mujeres» y debatir acerca de las sinuosas espirales del amor.

Virginia Woolf, a propósito de la muerte de Katherine Mansfield, escribió: «Seguiré escribiendo pero en el vacío. Ya no hay con quién competir. Soy un gallo solitario cuyo canto no llega a ninguna parte... Y es que en nuestra amistad escribir significaba muchas cosas.»

La fuerza vital y la energía intelectual necesarias para vencer los obstáculos que van apareciendo procede, en muchas ocasiones, de la amistad de las mujeres, que aprenden juntas y alimentan sus sueños. Personalmente puedo concebir mi vida sin un hombre al lado, pero no sin amistad. Tengo amigas y amigos magníficos, aunque la relación con las mujeres tiene unos ingredientes más íntimos, es de mayor complicidad.

En muchas ocasiones las amistades entre mujeres se han visto eclipsadas por sus relaciones con los hombres. Algunas han descuidado, incluso abandonado, a sus amigas por un novio o por un marido, renunciando a esas relaciones que eran parte de su vida. Y a veces descuidamos a nuestras amigas simplemente porque las ocupaciones cotidianas absorben todas nuestras energías. Pero si pensamos que la amistad es un bien precioso que nos enriquece y que hay que cultivar, siempre encontraremos procedimientos para que las amigas sepan que estamos ahí, que pueden contar con nosotras.

Es cierto, como dice Toni Morrison, que la mujer más solitaria del mundo es la que no tiene una amiga íntima. Las amigas servimos para escuchar, observar, analizar, aconsejar, esclarecer y desmitificar. Muchas veces, al reflexionar en voz alta, vamos precisando nuestro propio discurso, sin trampas, y aprendemos a poner la culpa o la responsabilidad allí donde corresponda; o a dilucidar cuáles son las situaciones que nos causan problemas y a responder ante las demás cuando perpetúan vínculos destructivos, ayudándoles a recordar que el masoquismo no tiene recompensa.

La amistad con otras mujeres nos procura consuelo, seguridad, ayuda y sabiduría, así como una situación general que nos permite bajar la guardia y relajarnos, jugar, incluso no tener que representar. Por contra, la inmensa mayoría de los hombres no ha desarrollado la sensibilidad necesaria para aceptar o comprender la gama e intensidad de las emociones femeninas.

Y, por si fuera poco, lo pasamos muy bien juntas. Llegué una vez más a esta conclusión cuando volví a ver la película de Bergman *Fanny y Alexander*.

La amistad entre las mujeres ha sido objeto de maravillosos textos literarios, películas y obras de teatro. Y no me estoy refiriendo precisamente a *Las amistades peligrosas*, que merecerían un comentario especial, ni a las amistades románticas. Recuerdo la emoción que me produjo ver *Julia*, basada en la obra *Pentimento* de Lillian Hellman y magníficamente interpretada por dos grandes divas del cine. Diferente de la magistral y popular obra *Los tres mosqueteros*, que vendría a ejemplificar la amistad entre los hombres, la histórica camaradería basada en el deporte y la guerra. Podemos recordar también, por ejemplo, *Las bostonianas, Ricas y famosas, Cleo de 5 a 7, Thelma y Louise, La calumnia, Esperando un respiro, Hola, ¿estás sola?* o *Nadie hablará de nosotras cuando hayamos muerto.*

Desde el punto de vista del afecto y el apoyo, se produce una gran afinidad entre las mujeres que están pasando por el mismo trance o se encuentran en la misma situación. Comparten las alegrías y desasosiegos del enamoramiento, la decepción, y además hacen cosas juntas: vacaciones, fines de semana... que a veces se presentan amenazantes. También para las viudas la amistad es importante, entre otras cosas porque supone una vuelta al mundo femenino sin el hombre al que han dedicado su vida, con mayor o menor fortuna; se ayudan a circular por la sociedad, se divierten, se distraen, se distancian de las dependencias, el cuidado permanente y la atención a los demás, y se ayudan a reestablecer la individualidad, ya que muchas han pasado de la autoridad paterna a la marital, viviendo en un tiempo y un espacio que no les pertenecían. Y en la vejez las amigas no sólo consuelan mucho, sino que acompañan en la vida cotidiana. Mi propia madre acostumbra a repetir que, si no fuera por sus amigas, se sentiría mucho más sola.

La amistad tiene una especial importancia para las mujeres sin pareja en general, porque constituye una fuente importante de apoyo emocional. Las amigas llegan a constituir una especie de familia extensa y elegida, una comunidad de personas que se ocupan unas de otras, que comparten éxitos y desventuras, difuminándose el sentimiento de vulnerabilidad que a veces acompaña a la persona que vive sola. Pero algunas mujeres infravaloran la compañía de otras mujeres, porque entienden la presencia de un hombre como un plus y su ausencia como una carencia. Suelen tener una sensación de desvalimiento por la falta de compañía masculina. Desde otra perspectiva, a muchas de nosotras cuando éramos más jóvenes nos parecía más interesante la compañía de los chicos que la de las chicas, a las que supuestamente sólo interesaban cosas triviales. Afortunadamente los tiempos están cambiando, y ahora no sólo preferimos en determinados momentos estar solas, sino que cada vez hablamos menos de los hombres, porque nuestra vida, nuestra alegría o nuestra tristeza no dependen ya exclusivamente del «me quiere o no me quiere». Siempre que he llegado a un nuevo espacio profesional o político encontrar mujeres afines me ha aportado alegrías y comodidad, complicidad y desahogo, y también refuerzo constante.

Muchas mujeres que han atravesado momentos difíciles han adquirido fuerza suficiente para romper con situaciones denigrantes, como los malos tratos, gracias a sus amigas, que las han ayudado a ver las cosas más claras y las han apoyado en el momento en que se tambaleaban o vacilaban ante determinadas presiones internas o externas. Y cuántas veces hemos podido llorar con tranquilidad en el hombro de una amiga, sin avergonzarnos... Incluso a veces hemos acabado muertas de la risa. La mera existencia de mis amigas me proporciona tranquilidad. El saber que están ahí me ayuda a sacudirme parte de la tristeza o el desasosiego que en ocasiones me invade. Una conversación telefónica o tomar juntas una cervecita me cambia la perspectiva de forma radical. Y cuando cuentas tus pequeñas proezas y logros, disfrutas por partida doble, algo que también pasa con los buenos amigos. En la actualidad, el apoyo no se limita al mundo de los afectos, sino que comprende también el ámbito profesional y público.

Como antes hemos dicho, tenemos que acostumbrarnos a pedir y dar ayuda. No podemos pretender, ni mucho menos exigir, que adivinen nuestras necesidades. La soberbia, el orgullo y la vanidad juegan malas pasadas, y con estas actitudes no cabe la construcción de una amistad. Una amistad sólida y fiable requiere esfuerzo y generosidad.

En conclusión, la historia de muchas mujeres demuestra que una mujer no necesita estar casada para encontrar apoyo e intimidad a su lado, que puede establecer relaciones enriquecedoras y de diversa índole, entre ellas la amistad, fuente de cariño y de verdadera fuerza.

# El mapa emocional
# y las reglas del juego

## LA MIRADA INTERIOR

Si nos preguntamos acerca de las condiciones que hacen que estar sola sea una experiencia positiva, encontrar las respuestas y exponerlas no resulta nada fácil, pero sin duda el plantearlas nos ayuda a entendernos mejor a nosotras mismas y a estar avisadas. Creamos gran parte del mundo exterior a partir de nuestra realidad interior, en un continuo vaivén entre lo personal y lo político, el yo y su circunstancia. En consecuencia, para construir nuestra identidad necesitamos recurrir a la introspección, el viaje interior, pensarnos como seres libres y tener confianza en nuestras propias capacidades, incluso en nuestro poder, que se deriva de la confianza y la autoestima. Descubrir y desarrollar el germen de sabiduría que conecta el cerebro y el corazón supone una condición necesaria para encontrar la felicidad que, en sentido aristotélico, equivale a estar satisfecho con uno mismo.

Nuestra propia identidad, nuestro yo auténtico —al que Stendhal se refería como un pequeño amigo con el que podemos establecer el diálogo interior— nos va a proporcionar una nueva dimensión sobre nosotros y el mundo que nos rodea, una mayor libertad para explorar nuestro entorno y desarrollarnos intelectualmente. Y, también, para procurarnos la autoestima, es decir, la opinión favorable de una misma. En *Revolución desde dentro* cuenta Gloria Steinem, escritora destacada, impulsora de las reivindicaciones feministas, ex directora de la revista *Ms.* y a la que la revista *People* incluye en la lista de mujeres inolvidables del siglo XX, que el punto de partida para la forma más fundamental de autoestima —la denominada en psicología «autoestima global o esencial»— es la seguridad de ser amados, dignos de cariño, valorados y valiosos tal como somos. A ella se va sumando la autoestima situacional que nace de la confianza de saber que hacemos bien determinadas cosas, no desmerecemos en la comparación con los demás, satisfacemos las expectativas de otras personas y somos capaces de ejecutar tareas progresivamente más difíciles e interesantes que nos van proporcionando satisfacción en tanto que adquisición de nuevas capacidades. Cuanta más autoestima tenga uno, más plenamente desarrollará todas sus capacidades. Se trata, en definitiva, de una cuestión de confianza.

Si en las familias y en las culturas no se fomenta la autoestima esencial y, además, se raciona, condicionándola a la obediencia, la adaptación, el sometimiento a los objetivos de los padres o de un grupo y la ejecución de tareas no escogidas sino impuestas, se producen criaturas convencidas de que hay algo «malo» en sus propios intereses y capacidades; se fomenta la creación de un falso «yo» como un medio para obtener aprobación y aceptación y evitar así los castigos y las burlas. Si a un niño —continúa la citada autora—, cuando manifiesta su vulnerabilidad se le humilla, o es objeto de burlas o se ensalza su superioridad que él sabe que no es tal, responderá construyéndose un yo exagerado que puede llegar a ser el origen del problema del narcisismo. Si a una niña se la disuade de toda manifestación de fortaleza y espíritu explorador (riesgo, aventura, descubrimiento), y se la elogia por su comportamiento dócil y complaciente, aunque no sea sincero, a menudo responderá construyéndose un yo disminuido que puede ser origen del problema de la depresión posterior.

Siendo importantísimas las etapas de la infancia y la adolescencia, también es cierto que la necesidad de autoestima esencial que nos sustenta no se limita a la infancia. Cuando somos adultos necesitamos el cariño «incondicional» de nuestra familia, nuestra pareja o nuestros amigos. En cualquier sociedad patriarcal, unos padres ausentes, inexpresivos o avaros en sus manifestaciones de cariño pueden dar pie a dos comportamientos anormales que llegan a considerarse naturales: la búsqueda obsesiva de un padre en los maridos y amantes, en el caso de las mujeres, y la afanosa búsqueda de aprobación por parte de figuras con autoridad paterna, en el caso de los hombres.

Cuando se castiga nuestro yo individual, una parte de nosotros queda estancada en ese preciso momento y, a menos que retrocedamos a ese punto y reconozcamos lo ocurrido, no podemos compensar tal carencia. Este viaje es posible porque nuestro cerebro conserva almacenadas nuestras experiencias pasadas con las que podemos conectar por azar —por ejemplo, determinados olores tienen un gran poder evocador— o a través de la búsqueda consciente. En esta tarea de identificación podemos sufrir; de hecho, como se ha afirmado, el sufrimiento es el principio de la identidad personal y el sentido de la carencia se encuentra en el corazón de la tragedia humana. Al retroceder localizamos heridas antiguas, trayectos angustiosos, traumas reprimidos, y en muchas ocasiones hemos de pedir ayuda, que siempre es mejor que ocultar o eludir aquello que necesitamos resolver; es decir, superar el dolor con la esperanza de lograr un cierto grado de control. Como dice Ernest Hemingway en *Adiós a las armas*, «el mundo nos lastima a todos y luego algunos sacan fuerzas de sus heridas».

En conclusión, este viaje al pasado para remediar carencias sería innecesario si nuestra cultura alimentase desde la primera infancia la inteligencia latente en nosotros, de manera que pudiéramos conocer mejor y desarrollar nuestras capacidades intelectuales y emocionales.

Desde luego no estamos haciendo una propuesta de ensimismamiento, sino de utilizar la introspección para encontrar la verdad, para descubrirnos y potenciarnos, y también para estar en las mejores condiciones a la hora de relacionarnos con los demás de una manera más enriquecedora, desde una individualidad más completa. Y dado que la autoestima repercute igualmente en el exterior, sería importante que la sociedad fomentase la autoconfianza para que así las personas pudieran conceder un trato equitativo a los demás, ya que la baja autoestima, el desprecio de uno mismo, desemboca siempre en la dominación o el sometimiento.

La confianza en nuestras capacidades, así como el platónico amor racional a uno mismo, resulta necesario para poder amar a otras personas o para estar sola en las mejores condiciones. Muchas mujeres crecen con la sensación de ser la mitad de una persona, ya que se fomenta en ellas la idea de que no son nada sin un hombre. Y, a raíz de considerarse seres incompletos, buscan en el otro aquello que ellas no poseen: el resto de sí mismas. Hay mujeres que han llegado a descubrir que su obsesión por los hombres egocéntricos se debía a que su propio yo estaba poco desarrollado, y de este modo buscaban una seguridad e identidad de las que se sentían interiormente carentes.

De ahí que incurramos en el error de enamorarnos de alguien por lo que necesitamos y no por cómo es la otra persona. Así, utilizamos un yo falseado para conseguir que un hombre se enamore de nosotras y, cuando lo conseguimos, seguimos representando el papel, hasta que en un momento determinado nos encontramos solas y deprimidas, agotadas y erosionadas en nuestro propio ser. Se supone que entonces reaccionamos y nos preguntamos: ¿estás dispuesta a condenarte a esto, a continuar con algo que realmente no te conviene?

En *El segundo sexo*, Simone de Beauvoir describe a la mujer enamorada como alguien que sólo puede lograr la trascendencia a través de su amor por otro; una mujer que capta realmente su propio valor en el momento de sentir sobre sí la mirada adoradora de un hombre. Incapaz de actuar en un mundo más extenso o de formarse una identidad, esta mujer se ve forzada a adherirse al poder masculino a fin de liberarse de la ansiedad de su propia impotencia. Y como el amor romántico es casi el único camino que una mujer, salvo excepciones, tiene para llegar a la aventura y la trascendencia, éste llega a convertirse en una obsesión.

De esta manera, el amor romántico se convirtió en un fin en sí mismo: con el sacrificio por amor se obtiene la salvación. Basado en la ilusión, su proyección consiste en sobrepasar las propias limitaciones. Los amantes se idealizan mutuamente, ven en el otro cualidades que no tiene, se atraen por la intensidad de sus sentimientos, por la seguridad de sentirse auténticos complementos. Y el erotismo, por su parte, les lleva a la esperanza de una fusión que les traerá la plenitud y el fin de la soledad. Estos sentimientos acompañan las primeras etapas de la mayoría de las relaciones erótico-amorosas y no tienen por qué destruirse, si se pasa a una etapa siguiente. Sin embargo, las mujeres se han quedado frecuentemente con esa fijación porque no han desarrollado ni delimitado su identidad propia, y se han confundido y atado a sus amantes creando una dependencia que les genera una gran ansiedad. Hemos pasado mucho tiempo centrando nuestra felicidad, nuestro estado de ánimo y nuestra propia valoración en la mirada del otro.

Por todo esto, las feministas cuestionan desde hace tiempo el precio que pagamos por mantener relaciones así, e imaginan otro tipo de amor, un amor ideal que progresivamente incorpora la independencia a la relación.

## ¿QUÉ PASA CON LOS SENTIMIENTOS?

Creo que coincidiríamos en que, a pesar de los cambios producidos en favor de una cultura más igualitaria, las exigencias amorosas de los dos sexos no son similares, como tampoco lo son sus sensibilidades, itinerarios y aspiraciones. Mujeres y hombres siguen teniendo una actitud diferente ante las cuestiones amorosas. En ellas influyen todavía hoy los códigos de una cultura que ha considerado el amor como una pieza clave en la configuración de la identidad femenina. Pero en la actualidad se valoran mucho el bienestar individual, el placer y el sexo, y se han legitimado los deseos de las mujeres de disponer de su propia vida, con la consiguiente devaluación del esquema de subordinación.

Las mujeres se han conquistado a sí mismas como sujetos sociales, produciendo una importante ruptura respecto a su rol exclusivo. Las posibilidades de elección se han ampliado para ellas, consecuentemente con la igualdad de oportunidades. No obstante, por el momento no hay tabla rasa. En la vida afectiva las mujeres son más sensibles que los hombres a las palabras, a las demostraciones de amor, y expresan más tanto su necesidad de amor como sus decepciones y frustraciones. Como dice Charo Altable, «las mujeres, cuando hablamos de amor, hablamos de nosotras mismas aun no queriendo, y los hombres no hablan de ellos aun queriendo». También fantasean más y acusan a los hombres de protegerse, de huir, de no entregarse plenamente, aunque hay quien afirma que parte de la razón por la que se contempla a los hombres como menos amorosos es debido a que su comportamiento se mide por un rasero femenino.

Podemos comprobar que en los últimos años se han producido cambios considerables, como la disociación del amor y el matrimonio. Muchas mujeres prefieren hoy ser amantes, novias y no esposas porque son más exigentes; otras prefieren la soledad, la ruptura, al desamor o el conflicto. En tanto que más independientes, aceptan menos un matrimonio destrozado que no concuerde con sus expectativas de comprensión, complicidad y proximidad, y no se resignan a una vida de pareja insatisfactoria.

Todo entra en crisis porque todo se cuestiona. Según Raquel Osborne, entre hombres y mujeres hay tanta guerra como amor, pero fijar nuestro odio en ellos no va a ayudarnos a esclarecer las múltiples causas de la opresión que padecemos. Ni buenas ni malos, entre otras cosas porque las generalizaciones simplifican las cuestiones y también podemos encontrar parejas felices, hombres que realmente aman a sus mujeres, que no sienten su virilidad en peligro, que se alegran de los cambios producidos y que incluso saben que tienen que esforzarse para retenerlas, porque son importantes para ellos. La diferencia, lógicamente, está en las personas.

En cualquier caso, parece que el amor es inseparable de la vida misma. Las mujeres nos hemos centrado en él porque, como comentábamos antes, ha sido siempre parte de nuestro mundo. Nos implica hasta la médula, no queremos abandonarlo, pero al mismo tiempo buscamos que sea en la igualdad y el respeto. Las antiguas reglas sobre el amor y la convivencia están en cuestión, pero no hemos sabido inventar otras nuevas. En consecuencia, el panorama no está claro; es como si estuviéramos entrando en un territorio del que todavía no hubiéramos dibujado el mapa correspondiente.

Nos encontramos, pues, a mitad de camino, instalados en un círculo vicioso por el cual muchos hombres manifiestan que se sienten amenazados por la independencia de las mujeres, lo que da lugar al rechazo, y nosotras vivimos la lejanía como agresión, afirmándonos en lo propio sin dejar de hacer concesiones. En cualquier caso, se dice que hay desamor y desencuentros porque las mujeres no nos ocupamos ya de nuestra tarea fundamental, que los hombres no nos aman desde que deseamos el amor también para nosotras, desde que planteamos nuestras propias exigencias y verbalizamos los deseos, las insatisfacciones y los temores.

La palabra «amor» no tiene, en absoluto, el mismo sentido para ambos sexos, y ésta es una de las causas de los grandes malentendidos que nos dividen, decía Simone de Beauvoir. Más radical, Shulamith Firestone se refería a la necesidad que tiene el hombre de idealizar a la mujer que ama para justificar un descenso a una categoría inferior.

Lillian B. Rubin, en un estudio que examina las relaciones sexuales entre hombres y mujeres perteneciente a la clase obrera norteamericana, observa la disparidad de expectativas y los diferentes motivos de queja. Las mujeres se quejan de las excesivas demandas sexuales de sus maridos y de la ausencia de comunicación verbal con ellos; los hombres, por su parte, no entienden esta queja y manifiestan que su necesidad de hacer el amor es una expresión de afecto. La autora considera que la disponibilidad sexual del hombre no responde sólo a una necesidad sexual apremiante, sino que tiene que ver con un proceso de socialización cuyo resultado es la reducción del lado emocional en todo menos, precisamente, en la expresión de su sexualidad. Mientras que, en el caso de las mujeres, su insistente demanda de una manifestación emocional de naturaleza no sexual responde al proceso contrario, ya que han desarrollado el lado afectivo de su personalidad en todo excepto en la expresión de su sexualidad.

Teresa, abogada de prestigio, que tiene cuarenta y siete años magníficamente llevados por dentro y por fuera, divorciada y con varias e intensas historias de amor a sus espaldas, me preguntaba —y se preguntaba— un día: «¿Por qué los hombres nos decepcionan tan a menudo?, ¿por qué hay tanto desequilibrio entre lo que se espera de nosotras y lo que se nos ofrece?, ¿por qué tenemos que explicar todo y no nos merecemos una respuesta fiable y convincente?, ¿por qué debemos estar siempre disponibles?, ¿por qué nuestros problemas son menos importantes?, ¿por qué lo que se considera normal y sin valor en unas es, sin embargo, excepcional y loable en otros?, ¿no estamos hartas de la justificación social de la promiscuidad masculina y de esos comportamientos que en nosotras resultarían injustificables?, ¿no estás harta de llorar, de conformarte, de mirar hacia otro lado?, ¿por qué no nos rebelamos contra las intransigencias?, ¿por qué a veces nos comportamos de manera que parecemos más dependientes de lo que somos, nos irritamos y hasta nos ponemos pesadas?, ¿por qué a veces nos devuelven una imagen de nosotras mismas que no nos gusta, que no representa nuestro mejor perfil?, ¿por qué no somos más autónomas de verdad?, ¿por qué todavía logran impresionarnos tanto?»

Ambas coincidíamos en que las respuestas estarían claras desde un espíritu de revancha, pero nada más lejos de nuestra intención. Por contra, nos gusta poder quererles sin emprender el camino hacia el resentimiento, la distancia y la separación. Como dice Celia Amorós, hombres y mujeres necesitamos amar y el feminismo ha de hacerse cargo de esa necesidad e imaginar alternativas. También coincidíamos en que la gran tarea que queda por realizar no podemos desarrollarla exclusivamente las mujeres, porque si finalmente a lo que aspiramos es a compartir el mundo exterior e interior, tenemos que empezar a compartir el proceso.

Al ser individuos genéricamente troquelados, precisamos, en palabras de Raquel Osborne, una nueva construcción social y cultural de la mujer y el varón que favorezca una mentalidad distinta. De esta manera, las mujeres se incorporarían como protagonistas a los destinos de la humanidad y contribuirían a romper la visión jerarquizada hoy en boga. En definitiva, una revolución cultural.

## ¿CUÁL ES EL ORIGEN DEL PROBLEMA?

Los expertos afirman que cada persona nace con un círculo completo de cualidades humanas, así como una versión singular de las mismas. Pero, como es sabido, la sociedad nos impone roles de manera que los individuos van desarrollando una serie de actitudes, sentimientos y comportamientos de acuerdo con sus funciones (la maternidad en el caso de las mujeres; la guerra, la competitividad, en el caso de los hombres). La personalidad masculina y femenina se define de acuerdo con los valores y comportamientos según el género al que pertenecen. A su vez, estos valores y comportamientos asignados dan lugar a una serie de estereotipos, es decir, opinión ya hecha que se impone como un cliché a los miembros de una comunidad, que incide en las actitudes y expectativas que tenemos frente a las mujeres y los hombres, atribuyéndoles determinados rasgos de personalidad que no son innatos sino adquiridos. Sin duda, los estereotipos, de los que se derivan los prejuicios, están tan universalmente aceptados que casi parecen formar parte de la naturaleza. No obstante, al no ser innatos, pueden extinguirse, desvanecerse o permanecer mientras nadie estimule su cambio.

Si partimos de la tesis que estima que ya los chicos y las chicas tienen conceptos diferentes, así como distintos comportamientos, actitudes y expectativas respecto al sexo y el amor, al plantearnos cuál es el origen del desequilibrio y cómo se manifiesta tendremos que admitir que el trato que se da en la infancia es distinto en función del sexo, y que ello no resulta inocuo, como dice Victoria Sau. Todos los seres humanos, desde su nacimiento, están sometidos al aprendizaje de un sinnúmero de comportamientos relacionados con su condición de seres culturales.

En efecto, dicen los expertos que en el proceso de socialización desarrollamos unas características y reprimimos otras, según el rol que se nos ha asignado. El aprendizaje de los roles está enraizado en profundos sentimientos que hemos establecido desde la infancia para adaptarnos socialmente. Por lo general, se educa al niño como sujeto autónomo y a la niña en función del otro, fomentando su dependencia, y así estructura su amor y su deseo, porque no tiene otra opción simbólica. Como afirma Charo Altable, es difícil que se mire a sí misma y se vea como sujeto. Ya que no se le enseña a pedir sino a llorar, implorar, fingir o callar, poca seguridad tendrá en sí misma y se preocupará, fundamentalmente, por agradar a los demás. En la adolescencia, el proceso de

161

identificación (quién quiere ser) será también difícil, puesto que los modelos, hasta el pasado reciente, han sido unidimensionales. En muchas ocasiones no se le da confianza en sí misma para que pueda desenvolverse en la vida. Con la sobreprotección y los elogios se fomentan la dependencia y la sumisión, la devaluación y la baja autoestima, lo cual la llevará a establecer relaciones amorosas basadas en la necesidad y no en la igualdad, dando así lugar a relaciones de poder. Vuelca, pues, su imaginación en el amor que, además, verá o concebirá como una tabla de salvación.

Si bien es en la familia donde hacemos los primeros ensayos de los patrones de relación social, también en nuestro aprendizaje es decisiva la educación escolar, por ello desde hace tantos años nos hemos referido a la coeducación, aunque, como dice Victoria Camps, «no esté dando los resultados esperados y esto se explica porque las mujeres educadoras —madres, maestras, profesoras— no han cambiado suficientemente de perspectiva y perpetúan los estereotipos masculinos. No lo saben pero lo hacen». También en ese aprendizaje tienen una gran influencia los modelos que nos llegan a través del cine, la televisión, los cómics o los cuentos.

Desde los cuentos hasta las novelas rosa (que cumplen la función evasivo-consoladora) fijan dos tipos de mujer: la buena y la mala, el hada y la bruja, la sumisa y la rebelde. Éstos refrendan los estereotipos de mujer, madona o puta, difundidos también por la Iglesia católica: la santa y la pecadora, la esposa y la querida, la recatada y la seductora... Las heroínas esperan (la Bella Durmiente), no pueden aventurarse y entretenerse en el bosque (Caperucita) ni salen de casa (Blancanieves). Mientras que los personajes masculinos parten a la conquista de otros mundos.

En un interesante trabajo realizado por Charo Altable sobre las opiniones, expectativas y deseos acerca de la sexualidad y el amor, constata la diferencia abismal que de estos conceptos tienen ambos sexos, y deduce que los roles están más diferenciados y siguen pautas más tradicionales en las capas económica, social y culturalmente más bajas de la población, mientras que se da un mayor acercamiento entre los sexos en las capas medias y de mayor nivel cultural, donde es frecuente que sus madres tengan una profesión y la ejerzan. Son importantes, por tanto, la extracción social del alumnado, el tipo de educación que se imparte en los centros y la influencia de los medios de comunicación y de las actividades desarrolladas en el tiempo de ocio (lo que vemos, leemos y escuchamos). En cualquier caso, la citada experta estima que una esperanza parece entreverse ya que los roles sentimentales empiezan a cambiar.

Sin duda, la observación de la realidad nos proporciona datos interesantes. Por ejemplo, el grupo Feminario de Alicante utiliza como método la pregunta «¿Quién hace qué?» en la casa, la escuela, el gobierno de la ciudad y del Estado, las actividades laborales, los espacios artísticos... no tanto para quejarse sino para buscar caminos que nos conduzcan al cambio.

Para fomentar la independencia frente a la dependencia, Altable nos propone una educación tendente a la conquista de espacios físicos y mentales, desarrollando la actividad intelectual cognoscitiva y fantástica por medio del conocimiento de la realidad individual y social, y a través de la creación literaria y artística. En definitiva, se trataría de poner en práctica una educación sentimental no sexista orientada a establecer relaciones sanas y no simbióticas; crear otros modelos, inventar otros personajes masculinos y femeninos que difundan los valores más exquisitos de hombres y mujeres.

De todo ello también deducimos el compromiso y la responsabilidad no sólo individual sino institucional y política, con el fin de desarrollar las potencialidades de las personas, hombres y mujeres, sin que unos y otros supediten sus deseos ni su forma de vida a la otra persona. O sea, entablar un diálogo fluido y una interacción entre lo que una y otra persona sienten y desean, sin subordinaciones ni jerarquizaciones, para que el encuentro sea posible.

Pero también en el entorno familiar se establecen diferencias de sexo desde la infancia. ¿Qué ven y escuchan los niños y las niñas que pertenecen a una familia tradicional? ¿Qué sienten? ¿Cómo es su proceso de identificación? Obviamente, resultaría excesivo entrar en este momento en el mundo del psicoanálisis, desde las teorías freudianas hasta su crítica desde el feminismo. No obstante, no me resisto a mencionar algunos aspectos que me parecen significativos.

Las diferencias anatómicas no colocan a las mujeres en situación de inferioridad; sin embargo, tanto el niño como la niña tienen que elaborar el impacto emocional que produce el descubrimiento de las mismas. En la sociedad patriarcal el niño es educado para desenvolverse en el mundo, ser como su padre y actuar de forma masculina, lo que implica la represión de la afectividad y el consiguiente miedo a la intimidad, paralela, antecedente o consecuente al miedo a la dependencia absoluta original del niño respecto a la madre. Sin embargo, las niñas permanecen vinculadas al mundo materno, como si tuvieran que vivir a través de otro. Nancy Chodorow, desde el psicoanálisis, lo expresa en los siguientes términos: las mujeres, como madres, producen hijas con capacidades maternales y con el deseo de ser madres. Estas capacidades y necesidades se construyen y crecen en la misma relación madre-hija. En contraste, las mujeres como madres (y los hombres como no madres) producen hijos cuyas capacidades y necesidades de crianza han sido recortadas y reprimidas de forma sistemática. Ello prepara a los hombres para su papel familiar afectivo posterior y para su participación primordial en el mundo impersonal y extrafamiliar del trabajo y la vida pública. La división sexual y familiar del trabajo, que hace que las madres participen más en las relaciones interpersonales y afectivas que los hombres, fomenta en las hijas e hijos distintas capacidades psicológicas que, en definitiva, reproducen la división social y familiar del trabajo. La principal responsabilidad de las mujeres es el cuidado de los niños dentro y fuera de las familias; las mujeres, en general, quieren ser madres y se sienten gratificadas por su «maternaje».

El mérito de este modelo institucional-psicoanalítico de Chodorow, por otro lado ampliamente criticado, es que destaca la importancia psicológica que para la identidad de los niños y las niñas tiene la dedicación femenina, prácticamente en exclusiva. Coincidimos con Raquel Osborne en considerar que no podemos negar la posibilidad de cambio en la vida adulta, aun cuando esto provoque ansiedad, temor o cualquier otro sentimiento conflictivo. Esta autora tacha de «ahistoricista» la posición de Chodorow y pone de manifiesto los peligros que entraña el excesivo énfasis en la maternidad, ya que teorías de este tipo pueden reavivar la ideología de las esferas separadas. El triángulo relacional mujer-hombre-hijo es utilizado por Manuel Castells para intentar comprender qué ocurre cuando la familia patriarcal se desintegra. En la condición clásica patriarcal-heterosexual, dice Castells, hoy en desaparición, las mujeres heterosexuales se relacionan con cuatro tipos de objetos: los hijos como objeto de su maternaje, las redes de mujeres como su principal apoyo emocional, los hombres como objetos eróticos y los hombres como proveedores de la familia. La base económica de la familia patriarcal se ha erosionado ya que la mayoría de los hombres (o de las familias) también necesitan los ingresos de las mujeres para alcanzar un nivel de vida aceptable (y a veces ni siquiera así). Si a ello le sumamos que ellos ya eran secundarios como modelo de apoyo emocional y que como objeto erótico cumplen igualmente un papel menguante, las familias deberían formarse entre madres e hijos y basarse en el apoyo de las redes de mujeres, visitadas de vez en cuando por los hombres.

Según el autor, no se trata de un modelo separatista sino de un modelo centrado en la mujer autosuficiente, en el que los hombres van y vienen. Para los hombres ofrece diferentes alternativas. La primera es la separación, la huida del compromiso, que constituye una tendencia creciente en las estadísticas. Esta solución no acaba de funcionar, como demuestra el hecho de que en la mayoría de las sociedades los hombres solteros tengan peor salud, longevidad menor y tasas de homicidios y depresión más elevadas que los casados (lo contrario les ocurre a las mujeres). Una segunda alternativa sería la homosexualidad. Pero la solución más aceptable y estable para los hombres es renegociar el contrato de la familia heterosexual, compartir obligaciones y, sobre todo, compartir la paternidad, algo que va progresando pero muy lentamente, más lentamente que el ascenso del separatismo. La solución, pues, es la reconstrucción de la familia bajo relaciones igualitarias y la responsabilidad de las administraciones públicas para evitar la inestabilidad de los niños, principales víctimas de la transición cultural.

Los estamentos que forman la familia, padre, madre, hijos, son brillantemente descritos por Luis Rojas Marcos en *La pareja rota*. Se refiere a ellos con títulos tan significativos como

«La buena madre», «El hambre de padre», «El poder de nuestros niños».

Por otra parte, convendría tener en cuenta que, si cada vez hay más madres que viven solas con sus hijas e hijos, de la misma manera cada vez hay más hijos de padres divorciados, experiencias comunales, hombres solos que cuidan a sus hijos o parejas en las que ambos trabajan y surge la posibilidad de nuevos modelos psíquicos.

Las mujeres desarrollan unas «antenas afectivas» que les alertan sobre las necesidades de los demás. Las madres preparan a sus hijas para que sean afectivamente generosas —asumiendo su rol femenino— y les aconsejan que no sean egoístas. Las hijas, a su vez, advierten que las relaciones entre sus padres son desiguales, y poco a poco descubren las huellas de la insatisfacción afectiva de su madre, más o menos confesada, que desea de su padre cosas que no recibe. La ausencia y presencia del padre influyen en la atmósfera afectiva, ya que cuando está en casa es el centro de atención de la madre. Cuando la niña empieza a separarse de la madre e intenta acercarse a él, reclamando su atención, la disponibilidad del padre se verá restringida por las exigencias derivadas de su rol social. El vínculo con él, que tiene sus propias limitaciones, afectará a sus relaciones futuras con los hombres.

El niño, al identificarse con su padre por pertenecer al mismo sexo, deberá disociar su mundo del de su madre, el mundo de las mujeres, y excluirá de sí lo femenino, acentuando así la diferencia radical respecto a su madre. Esta escisión de la psicología masculina se hace más profunda en la adolescencia, cuando el joven tiene que comportarse de una manera determinada para ser aceptado por sus iguales. Ser como su padre supone negar aquellos aspectos que le asemejan a su madre, pero curiosamente puede seguir confiando en su apoyo y cuidado. De hecho, la madre es quien mejor satisface sus necesidades afectivas, de tal manera que parece no tener ningún tipo de dependencia.

Siempre se ha dicho que el hombre fuerte es aquel que no es dependiente, y siempre se ha entendido que los hombres son fuertes por definición: procuran el sustento, protegen a los suyos y tienen pocas necesidades emocionales. No deben, pues, mostrar su vulnerabilidad, ya que ésta implicaría debilidad. Durante mucho tiempo las mujeres han contribuido a la perpetuación de este mito por tratarse del tipo de hombre que les da seguridad, pero lo cierto es que sólo ante una mujer pueden los hombres mostrar su vulnerabilidad afectiva, es decir, la otra parte de sí mismos. En el contacto íntimo se despojan de algunas defensas que han desarrollado muy pronto y que no sólo forman parte de su vida, sino que las necesitan para desenvolverse en el mundo. Ser educado como un chico implica ser coartado en las relaciones afectivas, pero reconocer su dependencia es reconocer que las mujeres también tienen poder... y eso no puede ser. Aunque no lo admitan, dependen de las mujeres de una manera material y emocional.

Así pues, inseguridad, falta de identidad, idealización, dependencia y miedo a la intimidad, recorren nuestra historia y nuestras biografías, y desde luego razones existen para que así sea. Razones que se remontan al origen de la sociedad patriarcal, que postula la discriminación y que ha procurado la interiorización de la desigualdad y de la subvaloración. No voy a tratar exhaustivamente el tema, pero sí me interesa apuntar algunas cuestiones que explican esa angustia que en ocasiones llega a inmovilizarnos mental y hasta físicamente, o que, como mínimo nos produce inseguridades respecto al camino elegido, insatisfacciones y desencuentros.

Si, por ejemplo, nos abandona alguien a quien amamos, se puede desencadenar en nosotros el mecanismo de ansiedad infantil, por el cual la desolación y la pena que causa esta pérdida se convierte en un terror inexplicable y tan intenso como la angustia que siente un niño ante la amenaza de soledad y el abandono. Por supuesto, cuanto más fuerte sea nuestro ego, en mejores condiciones estaremos para afrontar los ataques de inseguridad; y cuanto más débil sea, más fácil resultará volver las situaciones en contra nuestra, ya que buena parte de la angustia proviene de la incapacidad de conocer el mundo en el que nos encontramos, de no saber orientar nuesta propia existencia.

En la medida en que las mujeres se convirtieron en protectoras, no aprendieron a desarrollar un núcleo central fuerte o un ego autónomo; más bien interiorizaron su obligación de agradar y el sentido de que su identidad dependía de una relación constante con los demás. Incluso hoy, cuando ya no es necesario mantener la división del trabajo, las mujeres cultivan su generosidad característica. Si una mujer decide reducir sus niveles de acceso a los demás, se la califica como fría, egoísta o poco femenina. Se la mide y juzga espiritualmente por su generosidad y empatía, y físicamente por su atractivo y accesibilidad. De hecho, la mayoría de las personas han crecido con la creencia de que la accesibilidad de la madre es algo seguro: su mente, su cuerpo, su atención y su espacio están al servicio de los demás, por tanto no dan ninguna importancia al hecho de distraer su concentración o al imposibilitarles gozar de la soledad.

Es frecuente que los pensamientos de las madres se concentren en su preocupación por los demás o en la culpa que sienten por algo que no han hecho suficientemente bien. De hecho, las mujeres siempre han creído que se las amaba por su disponibilidad para los demás, confundiendo así el amor con la necesidad. Se explica de este modo la soledad profunda que sienten —que a veces les lleva a la depresión— cuando se han dedicado en exclusiva a su familia y ésta ya no precisa de su esfuerzo cotidiano. El sentimiento de vacío que tienen por no haber construido una vida propia es inmenso. Incluso las mujeres que desde el punto de vista intelectual se han ocupado de sí mismas, emocionalmente no siempre lo han hecho. Deberíamos aprender a combinar la autonomía que antes se atribuía sólo a los hombres con la compasión que históricamente han cultivado las mujeres. Fomentar la atracción erótico-sentimental de las personas trabajando los aspectos masculinos y femeninos. Las relaciones amorosas se cimentarían desde la igualdad y desde la interdependencia.

Aunque las cosas se hayan modificado algo porque cada vez hay más mujeres que trabajan fuera de casa y más padres que se involucran en la crianza de los hijos, la mayoría de los niños siguen teniendo la figura femenina como referencia primordial. Sin duda, la maternidad compartida representa un avance importante, aunque no conlleve automáticamente un cambio en las relaciones de poder. Supone una serie de ventajas, entre ellas que proporciona la oportunidad de unas relaciones más igualitarias, nuevos modelos de socialización que pueden romper la percepción infantil del carácter perfectamente diferenciado por géneros y libera a las madres de serlo a tiempo completo, permitiendo a los hombres un mayor acceso a los hijos.

Se podría aventurar que si el trabajo de cuidar y educar a los niños fuera equitativamente compartido por ambos, si el lazo con los hijos fuera igual en ambos casos y la separación afectara a los dos en la misma medida, tal vez podría ajustarse el gran desequilibrio cultural existente. Quizás ya no se volverían contra la madre, no sentirían la necesidad de engrandecer a los hombres mientras se empequeñecen a sí mismas. Por contra, podrían sentirse auténticas, vivirían su propia subjetividad y asumirían su plenitud.

Creo que mayoritariamente coincidiríamos en que la solución del problema depende de la educación, del aprendizaje desde el inicio de la vida, cuando comienzan a asimilarse los modelos y los roles. Al menos así pensamos quienes entendemos que como seres humanos tenemos la capacidad de cambiar las condiciones de nuestras vidas y que es preciso hacerlo si queremos plantearnos un nuevo enfoque psicológico de los niños y las niñas. Y una forma posible de eliminar los estereotipos e ideas sobre el papel sexual desde la misma infancia es crear un ambiente en el que participen el padre y la madre por igual, quienes además han de ser capaces de afrontar la crianza sin esperar que el hijo o la hija llene un vacío en sus vidas, ni que resuelva su propia insatisfacción. Para renegociar el «contrato» de la familia heterosexual, es preciso compartir plenamente la paternidad.

Establecer un nuevo equilibrio que permita a hombres y mujeres participar al mismo tiempo en el mundo interno del hogar y en el mundo exterior. En definitiva, no es sólo que se compartan la maternidad y las responsabilidades familiares, sino que al interconectarse las esferas pública y privada todo cambia.

Si el niño recibe atenciones del padre y de la madre, existen dos personas fundamentales en su mundo y en su bienestar, y compartirá con ambos aspectos de su personalidad. En cuanto a la niña, observará que tanto su padre como su madre salen al mundo exterior y regresan a casa, con lo que será testigo de la capacidad de la mujer para ser independiente. Al empezar a identificarse con su madre en razón del sexo que comparten, comprobará que es posible que ocurran cosas en su propia vida. Verá el mundo fuera del hogar como un espacio al que tendrá acceso, de la misma manera que su madre, y no aprenderá a relegar sus necesidades. Crecerá, pues, sabiendo que puede desarrollarse de la manera más completa y autónoma, y será capaz de disfrutar de su cuerpo.

Las mujeres y los hombres serán interdependientes, capaces de ofrecer ayuda y de recibir amor y atención. Nos podremos sentir verdaderamente autónomos al admitir, como un hecho natural de la vida humana, la necesidad que tenemos de los demás.

Pero como no resulta posible forzar el cambio psicológico, necesitaremos una estructura y una atmósfera que permitan superar las resistencias y dificultades con que tropezamos, teniendo en cuenta que la familia nuclear, la familia tradicional, cuenta todavía con muchos apoyos. De ahí la necesidad de un nuevo contrato social entre hombres y mujeres.

## ABRIR NUESTRAS MENTES

Decía antes que las mujeres deberíamos pensarnos como seres libres y abrir nuestras mentes. Para ello parece importante rechazar las imágenes negativas de nosotras mismas, imágenes de autoinmolación, dependencia, impotencia y pasividad que han definido la forma en que las mujeres contemplan su cuerpo, su femineidad, su relación con los hombres, los hijos, el poder, la creatividad y el trabajo. Para abandonar los modelos negativos y dar cabida a los nuevos, además del tránsito solitario, individual, hay también un trabajo y un esfuerzo colectivo. En efecto, las investigaciones, reflexiones propuestas y compromisos surgidos del feminismo nos proporcionan distintas perspectivas para vernos de otra forma para asumir la autonomía y, por qué no, la soledad, entendiéndola como una elección y no como una imposición o un castigo.

El camino, lógicamente, no es siempre recto, sino más bien sinuoso. Entre otras razones, porque se ponen en funcionamiento las resistencias interiores que nos han proporcionado los modelos tradicionales y que en muchas ocasiones han actuado en contra de —o han ido mermando— nuestra salud emocional. Otro obstáculo importante es nuestra propia dificultad para aceptar el cambio, por el temor e incluso la angustia ante lo desconocido. De ahí la importancia de acumular el valor suficiente para enfrentarnos a las fuerzas internas y externas que se interponen en el camino. Para ello son imprescindibles el convencimiento, la decisión, el compromiso y buenas dosis de autoestima, porque tampoco podemos olvidar lo fácil que resulta despojar a las mujeres de su autoestima; a veces es suficiente una mirada oblicua o un comentario para hacernos perder las ganas de luchar contracorriente. En cualquier caso, parece claro que sólo cuando una mujer se respeta a sí misma puede aspirar y obtener el respeto de los demás, porque difícilmente van a creer en algo en lo que ni una misma cree.

En conclusión, suscribimos la frase atribuida a Wittgenstein, «Mejorarte a ti mismo es lo mejor que puedes hacer para mejorar el mundo».

Creo que la curiosidad, que aumenta inevitablemente con el conocimiento, es también una buena fuente de placer para la mente. Quizás por eso la mitología recoge los castigos ejemplares que se imponen a aquellos que quieren saber demasiado, de la misma manera que se ha venido rechazando o vetando a las mujeres el acceso a la educación y al conocimiento. Nuestro destino ha estado vinculado, salvo excepciones, a la aguja y no a la pluma. No convenía que supiéramos mucho, ni que desarrolláramos un espíritu crítico. Mantenernos en la ignorancia suponía mantenernos en nuestro papel tradicional. Todavía, en muchos entornos se recomienda a las mujeres que no exhiban sus conocimientos porque, si así lo hacen, los hombres huirán de ellas.

Yo, por ejemplo, siento una gran curiosidad por saber, descubrir cómo podríamos llegar a ser las mujeres si, en lugar de preocuparnos y ocuparnos tanto de los hombres para intentar conseguir que cuiden de nosotras, que nos amen, dedicásemos tales energías a cuidar de nosotras mismas, a alcanzar la serenidad y el equilibrio. ¿Por qué no invertimos más tiempo en aprender a estar solas, tarea fructífera en todos los sentidos? Si aprendemos a sentirnos a gusto con nosotras mismas, estableceremos las relaciones con los demás desde la independencia y no desde la dependencia, que nunca es beneficiosa y genera ansiedad.

En la línea de abrir nuestras mentes deberíamos desarrollar la capacidad de soñar, que sin duda es una hermosa manera de plasmar metas y enderezar nuestras energías para que esos sueños se conviertan en realidad. Como dice el proverbio aborigen, «quienes pierden la capacidad de soñar están perdidos». Y cuando hablamos de sueños, no nos estamos refiriendo al príncipe azul o el amor romántico, sino a la construcción de nuestra propia vida, sin delegar responsabilidades, porque si renuncias a las responsabilidades y los esfuerzos estás renunciando también a la satisfacción que conlleva su logro.

También necesitamos soñar porque, al haber interiorizado los fracasos, a menudo caemos en una crisis psicológica y tendemos a negarnos a nosotras mismas, como consecuencia de la subvaloración social de lo femenino. A pesar de nuestros éxitos parciales, desconfiamos de nuestras propias fuerzas, dudamos de nosotras mismas e incluso llegamos a detestarnos; nos entra el miedo a actuar. Sin embargo, si somos mínimamente lúcidas, nos daremos cuenta de nuestros recursos y capacidades, y de que debemos tener confianza porque ésta nos fortalece, nos da energía, nos hace más poderosas y se contagia; también se contagia la inseguridad. Debemos recordar siempre que el deseo mueve el mundo, que el deseo intenso es una fuente de energía que ayuda considerablemente a la realización de los proyectos, porque nuestros móviles conscientes sólo son una parte de nuestros móviles; por esa razón el primer paso debe ser saber dónde se encuentra. Al mismo tiempo, esto supone atreverse a elegir, y ante el temor a equivocarnos o a no sentirnos capaces de realizarlo, nos inventamos mil excusas para responsabilizar a los demás de nuestra situación, de nuestros problemas, esperando que la solución venga del exterior. Desde luego, resulta más interesante guiarse por la intuición, por el corazón, y combinar alternativas hasta llegar a desarrollar inducciones propias.

Es preciso no perder el sentido del humor y reír a menudo, ya que la risa auténtica, espontánea, puede ser como un destello de lucidez que involucra a toda la persona. Sabido es que la risa es una facultad exclusiva de los seres humanos, y por eso en muchas culturas se entiende como un signo de salud, equilibrio y autoaceptación.

## JUVENTUD, BELLEZA Y AUTOESTIMA

Y si hablamos de autoestima, no podemos eludir su relación con la juventud y la belleza. Sin duda, la valoración de la belleza y la juventud no es la misma para hombres y mujeres; su presencia o carencia repercuten interna y externamente de manera diferente, a pesar de la promoción que en la actualidad se realiza de la belleza masculina. La belleza sigue siendo, pues, facultativa para los hombres y estratégica para las mujeres, cuyas «imperfecciones» físicas les influyen más psicológicamente que a los hombres. Y no es de extrañar, entre otras razones porque la apariencia física de las mujeres sigue ocupando un lugar preeminente; dicho de otra manera, los hombres valoran y se sienten atraídos poderosamente por la apariencia y, sin embargo, para conquistar a las mujeres tienen a su disposición múltiples recursos o medios que pueden compensar su carencia de atractivo físico: riqueza, estatus, prestigio, inteligencia, poder, humor... Por otra parte, la belleza o el atractivo sexual son percibidos como poco compatibles con la autoridad, la competencia y el liderazgo. Ir acompañado de una mujer joven y bella revaloriza al hombre, pero no resulta igual cuando es la mujer la que va acompañada de un hombre joven y guapo.

En *El sentido de la vista* (*Ways of seeing*), obra en la que John Berger analiza la exhibición de mujeres a lo largo de la historia de la pintura europea, sostiene que las mujeres han llegado a verse a sí mismas como algo para ser mirado. Dirigidas a un espectador imaginario, son pinturas que representan la sumisión, la accesibilidad y la disponibilidad. Para la mujer, la belleza física ha sido siempre una meta en sí. No suele disfrutar de sí misma a través de su cuerpo, sino que se esfuerza para intentar complacer a los demás, ya que se percibe a través de los otros y depende de la aprobación de ellos su propia aprobación.

A pesar de todo, y afortunadamente, se ha roto la idea de que belleza e inteligencia son cualidades que no pueden coincidir en una mujer. En palabras de Gilles Lipovetsky, se ha abolido la vieja antinomia de la belleza femenina y el trabajo, del narcisismo estético y la actividad productiva. Las mujeres quieren ser autónomas económicamente y atractivas, iguales en el plano profesional pero diferentes en el estético. Como en tantos otros aspectos, el feminismo evidenció que a las mujeres no se nos juzgaba por nuestras ideas y capacidades, sino por nuestra apariencia.

En nuestro siglo, la belleza no sólo se democratiza a través de la publicidad, el cine y las revistas, sino que se difunde la idea de que está al alcance de todos. Ya no se acepta la fatalidad, la belleza como regalo de los dioses, sino que constituye algo apropiable. El cuerpo se considera como un objeto que merece un trabajo, un esfuerzo constante. En una portada de la revista *Vogue* de 1968 se decía: «La belleza es libre.» Sin embargo, da lugar a determinadas tiranías y produce víctimas —basta pensar en el triste y cada vez más extendido fenómeno de la anorexia—, hasta el punto de que muchas feministas la analizan como un medio de opresión. En esta línea, Naomi Wolf denuncia la función política que se esconde tras los estrictos códigos de belleza, que consiguen devaluar la propia imagen de esta manera. Ansiosas y acomplejadas, muchas mujeres reducen su combatividad y sus ambiciones y se esfuerzan en transformar su apariencia para adaptarse al mundo en lugar de cambiarlo, perpetuando así la hegemonía masculina y la sumisión femenina.

Según las especialistas, existe una marcada correlación entre la autoimagen física y la autoestima, mientras que esa correspondencia no se establece entre el atractivo físico real —es decir, cómo te ven los demás— y el grado de safisfacción con uno mismo. En general, los hombres tienden a mostrarse más satisfechos con su aspecto físico que las mujeres con el suyo, así como a considerarse más cerca de la imagen ideal o simplemente no se preocupan. Sobre esta cuestión, Naomi Wolf señala que de los estudios realizados se concluye que mientras las mujeres distorsionan negativamente su cuerpo, los hombres también pero en sentido positivo. No debe sorprendernos, pues, que en una cultura que considera superiores a los hombres la mayoría de ellos resulten aceptables independientemente de su físico, mientras que no ocurre lo mismo en el caso de las mujeres.

La opinión global que tenemos sobre nosotras mismas se relaciona necesariamente con nuestra autoimagen, por muchos esfuerzos que hagamos para modificar nuestro aspecto (cirugía, dietas, etc.). Como en otras ocasiones, Gloria Steinem propone ayudar a niños y niñas a comprender que poseen una belleza única y personal, para que de este modo puedan interiorizar el derecho a decidir lo que es bello en vez de atribuirlo a un agente colectivo externo. Si no hemos logrado solucionar esto en nuestra infancia, deberíamos intentar sustituir nuestra autoimagen mental negativa, averiguando en qué momento y por qué se formó, qué elementos nos hicieron creer que era inaceptable.

Modificar nuestro cuerpo podrá contribuir a congraciarnos con nosotras mismas, sobre todo si constituye una respuesta a la búsqueda de un placer personal más que una respuesta a las presiones. En cualquier caso, sería magnífico que nos sintiéramos a gusto con nuestro cuerpo desde el primer momento, que pudiéramos consolidar la libertad de elección frente a la coacción, una belleza más amplia frente a una más restrictiva. Recuerdo a menudo a la obesa y vitalista protagonista de la película *Bagdad Café* como la imagen de una mujer que, tras abandonar a su marido en medio del desierto californiano, va embelleciéndose paulatinamente y embelleciendo el hosco y polvoriento contexto en el que se instala, y va mejorando la calidad de las relaciones humanas de unas personas instaladas en la marginalidad, que van transformando no sólo un aspecto físico sino una actitud ante la vida. Muchas mujeres han ignorado su yo físico, refugiándose en el intelecto, intentando derrotar los imperativos culturales. ¿Qué se han perdido estas y otras mujeres que, estando satisfechas con su cuerpo, han actuado como si se avergonzaran de él, como si se tratara de un tributo a pagar por vivir en una cultura que ha utilizado el cuerpo femenino como fetiche, como reclamo para fines consumistas?

Igualmente, sería magnífico que el cuerpo de la mujer no estuviera sujeto a un escrutinio más minucioso que el de los hombres, tanto en la vida pública como privada. Según Naomi Wolf, «cuando una mujer se otorga a sí misma y a las demás permiso para comer, ser sexual, envejecer, llevar tejanos, una diadema de bisutería, un vestido de Balenciaga, una capa de noche de segunda mano o botas de soldado, taparse entera o ir medio desnuda, hacer cuanto se le antoje respecto a seguir o ignorar una visión estética, es que ha triunfado.» Una mujer gana cuando decide que lo que cada uno haga con su propio cuerpo es exclusivamente asunto suyo.

En cuanto a la asociación belleza-juventud, la conquista de nuevos espacios de poder ha tenido un doble resultado: el aumento del límite de edad dentro del cual se considera a una mujer bella y la mayor inclinación de los hombres por las mujeres niñas (cuya variante psicopatológica es la pornografía infantil).

Mientras que las mujeres envejecen, los hombres maduran. Y esta concepción hace que muchas mujeres, cuando han adquirido experiencia y autoridad, cuando se encuentran próximas a los espacios reales de poder, se vean discriminadas y, por tanto, se derroche su experiencia. Todos hemos escuchado alguna vez la frase «es ya un poco mayor» referida a mujeres en una edad considerada de plenitud en el caso de los hombres. En determinados ámbitos, ello puede contribuir a la no consolidación de liderazgos y modelos.

Durante la madurez, al menos teóricamente, las personas ponemos en práctica todo lo que hemos ido acumulando y aprendiendo en la juventud. Es el momento de hacer balance entre el ideal del yo y el yo. Nos preocupa envejecer, cambiar nuestra manera de vivir, iniciar una nueva etapa. Pero el truco está, por decirlo coloquialmente, en no encerrarnos en lamentaciones inútiles, no paralizarnos, no llorar por situaciones pasadas que ya no podemos recuperar ni transformar.

En la actualidad, la ciencia, al alargar la expectativa de vida y combatir los signos de envejecimiento, ha posibilitado una peligrosa homogeneización. ¿Se pueden borrar las diferencias generacionales? Es archisabido que los mensajes hacen referencia constantemente a los modelos juveniles. El mundo es de los jóvenes. Resulta estupendo sentirse joven, estar físicamente lo mejor posible, pero el problema surge cuando esto nos hace variar la dirección de nuestro crecimiento, si intentamos volver hacia atrás en lugar de querer ir hacia adelante. Si nos convertimos en personas inmaduras por querer competir en un terreno en el que nunca vamos a ganar por mucho que nos esforcemos, estamos dejando pasar la oportunidad de madurar que nos ofrece la vida. Personalmente sentí una especie de alivio cuando pensé que era ya una señora. Siempre he dicho que el transcurso del tiempo permite, además de poder gozar de una mayor libertad, una ventaja: llegar a ser más sabia, lo cual también se relaciona con la belleza y la bondad. Nuestra actitud interna, el afrontar la vida con un determinado talante, es un buen antídoto contra los efectos negativos del envejecimiento.

En la vida hay que atreverse, aceptar las nuevas propuestas e incorporar otras experiencias, descubrir y aprovechar lo que cada etapa nos brinda. Sinceramente, ahora no me gustaría retroceder en el tiempo, volver a recorrer el camino. Como decía una amiga mía, ¡qué pereza!, volver a tener una parte del cerebro absorbida por el sexo, ahora que vivo con una actitud más relajada, dándole la bienvenida si llega, pero sin obsesión. Podemos así lograr el equilibrio y la armonía. El éxito en esta tarea dependerá en gran medida de la buena relación que tengamos con nosotros mismos.

## LAS REGLAS DEL JUEGO

En su magnífico libro *Tiempo de feminismo*, nos cuenta Celia Amorós que Lévi-Strauss, ante la propuesta de ingreso de Marguerite Yourcenar en la Academia de la Lengua Francesa, se opuso sentenciando: «No se cambian las reglas de la tribu.» El feminismo replicaría esta actitud, y con razón. Las reglas de nuestra tribu consisten, precisamente, en que estas mismas reglas están sujetas a revisión, crítica y debate, y a ellas se aplica lo que Savater llama la «perspectiva civilizatoria»: las reglas de todas las tribus están en cuestión; no se puede en rigor argumentar que «no se cambian las reglas de la tribu». Las mujeres queremos cambiar esas reglas que resultan oprimentes y discriminatorias, proponiendo la alianza del feminismo, que ha de asumir el reto de la multiculturalidad, con «una cultura de razones», concluye Celia Amorós.

¿Qué reglas de juego estableceríamos las mujeres? Ésta es una cuestión que nos preocupa y que tiene también una especial relevancia respecto al poder. El poder es una pasión humana que la tradición filosófica ha descrito como *libido dominandi*, esto es, amor a la gloria, deseo de honores y de renombre, y este deseo de consideración social ya no pertenece en exclusiva a los hombres. Parece claro que a las mujeres el poder nos resulta extraño porque históricamente hemos sido excluidas de él; lo que hemos practicado es la influencia, el poder indirecto. Dada la falta de experiencia y referentes, incluso existen dudas de que, en caso de ejercerlo, lo hagamos de manera diferente a los hombres. Es opinión bastante extendida que las mujeres queremos ocupar puestos de poder para transformar la sociedad o, al menos, para «hacer cosas» y no tanto por el propio poder.

Resulta obvio que tenemos derecho a compartir el poder; es una cuestión de justicia. Sin dejar de visualizar la subordinación de las mujeres ni abandonar la vindicación, debemos seguir reflexionando y plantearnos nuestras propias estrategias porque, aparte del reducidísimo número de mujeres que alcanzan posiciones de poder, no nos hemos librado de lo emblemático ni de la trivialización que se cierne sobre nosotras cuando estamos en política.

Los obstáculos que encontramos en el acceso al poder, magníficamente expuestos por Amelia Valcárcel, nos impulsan por una parte a pactar entre nosotras y, por otra, a plantearnos qué podemos aportar, sin caer en el esencialismo y el naturalismo. Sólo hará falta mirar a nuestro alrededor para llegar a la conclusión de que los hombres, por su mera condición, no son un modelo a seguir aunque sin duda haya hombres admirables. Una cosa es aspirar a la emancipación y otra, muy distinta, es la imitación pura y simple de los que hoy se nos presentan como valores del varón, nada más lejos, como dice Raquel Osborne, de un feminismo que se pretende renovador y que intenta contribuir al alumbramiento de una nueva concepción del varón, de la mujer y de la relación entre ambos.

No voy a entrar en la polémica entre las partidarias del llamado feminismo de la igualdad y el feminismo de la diferencia, de la ética del cuidado y la ética de la justicia. Doctoras tiene la Iglesia. Desde luego, yo no creo en el todo vale. Tengo claro que no vamos a renunciar al ideal de justicia, pero que éste se puede complementar, que se puede apostar por una sociedad que acepte otras formas de mirar y, en consecuencia, otras formas de actuar. Complementariedad deseable y posible si huimos del esencialismo. Esto nos lleva a la debatida cuestión de los valores.

Sobre este tema, Victoria Camps propone transformar la manera de hacer política, la dicotomía entre lo público y lo privado, tanto para que la actividad política sea más compatible con las actividades de la vida privada, como para que la vida pública suavice alguna de sus formas y manifestaciones. Estima, junto a otras muchas mujeres, que virtudes o cualidades como la ternura, la compasión, la renuncia e incluso un cierto sentimiento de culpabilidad no vendrían mal a una sociedad cuyos dirigentes tienden inevitablemente a la prepotencia y a la arrogancia, sin recibir ninguna savia que diluya su machismo. Las mujeres podemos llegar a tener más credibilidad porque solemos ser más críticas con el poder, ya que sólo excepcionalmente lo hemos detentado. En tanto que *outsiders*, podemos observar mejor los vicios de la política, su hermetismo, la conquista del poder por el poder. No creo que, como consecuencia de ello, tengamos que asumir la tarea de redimir a la humanidad; más bien creo que la ventaja es que nos vamos a sentir más cómodas, menos extrañas en el poder y en la vida pública en general, si la ajustamos a las cualidades femeninas, sin perder nunca el respeto y la dignidad hacia nosotras mismas, sin perder el sentido de la orientación o corrigiéndolo cuando las circunstancias cambian. De esta manera, como diría Verena Stolcke, procuramos evitar la confusión entre igualdad e identidad.

Ann Kaplan nos plantea superar unos modelos lingüísticos y culturales que están muy arraigados y que ponen de manifiesto la oposición masculino/femenino: dominante/sumiso; activo/pasivo; naturaleza/civilización; orden/caos; matriarcal/ patriarcal. Es preciso reflexionar acerca del modo en que podemos trascender una polaridad que no nos ha traído sino sufrimiento.

Estoy de acuerdo con la propuesta de Marina Subirats de cambiar las reglas del juego, de modo que aquello que fue negado pueda reaparecer, pero esta vez no ya como una manera de inferioridad sino precisamente como una posibilidad a universalizar, es decir una posibilidad que pueda ser asumida y abra horizontes a todos los individuos, cualquiera que sea su pertenencia a un grupo.

Al plantearnos estrategias, dentro de una alternativa globalizadora tendremos que referirnos a la palabra, al lenguaje como herramienta de cambio. Marguerite Duras sugirió el silencio como estrategia, ya que el arma principal de opresión ha sido siempre el lenguaje dominado por los hombres; el silencio, pues, se convierte paradójicamente en un medio de entrar en la cultura, un hueco, una fisura por la que es posible la transformación. Para Duras, esa política no deja a las mujeres en una posición negativa, porque el silencio constituye una actitud positiva y liberadora. Pero, como dice Kaplan, es peligroso aceptar la exclusión de las mujeres de lo simbólico, ya que dicha esfera incluye grandes e importantes áreas de la vida. Y porque además Duras deja sin resolver de qué forma las mujeres obtendrán ese acceso a lo simbólico a través del silencio, lo cual parece más una estrategia provisional y desesperada que una política orientada a encontrar un lugar en la cultura.

No voy a referirme a las influencias de Lacan sobre el feminismo y el lenguaje, pero parece claro que no podemos permanecer calladas, fuera del proceso histórico. Sabemos, por Emilio Lledó entre otros, de la importancia de la palabra, de nuestra voz y del lenguaje, y podremos poseer nuestro propio discurso en la medida en que empecemos o continuemos planteándonos preguntas.

La resignificación del lenguaje ya fue utilizada por nuestras antecesoras tras la Revolución francesa. Eran el Tercer Estado dentro del Tercer Estado y ésta es una propuesta que todavía tiene vigencia ya no tanto por la invisibilidad de la mujer en el lenguaje, que se extendía, hasta hace poco, al modo de nombrar títulos académicos y profesiones como por la manera en que habitualmente se hace referencia a los hombres y las mujeres que desempeñan una misma tarea. Celia Amorós comenta que de una mujer no se dice nunca que es carismática, sino simpática, lo cual implica que en el caso de los hombres el poder se legitima por el carisma y no tiene que avalarse por el mérito, cosa que no pasa con las mujeres.

Otra cuestión que afecta a las mujeres, aunque en un número reducido, es que se sientan culpables de ganar, de alcanzar el éxito; que sientan que se les exige pedir perdón por él y que los demás están esperando su fracaso. La raíz de este síndrome sigue en el mismo sitio: los roles tradicionales, la carencia de modelos y la falta de autoestima están tan presentes que las mujeres renuncian, llegan a destruir o infravaloran sus propios logros.

Por eso, como ya hemos dicho, debemos hacer lo posible para adquirir una mayor confianza en nosotras mismas y en nuestras causas. Nos dejamos seducir con facilidad por la renuncia y sabemos que, en muchas ocasiones, se ha intentado empequeñecer a las mujeres mediante la seducción o el rechazo, convirtiéndolas en presas de los juegos bélicos masculinos. A pesar de nuestros éxitos parciales, desconfiamos de nuestras propias fuerzas ya que nuestra condición secundaria en la historia nos ha dejado un legado claro: dudar de nosotras mismas cuando no cumplimos con la función asignada.

Se afirma que la mujer tiene el éxito como signo de posible pérdida de la femineidad, debido a que para llegar a él se exige una conducta competitiva que la propia sociedad se ha encargado de desprestigiar en las mujeres.

A veces nos desanimamos y decidimos renunciar. Creo que, así como a la mayoría de los hombres el conflicto les estimula y les excita, a nosotras, en la mayor parte de los casos, no. La obtención de un estatus nos motiva de manera diferente a los hombres, y las consecuencias del poder para nosotras y nuestro entorno son también diferentes. Por eso, y por dificultades reales y obvias, desistimos a partir de un determinado nivel; por eso nuestra ambición es más limitada o más dispersa, sin olvidar que las mujeres que tienen posibilidad de elegir no son precisamente muchas. ¿Realmente, como dice Lipovetsky, nos interesa más la seducción que la competición? No creo que ésta sea la disyuntiva.

¿Tendremos que practicar estrategias de supervivencia, aunque sea metafóricamente, como Sherezade, que sobrevivió contando cuentos y haciendo el amor? ¿O tejiendo y destejiendo, como Penélope? No creo. ¿Cómo podemos alcanzar nuestros objetivos, teniendo en cuenta que las batallas modernas se ganan con ideas y sin olvidar el rechazo a todo lo que vaya en detrimento de la paridad? Harriet Rubin, en su *Maquiavelo para mujeres*, plantea algunas tácticas y ritos de acción que sustrae de comportamientos y actitudes de personajes excelsos, como Gandhi, Juana de Arco o Mandela. En sus páginas plantea que para conseguir lo que se quiere hay que ganar, pero como ganar es peligroso lo mejor es superar, que consiste en dominar al enemigo con gran estilo, como el atleta que consigue su mejor marca. Así, se pone el listón más alto y se motiva a todos, sin que los perdedores vean mermada su dignidad.

Abandonar la idea de represalia y practicar la *ahinsa*, término utilizado por Gandhi que significa negarse a causar daño a los demás. De Gandhi también se extrae la enseñanza de actuar «como si», ya que si actúas como si, se cumplirán enseguida tus deseos, puesto que los demás se convencen de que así es, de que el deseo manda. Él actuó como si los indios o hindúes tuvieran el poder, protegido por sus convicciones, mucho más fuertes que cualquier odio. En conclusión, no hay que actuar por venganza, sino destinar la energía a algo tangible para uno mismo.

Poner especial atención a los puntos débiles del enemigo, reducir el conflicto inherente a lo esencial y ver con claridad en qué consiste. La verdad, el arma más poderosa, nos hace libres, y aunque pienses que te puede hacer más vulnerable, es un síntoma de fortaleza, de convencimiento, continúa afirmando Harriet Rubin.

La clave de la estrategia, el arte del poder implícito, consiste en comprender el poder de los contrarios, si tenemos en cuenta que somos una combinación de características contrarias: ferocidad y ternura, flexibilidad y decisión. Se puede amar y luchar al mismo tiempo, y se puede cambiar de estilo de juego en plena batalla, porque para una luchadora, que ama y que combina ferocidad con amabilidad, la colaboración polémica surge de forma casi natural.

La meta, pues, es afirmarse una misma sin recurrir a la ira ni a la compasión, crear una atmósfera psicológica en la que no compararse con los demás sino con una misma, porque el objetivo no es sobrepasar a los otros sino desarrollarse plenamente; ampliar la vida, nuestro círculo y nuestra mente, ya que los límites no sólo dejan a los demás fuera; también nos encierran a nosotras mismas.

Más que la competencia, la autoestima y la excelencia nacen del entusiasmo asociado al hecho de aprender y de lograr ampliar los límites personales; del placer asociado a la ejecución de una tarea, de la satisfacción de cooperar con otras personas, apreciarlas y recibir su aprecio.

¿Qué tiene que ver todo esto con la mujeres solas? Somos mujeres y cuanta mayor autonomía consigamos las mujeres más fácil será que las relaciones tengan una mejor calidad, que el estar sola no se asimile a un castigo o a un fracaso, y que independencia y libertad no sean para las mujeres solas sinónimos de soledad y exclusión.

## EL DILEMA DE LA FEMINEIDAD. LAS ACTITUDES

En la sociedad compleja en que vivimos, parece como si todavía las mujeres levantáramos sospechas acerca de nuestro comportamiento, como si la femineidad continuara siendo un verdadero dilema. En algunas ocasiones pienso que deberíamos utilizar más la audacia, romper esquemas, desconcertar. No creo que debamos hacer un nuevo catecismo sobre lo que es o no correcto. ¿Cuál es el comportamiento adecuado? Que nos planteemos esta cuestión ya resulta significativo, porque los hombres no lo hacen. Sin embargo, no es asunto baladí, desde el momento en que muchas mujeres hemos hablado repetidas veces de ello. Podría contar sabrosas anécdotas, algunas lamentables, sobre cómo influyen el aspecto y el comportamiento —no estrictamente profesional— en la valoración profesional de las mujeres, y con qué facilidad se traspasan los ámbitos privados y públicos.

En *Hombres y mujeres*, Bernard-Henri Lévy cuenta a François Giroud la impresión que le produjo cuando la conoció personalmente, siendo ella ministra de Cultura: «Si hay temperamentos seductores usted es uno de ellos (...). El recuerdo de usted que he conservado de aquella noche es el del tipo mismo de la seductora. Lo conseguía con la sonrisa, con la mirada, con una atención extrema a los gestos (tanto a los suyos como a los de los demás), con coqueterías, una gama infinita de coqueterías. Y luego la forma de tranquilizar a su compañero, de acercarse a él, como para desmentir lo que la seducción había o habría podido significar. Todo esto es muy preciso en mi recuerdo. Lo mismo que la reflexión que me hice al despedirme: "Muy coqueta para hacer una carrera política en serio."» A esta impresión, ella contesta: «En suma, ¡estaba salvada! ¡Qué calvario la carrera política! Nunca la deseé, porque no me sentía dotada para la vida política que exige talentos muy particulares; pero, en cualquier caso, tiene usted razón: coquetería y seducción son obstáculos para una mujer dedicada a la política. Para librarse de ellos debe tener una cara maternal, por tanto tranquilizadora y, sobre todo, nada seductora (...). ¿Le hice un gran número de encanto? Debí hacerlo de forma espontánea (...). No hay nada más difícil que apreciar su propia seducción, sus propias armas, el uso que una hace de ella (...). En aquella época era amada por el hombre que me acompañaba.»

¿Podemos imaginar esta conversación si los sexos estuvieran cambiados? ¿Se hablaría así de un ministro? Y no porque no haya seductores, aunque Baudrillard afirme que si lo masculino se define por la producción, lo femenino no se define por la reproducción sino por la estrategia y el poder de seducción.

Frecuentemente, en los últimos tiempos se hace referencia a la ausencia de modelos y a la adopción de los patrones masculinos por parte de las mujeres cuando irrumpen en la esfera pública.

Se ha sostenido que las mujeres que acceden al poder se ven obligadas a funcionar con patrones masculinos, ya que todavía son endebles los modelos de recambio. Para Xavier Rubert de Ventós, el modelo hegemónico del político actual es el del neurótico macho.

Puesto que lo masculino está representado con mayor frecuencia en la sociedad, tanto en la realidad (política, ciencia, gestión) como en lo simbólico, es lógico —afirma Victoria Sau—

que se haya hecho más común y «familiar» a las gentes. Los estereotipos masculinos, además, son más favorables, pero incluso cuando no lo son, como en el caso de la agresividad, aparecen como buenos y necesarios en la medida en que están incorporados al prototipo. Que las mujeres se sientan presionadas a compararse y parecerse a los hombres tiene otras repercusiones: que no hay prototipo de femineidad al que tomar como modelo, pues el masculino subsume ambos sexos, y que los varones no gozan de permisividad para decantarse hacia rasgos femeninos, porque ello supondría dejar de ser el prototipo y éste no tiene a nadie por encima a quien parecerse.

La actitud autoritaria y agresiva, los comportamientos de dominación, tienen una resonancia negativa mayor en las mujeres, mientras que la especificidad del poder femenino en las organizaciones, dando preferencia a un modelo de gestión más democrático, puede dar lugar a un nuevo imaginario social.

Muchas veces se nos ha acusado de utilizar nuestras «armas de mujer» en el sentido más tradicional. En su momento, las feministas crearon y practicaron un código clásico de su modo de vestir que evitaba las supuestas «trampas» de la femineidad. Afortunadamente, las nuevas generaciones de feministas otorgan gran importancia a la expresión sexual en todas sus formas, rompiendo así dicho código y resaltando tanto el atractivo sexual como la estética propia de las mujeres.

Aunque esto atañe a todas las mujeres, incide especialmente en las mujeres sin pareja, que despiertan mayores especulaciones y suspicacias en torno a su vida privada, que pueden prevalecer sobre el empeño público o profesional. Nos referimos no sólo a nuestro aspecto físico, sino a la manifestación de nuestras emociones, la espontaneidad, la exteriorización de nuestra personalidad, en suma, el comportamiento. ¿Nos reprimimos?, ¿nos adecuamos? Personalmente, a lo largo de mi vida profesional, ante determinados ataques o reacciones que han producido en mí una mezcla de rabia y tristeza, una sensación de incomprensión, me he planteado cambiar, distanciarme y reprimir mi espontaneidad, para preservarme y que no me hicieran daño. Comentaba una profesora americana que, como mujer académica, había comprendido que expresar pasiones o emociones era considerado inapropiado, no profesional, porque la gente no suele sentirse cómoda cuando los sentimientos se exteriorizan. A menudo, el afecto, la espontaneidad, la comprensión y la flexibilidad se confunden con la debilidad, vulnerabilidad o inseguridad.

Hemos tenido que esforzarnos para cultivarnos internamente, desoyendo lo que se decía que se esperaba de nosotras. Por ejemplo, que para tener éxito en una sociedad como la nuestra las mujeres deben ser bonitas, jugar seguro, tener bajas expectativas profesionales, morir de amor, olvidar su trabajo, vivir a través de los otros y permanecer siempre en el lugar que se les ha asignado. Sin embargo, hemos avanzado mucho respecto a determinadas actitudes, que hoy generan menos extrañeza y provocan menos comentarios, al menos en determinados ámbitos.

Creo que los esfuerzos y las energías hay que invertirlos en cuestiones importantes, e importante es intentar ser mejor sin dejar de ser una misma. No creo que sea conveniente violentarse a una misma, prescindir del fundamental respeto a la particularidad.

En los juegos de poder, desafortunadamente, parece que todo vale, y la vulnerabilidad, la pretendida debilidad de las mujeres solas, los ataques relacionados con nuestra personalidad dan mucho de sí. Es entonces cuando, a falta de argumentos convincentes, surgen expresiones que no son sino ataques personales, del tipo: «¡Qué dura eres!», «No me extraña que no estés casada o que tu marido te dejara».

Hay mujeres que se imponen como disciplina ser frías e inaccesibles para transmitir una imagen de poder. Es frecuente oír consejos como éste: «Tienes que ser más distante, menos accesible, si no la gente no te respetará.» Pero incluso cuando nos comportamos «masculinamente» nos vemos atacadas por ello, más aún si tenemos razón. El ataque personal es entonces normal: se entra en nuestra intimidad porque en ella reside la inseguridad, donde somos más vulnerables. Hemos llorado de rabia ante este tipo de ataques, nos hemos sentido desoladas, como si lucháramos contra algo indescifrable, y a menudo hemos encontrado motivos para el desánimo.

Algunas veces se nos acusa de falta de seguridad en nosotras mismas. A mi amiga Ángeles su jefe le aconsejaba que aunque no estuviera completamente segura de sí misma actuara como si lo estuviese. Actuar con seguridad es un reto para las mujeres, que en general no han recibido el apoyo suficiente para demostrar sus conocimientos con confianza y para manifestarse orgullosas de sus habilidades y de su competencia profesional. En el ámbito profesional las mujeres tenemos que fabricarnos una coraza de autoconfianza, con muchas dudas y, en ocasiones, a partir de cero, es decir, sin pautas previas, enfrentándonos a las dificultades a medida que van surgiendo, arriesgándonos y buscando nuestras propias soluciones. Es un proceso difícil en el que además de la autorreflexión nos puede ayudar el intercambio de experiencias con otras mujeres.

Pero creo que hay otra cuestión que también nos atañe a las mujeres con o sin pareja, y es que nos resulta, al menos en las que yo conozco, muy complicado hablar con convencimiento de algo de lo que no estamos convencidas. ¿Somos menos cínicas y más honestas?, ¿tenemos por eso más credibilidad? Lo cierto es que sufrimos más si no actuamos de acuerdo con nuestras convicciones. Tal y como plantea Raquel Osborne respecto a las posturas que simplifican la realidad, se debe huir tanto de los estereotipos que sitúan a la mujer en un pedestal como de aquellos que la desprecian sin paliativos.

Con un claro sentido práctico, Gloria Steinem nos recomienda un método muy eficaz para contrastar nuestra visión de la realidad: la aplicación de analogías y, entre ellas, la que consiste en situar al grupo poderoso en el lugar de las personas privadas de poder. Y lo ejemplifica de la siguiente manera. «Cuando la prensa, al entrevistarme, prestaba más atención a mi estilo de vestir o a las razones de que no me hubiera casado, en vez de interesarse por mis ideas, tendía a sentirme culpable o a pensar que así eran sencillamente las cosas y nada podía hacer para evitarlo. Luego empecé a establecer para mis adentros un paralelismo con un hombre también soltero y exactamente de mi misma edad: Ralph Nader, el defensor de los consumidores. Cada vez que tenía una experiencia de este tipo, me decía: ¿le preguntarían a esa persona por qué no se ha casado?, ¿introducirían sus palabras con un comentario sobre su corte de pelo o el color de su traje? La respuesta solía ser negativa. A partir de entonces, empecé a sentirme menos culpable y a aprender mejor el trato discriminatorio que sufría. Esto me permitió ofrecer un argumento lógico para exigir un cambio de actitud a la prensa.» Personalmente creo, y así siempre lo he manifestado, que lo más grave es que esta actitud suponga la banalización de tu trabajo y de tu capacidad, así como de las personas que colaboran contigo.

Si una abandona sus propias cualidades, crea un personaje detrás del cual pueda protegerse de modo efectivo, sobre todo si está convencida de que es lo mejor, de que así se evita sufrir; pero si una lo hace por seguir una pauta, sin convencimiento, puede sufrir un traspiés y verse imposibilitada para recomponer la situación. Ante este dilema, algunas mujeres optan por no renunciar a ellas mismas ni ocultar sus cualidades femeninas, su estilo personal. Están convencidas de que la sensibilidad, la capacidad de dar apoyo, la colaboración para crear un buen ambiente de equipo y la habilidad para negociar una situación de resistencia en lugar de enfrentarse abiertamente a ella son, más que defectos, valores en alza.

No obstante, parece que tenemos que realizar grandes esfuerzos para ganarnos el respeto, que a veces resulta injustificadamente difícil. Es como si existiera una presunción negativa sobre nuestra capacidad, como si se esperara que cometiéramos un error que confirmara dicha presunción.

Deberíamos, pues, poner en práctica nuestra capacidad para negociar y ejercer la autoridad sin prepotencia, propiciando el cambio de impresiones y fomentando la cooperación. Ello puede entrañar riesgos e incomprensiones, pero creo que reporta más satisfacciones y contribuye a la humanización de las relaciones. Yo, personalmente, prefiero actuar así.

Algunas mujeres con un alto estatus profesional, sometidas a la presión que comportan las esferas de responsabilidad, pueden encontrar una serie de dificultades añadidas procedentes del comportamiento de los demás hacia ellas. Por ello consideran oportuno «blindarse» ante estas manifestaciones, volverse más herméticas y prudentes, sobre todo en esos momentos en los que realmente se siente la soledad: en la toma de decisiones importantes.

La fuerza de las mujeres, afirma Alain Touraine, no es sólo que pidan la igualdad de derechos, sino que quieran ser los agentes de la recomposición del mundo entre la subjetividad y la racionalidad, entre la vida profesional y la vida personal; es decir, desean un mundo más complejo donde se reintegre lo que ha sido desintegrado.

En pocas palabras, los entornos siguen siendo hostiles para las mujeres. Deben, pues, aprender a encajar el golpe cuando se trata de críticas justificadas y enmendar o corregir el error en el que hayan podido incurrir, y levantar los pies del suelo para que no nos afecten y valorar qué respuesta es más conveniente cuando éstas son injustificadas, arbitrarias o malintencionadas. En cualquier caso, lo mejor es manifestarse de la manera más próxima a nuestra personalidad. Ya lo decía Platón: «No conozco un camino seguro para el triunfo, pero sí un camino para el fracaso seguro: el querer complacer a todo el mundo.»

## LA SEXUALIDAD DE LAS MUJERES SOLAS

¿Cómo expresan las mujeres solas su sexualidad? Sabido es que el sexo forma parte de la raíz de nuestra existencia —decía Georges Bataille que «no hay alma elevada que planee por encima de la carne»—, y que en nuestra especie es casi imposible separar biología de cultura. Si contemplamos la sexualidad desde el punto de vista de las diferentes culturas, llegaremos a la conclusión de que no existe un sistema de valores sexuales que tenga validez universal ni un código moral que sea indiscutible, justo y aplicable a todos los seres humanos.

El sistema de valoración sexual en Occidente desciende de los hebreos, que formularon la idea de que el sexo sin procreación es ilícito y que, por tanto, sólo puede desarrollarse dentro del matrimonio, reforzando así la tendencia según la cual las represiones sexuales favorecen al varón y el cuerpo de la mujer se asocia al pecado, la tentación, la carne y la vergüenza (exhaustivamente representada mediante la imagen de Eva en el

Edén). La sexualidad femenina como algo oscuro y pecaminoso que debe ser controlado fue principio básico de la Iglesia primitiva y siguió vigente durante mucho tiempo. Por contra, la principal virtud en la mujer era la pureza sexual y el rechazo a la tentación.

Frente a estas creencias religiosas de alto componente represivo, los hindúes del tantra-yoga y los taoístas chinos descubrieron que el acto sexual, si se vive adecuadamente, es un medio extraordinario para desbloquear nuestras corazas psicológicas y nuestras ansiedades, y hacernos así más tolerantes y sociables, menos agresivos. Pero no sólo eso; los antiguos chinos transmitían las técnicas sexuales a través de rollos, novelas y pinturas eróticas, y las jóvenes las estudiaban como parte de su educación para encontrar el ambiente erótico que mejor liberara su propio *yin*, esencia que en las mujeres se consideraba inagotable a pesar de su apariencia tranquila. Se entendía que la fuerza del deseo de las mujeres era más profunda y más fuerte. La concepción positiva que el Tao tiene del carácter precioso del deseo femenino se evidencia en el lenguaje mismo utilizado para describir la anatomía de las mujeres, metáforas de gran belleza y arte. Dicha concepción no se limita a la antigua China; también entre los libros sagrados del hinduismo, el *Kamasutra* y la literatura tántrica, la sexualidad de las mujeres se considera sagrada. Su esencia erótica es beneficiosa para los hombres, siempre y cuando no se las fuerce —acto que se considera destructivo—, ya que la sensación de seguridad, confianza y y satisfacción prolongada de las mujeres es fundamental para el acto sexual.

Igualmente, el islam valora el deseo femenino, aunque en la actualidad el Corán sea también utilizado para justificar los más espantosos ataques a las mujeres. Lamentablemente, tampoco la antigua sabiduría china tiene que ver con la autonomía de las mujeres chinas, que se han visto sometidas a un sistema patriarcal extremadamente perjudicial para las mujeres y las niñas, como nos desvela el interesante libro sobre las diferentes formas de esclavitud y sometimiento de las investigadoras británicas Maria Jaschok y Suzanne Miers, *Mujeres y patriarcado chino* y, asimismo, la impresionante película *La linterna roja* de

Zhang Yimou, que nos descubre el mundo de placer y crueldad que supone el concubinato en la China contemporánea.

Pero volvamos a Occidente. «Sexualidad», como dice Foucault, es un término que aparece por primera vez en el siglo XIX con el significado que hoy tiene para nosotros. A finales del XVIII, con la extensión de la revolución industrial, se consagra la idea de que las mujeres son el sexo angélico y que sus deseos se centran en el tierno afecto, la maternidad y el matrimonio. Pero, afortunadamente, la revolución sexual desligó la sexualidad de la maternidad o, dicho de otra manera, frente a la idea de la unión inexorable de la sexualidad a la función reproductiva —rol principal y prácticamente exclusivo de toda mujer—, se reivindica el placer y el derecho al propio cuerpo. Florecen la homosexualidad femenina y masculina; se disuelve la escisión arcaica entre las mujeres virtuosas y las corrompidas o depravadas. La llamada por Giddens «sexualidad plástica» —una sexualidad descentrada, liberada de las necesidades de la reproducción— es crucial para la emancipación, implícita tanto en la pura relación como en la reivindicación del placer sexual por parte de las mujeres.

Sin duda alguna, la aparición de *Our bodies, ourselves. A book by and for women,* el Informe Hite y el Informe Kinsey, así como los estudios de Masters y Johnson, aportaron auténticas revelaciones sobre la sexualidad femenina, la masturbación, las relaciones homosexuales, las fantasías y las frustraciones. En efecto, desvelaron una realidad no sólo oculta sino frecuentemente manipulada por los expertos, con algunas excepciones, como la del médico inglés Havellock Ellis, que en 1899 afirmaba que la presunta asexualidad de las mujeres era una falsedad victoriana, o la doctora norteamericana Elizabeth Blackwell, que en 1902 mantuvo que el desenfrenado impulso de lascivia es tan notable en las mujeres como en los hombres.

Aunque la virginidad ya no se concibe como el principal tesoro de una mujer, se sigue postulando, si bien con menos frecuencia, el intercambio de sexo por compromiso, sobre todo desde las nuevas corrientes conservadoras que aconsejan a las mujeres esperar, ya que el sexo sólo es positivo en el marco de una relación sólida. Muchas generaciones de mujeres han transmitido a sus hijas una idea poco placentera de las relaciones sexuales, producto de una educación represiva basada también en la ignorancia. El llamado «débito matrimonial» no da precisamente una imagen apetecible o deseable. El intercambio de sexo por compromiso significó, pues, que las mujeres estuvieran más pendientes de satisfacer los deseos, las necesidades y las demandas del marido que las suyas propias, que en muchas ocasiones ni ellas mismas conocían o sentían, hasta el punto de que ni tan siquiera se sentían frustradas. Muchas mujeres confiesan no haber sentido nunca un orgasmo y otras afirman que lo fingen para complacer al marido o para no tener problemas.

Afortunadamente los tiempos están cambiando, aunque no lo suficiente, respecto al sexo. Como dice Olga Bertomeu en *El gran libro de la mujer*, es evidente que han comenzado a suavizarse los conceptos de masculinidad y femineidad como eternos tópicos de roles sexuales opuestos: mujer pasiva, sumisa y expectante frente a hombre activo, experto, que debe tomar la iniciativa. Cada vez hay más personas que entienden y viven la relación sexual como un acto de participación y satisfacción mutuas. Ahora también se habla con más sinceridad y más naturalidad del tema, quitándole ese aire de misterio y vergüenza. Y, lo más importante seguramente, es que gran parte de la sociedad ha comenzado a aceptar el sexo como un elemento de placer, generador de emociones. La emancipación creciente de la mujer ha jugado un papel importantísimo en este cambio y, como dice la autora arriba citada, «desmitificar el sexo, conocerlo y disfrutarlo libremente, significa para la mujer vencer el último baluarte de la dominación a la que ha sido sometida».

Si hasta hace poco tiempo se afirmaba constantemente que las mujeres quieren amor y los hombres sexo, ahora las mujeres en general lo desean y son capaces de buscar el placer sexual como un componente básico de su vida y de sus relaciones. Lilian Rubin, tras estudiar en 1989 las historias sexuales de casi mil personas heterosexuales de edades comprendidas entre los dieciocho y los cuarenta y ocho años, describió la crónica de un cambio de gigantescas proporciones en las relaciones hombre-mujer durante las pasadas décadas. Para las generaciones más mayores, la virginidad hasta el matrimonio era algo apreciado por los dos sexos. Muchas permitían el intercambio sexual sólo una vez comprometidas con un chico, y las muchachas más activas en este sentido eran desprestigiadas por las demás y también por los chicos, que intentaban aprovecharse de ellas. De la misma manera que la reputación social de las jóvenes descansaba sobre su habilidad para resistir o contener los acosos sexuales, la de los jóvenes dependía de las conquistas sexuales que podían lograr. De acuerdo con las investigaciones de Rubin, los cambios en la conducta sexual y en las actitudes de las adolescentes han sido más pronunciados que entre los chicos. Según algunas encuestas realizadas a chicas jóvenes, el sexo sigue creando ansiedad y estrés, a pesar de la información recibida, ya que tanto pasiones como emociones son difícilmente controlables y más cuando se es muy joven. En la actualidad hay jóvenes muy tradicionales al respecto (o que tienen actitudes muy tradicionales), pero también muchas que confiesan abiertamente que les gusta el sexo, que toman la iniciativa, que quieren que su cuerpo sea respetado, que aprenden a descubrir lo que proporciona placer al otro y hablan libremente del tema: sexo sin tabúes y con orgasmos.

En la actualidad se ha extendido la idea que la mujer posee una sexualidad muy evolucionada. Una de las cuestiones que con frecuencia se plantea es la relación entre intimidad y sexualidad. ¿Requieren hombres y mujeres circunstancias diferentes para entablar y disfrutar del sexo, para desarrollar una cualidad gratuita de la que podemos disfrutar solos o acompañados? Se afirma que los hombres fabrican cinco veces más testosterona, hormona vinculada a la agresividad y al deseo sexual que las mujeres, lo que explicaría la mayor urgencia masculina. Carlos Castilla del Pino, en unas declaraciones a *El País*, afirma que en la cultura masculina «el sexo tiene un carácter más compulsivo, quizás porque tenemos erección. Al menos es más visible. La cultura masculina es de exterioridad, la presunción juega un papel importante, mientras que la femenina es de intimidad».

Se dice que en la mujer están más presentes los componentes emocionales y afectivos que los de mera atracción física. Esta afirmación también se deduce de la distinta manera en que se abordan las relaciones extramatrimoniales: el hombre puede buscarla con la mera intención de descargar la tensión sexual, mientras que parece que éste no es un comportamiento habitual entre las mujeres, lo cual no quiere decir que no mantengan relaciones extramatrimoniales, sino que tienen otras características diferentes a la premura sexual o a la mera conquista. Como afirma Giddens, «la sexualidad episódica no es exclusiva de los hombres».

Por lo general, cuando un hombre conoce a una mujer y se siente atraído por ella, a menudo su primer deseo es acostarse con ella, y empieza a evaluar cómo conseguirlo. Una mujer, antes de pensar en el sexo, intenta averiguar si podría confiar en él y cómo sería su relación. Por eso, cuando dice sí se siente preparada para asumir un compromiso. Un hombre, pues, recibe el sí de la mujer como una confirmación de su masculinidad y, por tanto, de su identidad como hombre deseable; cuando oye el sí adquiere el poder, la iniciativa, y ella renuncia al mismo cuando juzga si un hombre está lo bastante interesado como para llamarla al día siguiente. En el momento en que le da el beso de despedida, el reloj empieza a contar. Si la noche ha resultado placentera, se espera una llamada telefónica, flores, un mensaje sobre la trascendencia del momento; se repasan los gestos, y las palabras para mantener la esperanza de continuidad. Como decía una amiga llena de ansiedad, «hay que esperar porque, si llamo yo, seguro que sale corriendo». Así están las cosas. Para muchas mujeres lo importante es tener una relación, y así empiezan los problemas y los desajustes. Como dice la protagonista de *El diario de Bridget Jones*, cuando se queja de que los hombres quieran sexo sin compromiso, «¿cómo es posible que la situación entre los dos sexos después de una primera noche siga siendo tan exageradamente desequilibrada? Me siento como si acabara de pasar un examen y ahora tuviese que esperar los resultados».

Confesaba la antropóloga norteamericana Leanna Wolfe: «Mi cabeza no podía admitir sexo sin amor, y si de alguna manera se aproximaba lo rechazaba.» Pero no siempre ocurre de este modo, porque también hay mujeres que pueden separar y separan el sexo del amor, piensan en satisfacer sus propios deseos y creen que combinar sexo con amor es una mera construcción cultural y no una práctica universal.

En cualquier caso, como afirma Dario Fo en *Tengamos el sexo en paz,* lo más importante es que nos conozcamos bien y que hagamos el sexo bien, con pareja estable o sin ella, con quien queramos, cuando queramos y como queramos. Texto, por cierto, magníficamente interpretado por Charo López, actriz que también encarna el personaje de una soltera que opta por contravenir las normas sociales en la película de Montxo Armendáriz *Secretos del corazón.*

Muchas mujeres hoy maduras, cuando eran jovencitas practicaban el sexo ocasional, muy en sintonía con el amor libre y las modas y consignas del 68. Pero este tipo de relación ya no les interesa, aunque no lo descarten en épocas en las que se sienten más expansivas o impulsivas. Para muchas de ellas, los años transcurridos después de la píldora y antes del sida fueron gloriosos.

Igualmente, hay mujeres que tienen miedo a las emociones y eluden las situaciones o las relaciones que pueden hacerlas sentir víctimas de la necesidad de poseer o ser poseídas. Me contaba recientemente una amiga que, cuando hacía el amor y funcionaba bien, se sentía poseída y se venían abajo todos sus planteamientos, porque notaba el poder masculino y ello la convertía en una mujer dependiente, incluso sumisa. Perdía poder.

Por contra, algunas mujeres declaran que necesitan afecto y conexión emocional, y consideran el sexo ocasional peligroso y no demasiado divertido. Entonces, ¿por qué hacerlo? De una u otra manera llegan a la sublimación por medio del trabajo, el compromiso político o la vida intelectual, descargan energías a través del ejercicio físico.

Parece claro que cada vez hay más mujeres que no permanecen en la misma situación y disposición en lo que respecta a sus relaciones sexuales y amorosas. Me explico. Una misma mujer puede haber tenido etapas de promiscuidad, puede haber estado casada, con o sin amantes, aventuras, ligues, relaciones estables sin un compromiso definitivo, y épocas de abstinencia voluntaria. A veces nos encontramos como en temporada baja, perezosas, con la libido bajo mínimos, y esta situación no tiene por qué coincidir con una edad determinada, aunque desafortunadamente la inseguridad en el propio cuerpo puede establecer dificultades añadidas. Parece que a partir de una determinada edad, cada vez más tardía, se produce una devaluación automática y se entra en la categoría de no deseable. Recuerdo a propósito a Jacqueline Bisset en la película *Ricas y famosas*, cuando rechaza la proposición de matrimonio porque no quiere que su joven enamorado vea cómo envejecen sus carnes. No quiere testigos de ello.

Muchas personas sufren cuando intentan emular un modelo sexual que resulta más cercano a la ciencia ficción que a la realidad. Guiar la actividad sexual por modelos externos ajenos a la propia experiencia produce sobre todo inquietud. En *El gran libro de la mujer* concluye Montserrat Calvo Artés que «la sexualidad atlética constituye precisamente la estética de la sonrisa forzada, el culto a la apariencia y la personalidad mimetizada».

En opinión de algunas estudiosas, se percibe que las mujeres solas conectan la sexualidad con la intimidad, no están generalmente interesadas en el sexo casual —actitud en la que sin duda ha influido la aparición del sida—, muchas son o han sido célibes de manera periódica y consideran la moral sexual como algo personal. Prefieren y practican en un momento determinado la masturbación.

La sexualidad autónoma de la mujer se ha considerado una amenaza o, al menos, parece que puede interpretarse como una actitud desafiante, ya que entre otras razones permite evaluar la capacidad y la experiencia de los hombres. Pero que estemos menos reprimidas no quiere decir que caigamos en el atletismo sexual, ni que nos dediquemos a examinar a nadie ni, por supuesto, que nos convirtamos, como en ocasiones se dice, en devoradoras de hombres o nuevas mujeres fatales. Si antaño la libertina, al contrario de lo que ha venido sucediendo con el seductor, ha sido abiertamente castigada, nuestra sociedad finge no hacerlo. Así, una mujer sexualmente activa que no expresa su sexualidad en el contexto de unas relaciones más o menos institucionalizadas despierta la sospecha y la inquietud. Todavía hay capas sociales muy tradicionales al respecto. Hipocresía y doble moral. La censura ha perdido fuerza porque se han generalizado situaciones que hace unos años avergonzaban a muchas familias en nuestro país: el divorcio, la convivencia sin matrimonio o el control de la natalidad, entre otras.

Muchas mujeres se preguntan: ¿dónde están los hombres disponibles que nos puedan gustar? Dependerá en parte de lo que busquemos: un chico simplemente, sensaciones fuertes, sexo y un poco de afecto... Pocas mujeres se lanzan a la búsqueda de un hombre porque sí; necesitan y valoran su tiempo y saben que corren el riesgo de encontrarse en situaciones aburridas, deprimentes e incluso degradantes. Aunque hay aventuras estupendas de una sola noche. Cuestión de piel, muchas veces. Hay partidarios y practicantes del sexo sin compromiso. Así lo describe Linda Jaivin en *Cómeme*:

«Claro que tampoco tenía por qué ser una relación demasiado seria, pensó Philippa. Él era diez años más joven que ella, y con toda seguridad tampoco le agradarían las relaciones serias. Podrían vivir una aventura de una sola noche. Ella no tenía nada en contra de un poco de sexo informal y discreto de vez en cuando. Pero, un momento, ¿y si después resultaba ser un amante excelente? ¿No desearía entonces pasar otra noche con él? ¿Y si la segunda noche también resultaba un éxito y luego no se volvían a ver más? Las aventuras de una noche son precisamente eso. Te despiertas por la mañana y le miras a la cara. Si los dos piensan "uf", el equipo visitante se viste y se va y el equipo local se ducha y prosigue con su vida. Pero si los dos piensan "vaya, vaya", vuelves a hacer el amor antes de irte. Después él no llama o tú no llamas o tú llamas o él llama y discutís y el disgusto se te pasa al poco tiempo. Pero las aventuras de dos noches son más dolorosas. Para ti ya es una relación, pero para él sólo es una coincidencia. Tú ya se lo has contado a tus amigas y él ya está buscando otra mujer con la que acostarse.»

Otras mujeres prescinden temporalmente de las relaciones sexuales. Se habla de castidad, ya no en los términos en los que lo hacía Ovidio —«repútase casta a aquella a quien nadie requirió de amores»—, sino como eliminación de un problema, ya que a algunas mujeres la abstinencia les proporciona paz y se sienten más libres, sobre todo si la libido ha desaparecido. Pienso que lo que suscribirían muchas mujeres es que el celibato es preferible al mal sexo. Precisamente éste es el argumento que mantiene Patti Putnicki en su libro antes citado.

En cualquier caso, la carencia de afecto es lo que produce mayor desolación. Necesitamos ser acariciados, abrazados; incluso parece que el bienestar que sentimos con las caricias tiene también un componente bioquímico, al subir el nivel de oxitocina, que produce el efecto de hacernos sentir bien, ayudándonos a eliminar las tensiones. Por contra, la ausencia de caricias puede producir irritabilidad y tristeza.

Me parece pertinente la pregunta que plantea Naomi Wolf: si la sexualidad de las mujeres no es realmente subversiva, ¿por qué se realizan tantos esfuerzos para controlarla?, ¿por qué no integrar plenamente el deseo femenino en nuestra civilización?, ¿qué lograríamos si permitiéramos que la pasión de las mujeres entrara en nuestro mundo social y habitara en él?

La revolución sexual está sin completar. Las mujeres hemos recibido mensajes contradictorios, como afirma Naomi Wolf: podemos hacer cualquier cosa pero, al mismo tiempo, nos pueden llamar «zorras» por hacerlo. Siempre hemos de pugnar por integrar los estereotipos de feminista y puta que han dividido nuestro interior. Por ejemplo, el deseo del cuerpo masculino se ha venido interpretando en nuestra cultura como un defecto o como una debilidad. Emma Goldman, política, agitadora, luchadora por la igualdad, mujer valiente, comprometida y transgresora, confesaba que sentía su identidad partida por su propio deseo sexual. En 1912 afirmaba que la mujer ha sido educada como un bien sexual y sin embargo se la mantiene en la absoluta ignorancia respecto a la importancia y el significado del sexo. Esta mujer, que predicaba el amor libre, confesaba en sus cartas que no podía encontrar la forma de integrar, con un mínimo de dignidad, el intenso deseo que despertaba en ella su amante. Sentía que su pasión estaba en pugna con su racionalidad.

La autora de *Concupiscencias* cree que deberíamos enseñar a nuestras hijas una nueva filosofía del deseo. Si las mujeres aceptáramos la posibilidad de que a nivel sexual somos seres poderosamente mágicos, ¿qué podríamos aprender? Desde luego, no a reprimir el deseo femenino ni a devaluarlo, sino a integrarlo en nuestra civilización. Si todas las culturas codifican la femineidad y la masculinidad dentro del simbolismo sexual, podríamos pensar en crear otro mundo en el que esas categorías no necesiten ser fijas ni opresivas, ni que tampoco precisen ser desdeñadas ni devaluadas.

Si, como dice Jung, el instinto erótico pertenece a la naturaleza original del hombre y está relacionado con la más alta forma del espíritu, sea cual sea nuestra situación no lo eludamos ni lo silenciemos.

En palabras de Raquel Osborne, necesitamos no restringir sino ampliar las posibilidades de desarrollar nuestra imaginación sexual, pues las mujeres no creemos que haya una saturación de imágenes sexuales en nuestro entorno, sobre todo porque nosotras no hemos tenido todavía la posibilidad de ver aflorar, salvo en muy insuficiente medida, una subjetividad femenina que hable de la sexualidad desde nuestro punto de vista. Precisamos, pues, un mayor desarrollo de la cultura sexual.

## DEL AMOR PARA TODA LA VIDA
## A LAS RELACIONES ALTERNATIVAS

En la actualidad se habla y escribe con frecuencia acerca de la inviabilidad del amor para toda la vida, de la fecha de caducidad de la promesa «hasta que la muerte nos separe» y, consecuentemente, de la búsqueda de relaciones alternativas a las tradicionales, en un intento por parte de muchas mujeres de establecer otras reglas del juego: relaciones en las que se pueda huir o prescindir de la pretensión a lo absoluto.

Los aspectos positivos que se asocian normalmente a la pareja son la intimidad, la fuerza de los sentimientos, la compañía, el sexo, la protección, el apoyo emocional y económico, la posibilidad de tener hijos y educarlos de forma compartida... Tener una pareja se traduce en tener a alguien con quien hablar, salir, dormir, hacer el amor, alguien a quien abrazar. Y los inconvenientes se centran en la supuesta pérdida de independencia, en el compromiso excesivo, en la necesidad y dependencia de los demás, en la falta de espacio propio, en la imposibilidad de cumplir algunos sueños. En el estudio ya citado de Tuula Gordon sobre mujeres solas de varios países, éstas se mostraron mucho más críticas con el matrimonio que con la familia, al que asociaban a una cadena, una cárcel, un infierno, una desgracia. Otras mujeres rechazan el matrimonio tras un primer fracaso y algunas también sienten la necesidad de vivir a su manera.

En cierta medida muchas mujeres maduras pueden considerarse disidentes culturales en la medida en que no se someten al todo o nada. Intentan diseñar y poner en práctica unas relaciones poco tradicionales y acordes con sus deseos y posibilidades, que les den satisfacciones; procuran protegerse de esos hábitos que exigen acomodación, sacrificio, dependencia y sumisión.

Pero esta protección tiene como consecuencia la delimitación, característica primordial de estas relaciones. Con el fin de protegerse para no desdibujarse, la mujer sola somete la relación a un acotamiento o definición desde un punto de vista emocional, psicológico y físico. Sabe bastante bien lo que desea y necesita, y no quiere dejarse llevar por espejismos. Ha experimentado la temporalidad de la pasión y del enamoramiento, y busca una realidad no traumática, racional.

En efecto, hay mujeres, y también hombres, por supuesto, que no son partidarias del matrimonio ni de la cohabitación. No les gustan los encuentros automáticos y obligatorios, no soportan el peso de la vida en común, la cotidianeidad compartida, el tener que explicar lo que hacen o dejan de hacer en cada momento. Buscan modos de convivencia alternativos. Por ejemplo, no comparten techo con su pareja ni responsabilidades económicas o domésticas, y ponen límites a la cantidad de tiempo y energía emocional que desean invertir en la relación. Son seres precavidos; se resisten a entregarse porque conocen las consecuencias. pero no siempre este tipo de relaciones son consecuencia de una elección de las mujeres. Depende también de otras circunstancias, así como de una voluntad compartida de preservar la libertad sin renunciar al amor. Como en el caso de los LAT (*Living Apart Together*) o de los jóvenes que, teniendo pareja, siguen viviendo con sus padres. Existe una amplia casuística.

Una relación de este tipo puede llegar a ser intensísima, sin excesivas perturbaciones precisamente por la ausencia de determinados compromisos. Sin ánimo de ser exhaustiva, me voy a referir a los supuestos más frecuentes: vivir en ciudades diferentes; tener espacios propios distintos; pasar juntos los fines de semana y las vacaciones; las relaciones con hombres casados; las relaciones con jóvenes y las relaciones esporádicas.

El caso de parejas famosas que nunca hicieron planes, que nunca se casaron, que vivieron juntos intermitentemente, unidos por fuertes lazos intelectuales, artísticos o incluso políticos, son relaciones no exentas de turbulencias. Como la historia de Dashiell Hammett y Lillian Hellman, que pasaron treinta años juntos, plagados de infidelidades por ambas partes. Como expresaba la propia Lillian en *Pentimento*, «nunca tuvimos planes ni siquiera hablamos del futuro. En mi caso, creo, la mezcla de compromiso y falta de compromiso procedía de Bohemia encontrada con Calvino; en el caso de Hammett se debía a que nunca creyó en ninguna clase de permanencia ya que su mente rechazaba las cosas absolutas.» En otra obra suya de carácter autobiográfico, *Una mujer inacabada*, también se refería a su falta de continuidad relacionándola con el control de su propia vida. «El deseo tenaz, implacable y dominante de estar sola, que chocaba con el deseo de no estar cuando no me apetecía estarlo.»

En muchas ocasiones se trata de relaciones sin convivencia continuada, pero suficientemente satisfactorias. Traigo como ejemplo la hermosa historia de Cristina y René. Se casaron estando ella muy enferma. A lo largo de muchos años formaron una pareja que se relacionaba desde la igualdad. Los dos valoraban muchísimo su trabajo y vivían en ciudades muy distantes —Valencia y Chicago—. Se estimulaban mutuamente, se coordinaban para pasar temporadas juntos en ambas ciudades, sin renunciar a sus profesiones ni a sus espacios propios. Compartían inquietudes estéticas, se cuidaban y se querían.

Son relaciones abiertas y sinceras, no basadas en dependencias, y en las que es importante la amistad, el sexo, la intimidad emocional. Cada encuentro se acuerda y lo importante es cómo se sienten cuando están juntos. No hay más obligaciones ni más compromisos que los que dimanan de la lealtad. Estas relaciones se suelen establecer entre personas maduras, autónomas y seguras de sí mismas y de lo que quieren, con un determinado nivel económico, que valoran su profesión —a la que le dedican mucha energía—, así como sus compromisos sociales y amistosos. No obstante, a veces nos puede atacar el fantasma de la inseguridad por no sentirnos aceptadas del todo.

Una de las relaciones comprimidas favoritas es la del fin de semana, cuando se dispone de tiempo para descansar y disfrutar sin las tensiones y problemas cotidianos. Se crea así una especie de burbuja en la que se vive una relación intensa pero no excluyente, ni dependiente, sin los problemas de la cotidianeidad ni de la convivencia. Cuando se tienen hijos de anteriores relaciones, y aunque, por supuesto, hay familias integradas por hijos de diferentes matrimonios que funcionan muy bien, en ocasiones se opta por vivir cada uno con sus hijos y pasar juntos y solos los fines de semana y algunas vacaciones.

Es cierto que cuando quieres a alguien tiendes a pasar el mayor tiempo posible junto a él, pero eso no siempre es lo mejor para la relación ni para cada una de las personas. La intensidad no tiene por qué medirse en horas, sobre todo si son horas delante de un televisor. A veces estamos tan obsesionadas con poseer al otro, tan colgadas, que no llegamos a disfrutar. Las mujeres que aman demasiado crean unas dependencias que son casi una enfermedad. Por eso es siempre importante no ofuscarse y tomar un poco de distancia, ver las cosas desde fuera.

## Relaciones con hombres más jóvenes

La relación con un hombre más joven produce también una sensación reconfortante en algunas mujeres maduras. Las experiencias en este sentido van aumentando, y la puerta sigue abierta aunque socialmente produce, como mínimo, una cierta extrañeza. Sin embargo, cada vez hay más casos de parejas felices en las que la mujer es mayor que el hombre, lo que supone que ciertos prejuicios van desvaneciéndose y se amplían las posibilidades.

¿Por qué damos un trato especial a las relaciones con hombres más jóvenes? Por la novedad o porque la experiencia ha venido a demostrar, al menos por el momento, que no suelen ser muy duraderas. También hay historias hermosas aunque tengan una duración limitada. Conozco de cerca una que tuvo lugar hace ya algunos años, entre una mujer separada de cuarenta y cinco años con dos hijos y un hombre soltero de veinticinco; una historia apasionada en la que se superaron las diferencias de edad y las culturales, y en la que las dos personas se enriquecieron mutuamente y disfrutaron durante cinco años, hasta que las diferencias se impusieron sobre el deseo, a medida que éste fue perdiendo intensidad.

Los jóvenes pueden aportar mucho a un vínculo: frescura, energía nueva, otras perspectivas... Desde el punto de vista de la sexualidad, se puede producir una mayor compenetración, ya que la sexualidad femenina no termina de desarrollarse plenamente hasta los treinta años, pero posteriormente no deja de aumentar, mientras que en el caso de los hombres, pasada la adolescencia, se mantiene estable o disminuye con el tiempo. Puede resultar una relación muy gratificante, pero a veces echamos de menos cierta complicidad generacional y corremos el peligro de convertirnos en «mamás» adorables o consejeras, aunque el papel materno también se puede acabar representando con hombres mayores. Algunas mujeres quieren tener a alguien importante a su lado, alguien que les proporcione seguridad, y no suelen identificarlo con un hombre más joven.

De cualquier manera, cada vez hay más mujeres que tras una primera pareja mantienen relaciones con hombres jóvenes y se sienten muy bien; hombres que, educados en otro momento, nos valoran y nos miman más que nuestros compañeros de generación. Se dice también que las relaciones sexuales son más satisfactorias porque ellas conocen mejor su cuerpo y tienen más experiencia, mientras que ellos tienen más energía. Un ex alumno me contaba que tras leer la novela *En brazos de la mujer madura* de Stephen Vizinczey se interesaba más por las mujeres mayores porque le resultaban menos conflictivas que las jóvenes, conocían mejor las emociones, eran más generosas, estaban menos pendientes de sí mismas y la madurez les daba un mayor equilibrio.

Una de las protagonistas de la novela de Linda Jaivin se expresa así: «Julia siempre comentaba que los hombres jóvenes eran maravillosos y contaban con muchos puntos a favor. Eran juguetones, dulces, tenían tiempo libre para cortarse las uñas en la cama o para instalar juegos en el ordenador, poseían sentido de la aventura y siempre se podía confiar en sus erecciones. Con ellos, no tenías que pasarte la mitad del día curando las heridas provocadas por otra mujer o intentando simpatizar con la actitud cínica y hastiada de todos los hombres maduros. Además, Julia decía que con un hombre joven se podía triunfar profesionalmente sin que él lo interpretara como una amenaza para su estatus.»

## Amor en la sombra

Los vínculos erótico-románticos con hombres casados son especialmente susceptibles de generar conflictos. Hay muchas mujeres que no quieren tener relaciones, «enrollarse», con hombres casados por diversas razones, a pesar de las escasas posibilidades de encontrar un hombre «libre» con quien entenderse. Constantemente aparece el mensaje de que son un bien escaso. Pertenecen al grupo de relaciones comprimidas porque tienen unas limitaciones de entrada, al menos en cuanto a disponibilidad de tiempo, y los compromisos adquiridos. Se trata en general de relaciones clandestinas, en las que la pasión es elemento fundamental. Las mujeres que las mantienen no pueden encuadrarse en el antiguo y peyorativo calificativo de la «querida», la «mantenida» o «vampiresa», porque tienen vida propia sólida e independencia económica. Muchas no quieren hablar abiertamente de este asunto porque sienten algo parecido a la vergüenza, la culpabilidad y el remordimiento por estar jugando una mala pasada a una mujer; incluso celos respecto a la «legítima». De sentirse alguien culpable debería ser él. Pero a veces estas relaciones son transparentes y los celos, las comparaciones, están ausentes. No hay injerencia, sino respeto.

Es difícil, aunque sea íntimamente, no sentirse la otra. Las películas, la literatura, están llenas de mujeres dispuestas a «destruir un hogar», arrebatarle a otra mujer su marido, y también de ingenuas que confían en las promesas de divorcio que se aplazan *sine die*. Baste recordar a Shirley McLaine en *El apartamento* de Wilder. Y lo más patético es cuando, al cabo de los años, abandona las dos relaciones para iniciar una nueva vida y formar una nueva familia con una mujer todavía más joven. Pero también hay *back street* que hacen su vida y tienen otras relaciones. Lo que más les molesta es la programación y el tiempo limitado. «Cariño, lo tienes que entender, no soy un hombre libre.» Y las pacientes y perseverantes que «ganan la batalla».

De todas formas, son relaciones que proporcionan placer no sólo sexual; en muchas ocasiones hay complicidad, amistad, confianza. Y resultan especialmente gratificantes si se sabe aceptar las limitaciones y no obsesionarse con pedir, soñar o esperar más de lo que nos ofrecen. En efecto, una amiga me contaba que ella valoraba mucho su libertad y que tenía poco interés en la convivencia, en dedicarse al cuidado de la casa y de los niños, y que el tiempo que estaba con su amante lo dedicaban fundamentalmente a hacer el amor y relajarse, sin mayores problemas. Decía que siempre se sentía elegida porque cuando se veían era porque así lo deseaban, aunque no siempre que le apetecía a ella. Éste era el mayor problema.

De nuevo Billy Wilder nos cuenta en su magnífica película *Avanti* una relación romántica extramatrimonial entre un hombre mayor casado con un hijo y una mujer mayor viuda con una hija, que pasan un mes de vacaciones al año disfrutando juntos. El mismo hotel, la misma habitación, los mismos ritos... Cada año se repite la historia en un maravilloso lugar del Mediterráneo, hasta que mueren juntos en un accidente de tráfico.

### Relaciones intensas sin compromiso, bienestar sin amor

Amigos-amantes, amantes-amigos. Amigos con los que en alguna ocasión se ha hecho el amor, un idilio en el que por distintas razones se ha ido desvaneciendo la importancia del sexo. En estas relaciones intermitentes se genera una gran confianza y buenas dosis de intimidad. Personas que se encuentran esporádicamente, a veces incluso por razones profesionales. Yo tengo una amiga que vive en Nueva York, galerista prestigiosa, de cuarenta y ocho años, divorciada desde hace quince, que tiene varios «novios» de distintas nacionalidades con los que se encuenta cuando visitan su ciudad en ferias internacionales de arte y en distintos acontecimientos culturales, y vive estas relaciones de manera divertida y satisfactoria.

Algunas de estas relaciones se van complicando, otras se desvanecen, se reconvierten, surgen otras. En ocasiones interviene el azar, en otras aparecen terceras personas y se regresa a la monogamia.

## LA MATERNIDAD. EL DILEMA DE TENER O NO TENER HIJOS

A la maternidad nos hemos ido refiriendo a lo largo del libro, como no podía ser de otra manera, ya que la función reproductiva ha sido y en gran parte sigue siendo una cuestión nuclear. En efecto, durante mucho tiempo ser madre y esposa era el único destino de la mujer. El feminismo no sólo cuestiona ambas aseveraciones, sino que desliga, como también hemos visto, la sexualidad de la maternidad. Afortunadamente, las mujeres ya no tienen que elegir entre la maternidad y la profesión, pero también es cierto que a costa todavía de un gran esfuerzo, ya que llegar a todo y además dar la talla resulta, a pesar de las gratificaciones, agotador y sin duda es un obstáculo más en la promoción profesional.

No resulta extraño, por tanto, que se haya estudiado el tema extensamente y que siempre se estén buscando nuevos enfoques, al considerar que ahí se encuentra el origen de la dominación masculina, por un lado, así como la idealización de la maternidad como impulso irresistible y vínculo intrínseco entre las mujeres, por otro. Estas tesis, que sin duda tienen aspectos positivos, entrañan el peligro de volver a constituir las esferas, cerrar los mundos, ocultar una parte de la realidad. En definitiva, lo importante es que cada mujer pueda tomar la decisión de ser madre o no serlo una vez conocidos y examinados los pros y los contras.

La idea de la maternidad puede planear sobre nuestras cabezas a lo largo de nuestras vidas, mientras estamos en edad fértil, pero en ocasiones el deseo de ser madre —ya no hablamos del instinto maternal— no se percibe y nos inquieta la idea de llegar tarde, de arrepentirnos de no haber tomado la correcta decisión en su momento. No obstante, en la actualidad las posibilidades se amplían gracias al progreso, la ingeniería genética y el incremento de las posibilidades de adopción.

Podríamos decir que hay tantos supuestos como mujeres. Cada una cuenta su propia experiencia, las circunstancias o motivaciones por las que fueron madres o no. Lo cierto es que las mujeres casadas sufren o reciben presiones para tener hijos, o al menos se les pregunta con insistencia por qué no los tienen, con cierto aire de compadecimiento o culpabilización. A las mujeres solteras no sólo se les pregunta por qué se han quedado solteras, sino por qué no se han casado y tenido hijos. Y en la mayoría de las ocasiones se las compadece por ello.

Contaba Simone de Beauvoir que esa pregunta recurrente nunca se la hacían a Jean-Paul Sartre. Recuerdo que cuando estaba casada me lo preguntaban periódicamente y yo, bromeando, decía que no servía o que no tenía tiempo. Es verdad que estaba muy ocupada con mi carrera universitaria, que me absorbía mucho tiempo, con mis compromisos políticos o feministas, y que sentía unas grandísimas ansias de libertad, de aprender, de hacer mil cosas. Por eso pensaba y sostenía que sería bueno ser madre a los cuarenta, cuando se suponía que ya habría encontrado un lugar en el mundo, habría madurado y podría dedicarme a mi hija. Fundamentalmente creo que no sentía un deseo profundo y me asustaba la responsabilidad. ¿Traer un hijo a este mundo? Temía sufrir con el sufrimiento de mis posibles hijos o hijas. No sé todavía qué hubiera pasado si alguna de mis parejas hubiera manifestado un deseo claro al respecto. A veces me he sentido, o me han hecho sentir, egoísta; a veces sanamente envidiada; y creo que raramente compadecida. Pero lo cierto es que admiro mucho a las madres que conozco y en algunos momentos las envidio, aunque sinceramente sólo en determinados momentos. Por otra parte, he tenido la suerte de ver crecer muy de cerca a mis estupendos sobrinos y sobrinas. Y cuando ahora me repiten la típica pregunta, contesto que también está abierto el camino de la adopción.

He podido constatar que pocas mujeres han renunciado a tener hijos por su carrera profesional exclusivamente; más bien se tiende a coordinar y a hacer compatible ambas cuestiones. Por el contrario, algunas mujeres confiesan que no han sido madres porque no han encontrado el momento adecuado, la persona adecuada, o porque no ha habido coincidencia en el deseo con su pareja, lo cual no quiere decir que no hagan de madres, ya que han asumido implícitamente que las mujeres poseen determinadas capacidades y habilidades para cuidar, han interiorizado ese papel «asistencial» de la mujer respecto a su familia que determina su rol de cuidadora.

Sin embargo, las mujeres más jóvenes evitan institucionalizar una relación y posponen la maternidad por motivos profesionales. Tener y cuidar un hijo supone, como mínimo, un retraso en su vida profesional, y en estos tiempos de crisis no pueden dejar el trabajo más tiempo del establecido porque es posible que se queden sin él. Otras jóvenes subliman y asumen el papel tradicional actualizado. Porque el problema de compartir las responsabilidades familiares y domésticas reside en cómo convencer a los hombres, cuando para ello la ausencia ha supuesto un problema.

En definitiva, las causas que motivan que una mujer alcance la madurez sin haber sido madre obedecen a una compleja combinación de oportunidad y elección, y dan lugar a una amplia gama de sentimientos y acontecimientos relacionados con la decisión de vivir la vida sin experimentar la maternidad. El proceso de esta decisión suele ser duro, aunque para algunas resulta más sencillo porque nunca sintieron el impulso, deseo o necesidad. Por otra parte ya no sucede como en el pasado, que cuando una mujer no contraía matrimonio automáticamente renunciaba a la maternidad. De hecho, la identificación de la madre soltera con la seducida y abandonada que lleva el fruto del pecado en su vientre es un «cliché» del pasado. Ahora se habla de maternidad autodeterminada fuera del matrimonio, pero también aquí los supuestos son varios. En los países con un altísimo porcentaje de hijos nacidos fuera del matrimonio, como los países escandinavos, la cifra alcanza un 50 por ciento, pero, en realidad, en muchas ocasiones no se trata de madres solas sino, más bien, de uniones de hecho. Es un caso bien diferente del de las madres solteras adolescentes —que en muchas ocasiones lo son por accidente— y del de las mujeres que planifican y deciden deliberadamente tener un hijo con el hombre que eligen, adoptando un hijo o acudiendo a una clínica de fertilidad para una inseminación artificial. No obstante, el grupo más representativo de madres solas está formado por las mujeres separadas o divorciadas que fueron madres mientras vivían en pareja.

Hay casos extremos, como el conocido de Hildegart —personaje llevado a la pantalla por Fernando Fernán Gómez e interpretado magistralmente por Amparo Soler Leal—, que quiso tener una hija —y la tuvo— para plasmar en ella todos sus ideales políticos y feministas, y para ello eligió un hombre fuerte que además era sacerdote, asegurándose así la total desvinculación del padre. Como es sabido, la historia tuvo un final triste, ya que la madre acabó matando a su hija por desviarse del camino por ella trazado.

He tenido la oportunidad de seguir de cerca los procesos de algunas madres solteras (unas por accidente) que han decidido ser madres sin contar con el padre biológico, cuya identidad es desconocida en algún caso por los propios hijos. Amparo, por ejemplo, decidió ser madre cuando tenía veintidós años. En aquel momento tenía un cierto compromiso sentimental con un hombre más mayor que nunca ejerció de padre de sus hijos. Se quedó embarazada y tuvo gemelos que fueron educados y cuidados por ella con la colaboración de sus sucesivas parejas y de sus amigas. Los hijos conocieron la identidad de su padre al llegar a la adolescencia.

En la actualidad, las madres solteras ya no se sienten censuradas socialmente, no son la vergüenza de la familia ni son excluidas. No obstante, estas madres selectivas no están exentas de críticas (no hay más que recordar la popular serie televisiva *Murphy Brown*, que motivó cierto escándalo en Estados Unidos cuando el personaje interpretado por Candice Bergen decidió ser madre soltera) y se les reprocha que perjudiquen el desarrollo natural del hijo al privarlo de un padre. Este problema, extensivo en parte a las madres divorciadas y separadas, plantea hasta qué punto puede constituir un trauma para el niño que no haya un padre en la familia. La mayoría de los expertos consideran que en principio no tiene por qué ser así, ya que la situación está socialmente aceptada puesto que hay muchos hijos de padres divorciados o separados, y la clave consiste en dar al niño seguridad, que crezca en un ambiente con referencias masculinas, que se le ayude a desarrollarse sin un proteccionismo exagerado que resulta tan perjudicial como la carencia. Porque no conviene olvidar que puede resultar más pernicioso para el niño el quedar atrapado en medio de padres que se pelean constantemente que el hecho de convivir con un solo progenitor. El problema se acentúa cuando la madre ha atravesado una situación traumática, en el momento del embarazo o posteriormente, y es entonces cuando parece conveniente pedir ayuda profesional.

En el polo opuesto, el doctor Martin V. Cohen, psicólogo clínico del Hospital de Nueva York, afirma que el 50 por ciento de los chicos de la escuela primaria tienen padres divorciados, de modo que prácticamente es la norma que los niños cuenten con un solo progenitor. En algún sentido, esta situación podría ser hasta más fácil para los hijos extramatrimoniales, pues no tienen que sufrir el rechazo que les produce el que su padre se vaya de la casa o se vuelva a casar.

A nadie se le escapa que, junto a las gratificaciones, los problemas a los que se enfrentan las madres solas están relacionados con la responsabilidad de asumir en exclusiva la educación y el cuidado de los hijos, así como los problemas económicos. Existen grandes diferencias en los distintos países en cuanto a la acción del Estado; por ejemplo, en los países nórdicos se ofrecen más medios para aliviar estas dificultades. Incluso se habla del Estado-padre. En otros países, como el nuestro, existen otros apoyos —casi siempre insuficientes—, como residencias, pisos subvencionados total o parcialmente por ayuntamientos o asociaciones de mujeres... Por su parte, en Estados Unidos algunas profesionales como Tuula Gordon han denunciado las consecuencias de la política de la nueva derecha en las familias de mujeres solas durante la época de Ronald Reagan, que se han convertido en una piedra de toque para un conjunto mucho más amplio de luchas en torno a los cambios en el papel de las mujeres, la relación entre el Estado y la familia, y la desigualdad entre clases y razas. La derecha, en efecto, no ve con buenos ojos a las madres solteras ya que, como es sabido, es ferviente defensora de la hegemonía de la familia tradicional. El Estado del bienestar desarrollado es importante de momento sobre todo para las mujeres, ya que si se restringen o limitan los servicios asistenciales se ven perjudicadas.

Un caso especial es el de las mujeres de Harlem que, mayoritariamente (7 de cada 10), viven solas con sus hijos, que al mismo tiempo representan su única fuente de ingresos, por la ayuda estatal que reciben y que desaparece si conviven con un hombre. La familia «matrifocal negra» tiene, según Enrique Gil Calvo, su origen en la esclavitud, y constituye el extremo opuesto a las familias monoparentales con titularidad femenina del norte de Europa.

En España, gran parte de las madres que viven solas con sus hijos son divorciadas o separadas, y a su vez, la mayoría de los hogares con un solo progenitor son monomarentales: la cabeza de familia es la madre mientras que el padre ausente tiene una mayor o menor vinculación con los hijos. En muchas ocasiones las relaciones funcionan con toda normalidad, respetándose los pactos y compromisos, pero en otras son un auténtico calvario para las madres fundamentalmente, con el consiguiente perjuicio para los hijos. Son realmente excepcionales los hijos que se crían y educan exclusivamente con el padre —aunque conozco algún caso ejemplar—, salvo el caso de viudedad; parece que los hombres sólo asumen esta responsabilidad cuando no queda otra alternativa debido al fallecimiento de la madre, según los estudios realizados por el Instituto de la Mujer.

Hace unos meses, durante la conmemoración de los veinte años de las primeras jornadas feministas que se celebraron en Valencia, tuve la oportunidad de volver a escuchar interesantes reflexiones y experiencias en torno a la maternidad. Algunas madres solas se refirieron a la manera en que asumían esta responsabilidad, a los problemas cotidianos y también a las alegrías y satisfacciones, ya que a pesar de la complejidad y las dificultades de la experiencia prácticamente para todas resultaba gratificante. Quizás uno de los debates más interesantes fue el que se desarrolló en torno a las nuevas tecnologías ligadas a la reproducción. Pudo observarse la preocupación por los peligros de los experimentos y las intervenciones para lograr el control del fenómeno reproductivo de manera directa, como expusieron Ana Sánchez y Leonor Taboada, y también por las pruebas a las que se ven sometidas, con escasa información, las mujeres que sienten un profundo deseo de ser madres y que tienen dificultades para quedarse embarazadas. Igualmente, se habló de la inquietud que producía la investigación con fines variados en el cuerpo de la mujer, sometida en ocasiones a riesgos desconocidos, y la consecuencia última de esta investigación, porque finalmente podía privar a la mujer de la exclusividad de dar vida. Como afirmaba Consuelo Catalá, especialista en temas de maternidad, entraña el peligro de la selección de la especie y del control sobre la reproducción humana. También fue hermoso escuchar el relato de las experiencias de las mujeres que forman en nuestro país la primera generación que decidió no tener hijos y que no identifica la maternidad con la realización personal o, dicho de otra manera, que no la consideran como la máxima ambición de una mujer.

Todo esto viene, pues, a demostrar que vivimos en una sociedad en la que existen familias plurales, de distinta índole y organización, y mujeres que viven solas sin sentirse solas o ser solitarias. En esta sociedad ha ido desapareciendo la censura que impedía la libre adopción de decisiones, y la misma ha ido transformándose, a pesar de los problemas y del insuficiente apoyo institucional, en una sociedad más permisiva.

# Los espacios

¿Cómo habitan las mujeres solas el espacio privado y el espacio público? ¿Cómo circulan por las distintas esferas? ¿Qué ocurre con los espacios interiores: el inconsciente, las expectativas, las fantasías? La necesidad de un espacio propio tiene en el caso de las mujeres un sentido más amplio, ya que supone descubrir y establecer su lugar en el mundo. Para ello se precisa la «habitación propia» reclamada por Virginia Woolf, a la que antes hemos aludido, como ámbito exclusivo e imprescindible para la realización personal (y más tarde interpretado como localización simbólica). Ahora, sin olvidar estas cuestiones de fondo, voy a referirme en primer lugar a la casa, el área privada por excelencia.

Vivir sola, se mantenga o no una relación estable, supone un grado importante de autonomía y responsabilidad. Hacerse cargo de la propia vida y asumir un espacio propio tiene, obviamente, aspectos favorables y problemáticos, como los tiene también vivir acompañada. A pesar de su denominación, la tradicional ama de casa organiza el espacio doméstico atendiendo fundamentalmente a las necesidades de los demás y no a las suyas. Por su parte, la mujer que vive sola tiene, en principio, menos obligaciones que el ama de casa madre y esposa, pero asume unas tareas diferentes, algunas de ellas estrechamente vinculadas a la economía y otras al desarrollo de las capacidades y habilidades propias. El problema del espacio doméstico no afecta exclusivamente a las mujeres que viven solas, aunque sí de manera diferente. En efecto, muchas casadas no disponen de un ámbito personal porque el tamaño de las viviendas no lo permite, lo que hace que estén siempre disponibles para los demás y, al mismo tiempo, que se sientan encerradas.

Conocida es la depresión del ama de casa, sufrida especialmente por aquellas mujeres carentes de relaciones con el exterior que perciben que su vida va perdiendo sentido en la medida en que, como ya comentamos, van dejando de ser imprescindibles para aquellas personas a las que han dedicado la mayor parte de las energías de su vida. O la sensación de aislamiento que tiene cuando sus hijos y el marido se van a cumplir con sus respectivas obligaciones, y la casa vacía se convierte más en un espacio que ata que en un espacio que conduce a la realización personal. Porque, además, la configuración de los espacios habitables, sobre todo en las grandes ciudades, no se proyectan o planifican en atención a la mejor calidad de vida, sino según criterios de rentabilidad económica o especulación. Así pues, el ama de casa, forzosamente aislada y a la par invadida, siente que su tiempo y su espacio son difícilmente valorados y respetados, si es que los llega a tener.

Obviamente, la vivencia del propio espacio dependerá de nuestras condiciones y circunstancias personales. Sin independencia económica no podemos ni plantearnos tener nuestra casa propia o alquilada; el nivel de ingresos determina las posibilidades de elección, hasta el punto de que hay matrimonios que no pueden disolverse porque, aun trabajando los dos miembros, no les resulta posible mantener dos casas separadas. Pero además hay otros problemas que surgen al vivir sola, tanto materiales como psicológicos e incluso culturales.

Volver a casa tras la jornada laboral puede ser una expectativa apetecible o puede ponernos de mal humor. Si nuestra vida exterior nos resulta agotadora, la casa se puede identificar con el lugar de reposo, ya que necesitaremos espacio y tiempo para reencontrarnos con nosotras mismas o simplemente descansar. Entonces podemos circular con libertad, tumbarnos en el sofá a ver las musarañas, fantasear, dejar las tareas domésticas para otro momento porque nadie depende de nosotras, leer, ver la tele, hablar con los amigos por teléfono... Elegimos estar solas o aprovechamos que lo estamos. Sin embargo, hay personas a las que «se les cae la casa encima», sobre todo por la tarde, se aburren, se sienten desasosegadas y querrían salir corriendo. Temen volver y encontrar la casa a oscuras y en silencio. En efecto, el silencio, símbolo y representación de la soledad, resulta necesario en muchas ocasiones, pero pesado o angustioso en otras. Sin embargo, se puede evitar de distintas y hasta placenteras maneras.

La otra cara de la moneda es la mujer que se siente agobiada en su propia casa por los demás, cuando comparte el espacio con quien no se siente a gusto. Tengo una amiga, por ejemplo, que cuando estaba casada se encerraba en el cuarto de baño porque era en el único sitio donde se sentía libre. Y otras personas que prefieren levantarse por la mañana y no hablar con nadie durante un rato. Como decía la actriz Liv Ullman, a veces es menos duro despertarse y sentirse sola cuando estás sola que despertarse y sentirse sola cuando estás con alguien.

Creo que las mujeres que han logrado construir su propio espacio disfrutan realmente, hasta tal punto que les resultaría muy difícil renunciar a él. Y no porque se hayan convertido en maniáticas de su orden, sino porque quieren organizarse libremente y disfrutar de pequeños placeres, como el *cocooning* solitario o la reunión con sus amigos.

Además, la independencia conlleva responsabilidad, porque hay una serie de cargas y tareas que dependen exclusivamente de uno; tareas tradicionalmente realizadas por el «hombre de la casa», como colgar un cuadro, arreglar un enchufe, hablar con el contratista que te va a hacer la reforma... Al principio nos parece que no vamos a ser capaces de asumir estas funciones y, cuando lo logramos, sentimos satisfacción por haber alcanzado un mayor grado de autonomía, un mayor respeto hacia nosotras mismas y cierta sensación de poder. En cualquier caso, a nadie se le escapa que vivimos todavía en un mundo masculino y que nos encontramos con actitudes que manifiestan desconfianza en torno a nuestra capacidad para asumir determinadas tareas, con independencia de nuestra competencia profesional. En ocasiones, de hecho, intentan tomarnos el pelo o, cuando menos, sospechan de si sabemos lo que queremos y cómo conseguirlo. Con alguna frecuencia escuchamos mensajes condescendientes que nos transmiten que, si fuéramos hombres, ya habríamos resuelto el problema.

Muchas mujeres nos confesamos particularmente inhábiles respecto a la tecnología, desde programar el vídeo a manejar el ordenador. Sin duda, la actual tecnología que nos proporciona una mayor calidad de vida resulta complicada para muchas personas, sobre todo para las de mayor edad, pero todo se puede aprender, con mayor o menor esfuerzo, si vencemos dichas resistencias y no nos dejamos llevar por la pereza.

No estamos preparadas para estas tareas porque desde siempre se supone que constituyen tareas del hombre de la casa. Sin embargo, tampoco es del todo cierto, pues muchas casadas se ocupan prácticamente de toda la logística: llevar el coche a arreglar, hacer la declaración de la renta o llamar al fontanero, llevar a los niños al cole, dar las instrucciones a la asistenta, planificar y coordinar con antelación el día a día y acudir al trabajo. En otras palabras, construyen una barrera de protección alrededor de la familia para que la ansiedad no las invada, además de procurar el afecto y la atención que todos necesitan. Se ocupan de los deberes cotidianos y persistentes para que el hombre pueda encargarse de lo más importante: su éxito profesional. A veces están tan agobiadas o atareadas que se olvidan de sí mismas, y cuando se acuerdan pueden llegar a sentirse, entonces, profundamente solas.

Las mujeres sin pareja no disponen, claro está, de una «esposa» y, si tienen hijos a su cuidado, deben ocuparse de todos sus asuntos pero sin compartir responsabilidades. Por contra, si están solas, las cosas pueden ser más llevaderas, ya que resulta más fácil y posible improvisar sobre la marcha. Dado que casi todo depende de ellas, conviene de vez en cuando tomar distancia y ver lo que realmente es esencial. De la misma manera, conviene aprender a ser autosuficiente, al menos poco dependiente, aunque en ocasiones haya que pedir ayuda amistosa o profesional; por ejemplo, en caso de enfermedad. Enfrentarse a la vejez viviendo sola resulta en ocasiones preocupante. Hay casos dramáticos —como por ejemplo el del área metropolitana de Barcelona, en donde el mayor índice de pobreza lo representan las mujeres viudas mayores— que casi siempre la buena economía podría aligerar, pero también existen soluciones alternativas. Hace ya bastantes años, un grupo de amigos y amigas, al intuir que muchos estaríamos sin pareja en el futuro, fantaseábamos y proyectábamos irnos a compartir un espacio donde pudiéramos vivir con cierta independencia y, al mismo tiempo, satisfaciendo nuestras necesidades comunes, como si formáramos una familia amplia y escogida.

## MIEDO A LOS NÚMEROS

Vivir sola o ser cabeza de familia monomarental supone enfrentarnos necesariamente a nuestra propia economía, administrar recursos y establecer prioridades. Hasta hace relativamente poco tiempo el marido era el administrador incluso de la dote y las mujeres se limitaban a firmar los documentos que él les presentaba y a ejercer la potestad doméstica sobre los gastos ordinarios o cotidianos de la familia. Desconocían el funcionamiento de las operaciones bancarias, de los planes de jubilación, el régimen de impuestos... porque se suponía que no estaban capacitadas para los números, que de «cosas tan importantes» no entendían. De hecho, en general tenemos miedo a los números, nada apropiado para nosotras, según nos han hecho creer. Pero la realidad ha venido a demostrar que estas inseguridades no eran fruto de la incapacidad. Así, las viudas, por ejemplo, se ponen al día en cuanto se lo proponen y se les explica, venciendo rápidamente los temores.

Llegar a ser capaces de controlar asuntos aparentemente triviales o cotidianos simboliza un cambio de actitud y de posición, de tal manera que muchas mujeres no olvidan los progresos realizados y la gratificación que les proporciona tal aprendizaje. Por otro lado, resulta magnífico no tener que dar explicaciones de tus gastos y poder tomar tus propias decisiones.

La mayoría de las mujeres divorciadas ven mermado su nivel de vida especialmente al inicio de la separación. Muchas se casaron jóvenes y dedicaron sus esfuerzos a la creación de la familia, su cuidado y el apoyo a la promoción del marido, posponiendo su propia formación y su desarrollo profesional. ¿Cómo pueden, pues, pensar en ahorrar? Resulta complicado cuando el sueldo apenas cubre necesidades, y también cuando se prefiere disfrutar de un buen nivel de vida. Las mujeres solas no necesitan ni ambicionan disponer de grandes cantidades de dinero para ser felices, pero han de asegurar un mínimo de ingresos para llevar una existencia aceptable y de cierta calidad.

## LA ESFERA PÚBLICA

En cuanto a la vivencia del espacio exterior o esfera pública, antes apuntábamos que ya en los años ochenta se inicia este nuevo fenómeno de magnitudes crecientes: las personas que viven solas. Sin embargo, la mayoría de los espacios públicos siguen configurándose para prestar servicios a grupos, parejas o familias. No hay que sorprenderse, por tanto, ante la extrañeza que suscita y percibe una mujer que se desenvuelve sola, tenga o no pareja; algo que, en el caso de los hombres, se acepta con mayor naturalidad, no se presta a malentendidos ni crea situaciones embarazosas. Hace unas décadas algunos grupos de mujeres se impusieron como objetivo incorporarse a esos espacios públicos reservados antes en exclusiva a los hombres, como cuenta Betty Friedan. Hoy la situación ha cambiado sustancialmente al respecto, pero en ocasiones todavía hemos de hacer un esfuerzo para aprender a sentirnos cómodas en público cuando no vamos acompañadas.

Almudena Grandes, en su última novela, *Atlas de geografía humana*, lo describe así:

«Los bares de los hoteles de lujo son mis favoritos.

»Nadie sospecha de una mujer sola que se toma tranquilamente una copa en una mesa discreta del bar de un hotel muy caro (...).

»En el bar de un hotel barato, una mujer sola, no sé por qué, inspira incluso en quienes la contemplan una ambigua punzada de compasión, como si su soledad nunca fuera accidental, ni escogida, ni transitoria, y desvelara a cambio, aun sin proponérselo, la huella de una tragedia reciente. En los hoteles baratos, todas las mujeres solas parecen viudas de un viajante, o huérfanas de un sargento, o amantes clandestinas y abnegadas de un hombre sin corazón (...).»

A veces he sentido cierto desasosiego al entrar sola a un sitio por las conjeturas a las que podía dar lugar, pero ¿por qué no hacerlo si me apetece y no hago daño a nadie? He viajado sola por motivos profesionales, he pasado vacaciones sola perfeccionando mi inglés... La experiencia del viaje en soledad es diferente, aunque no deja de ser interesante y gratificante. Sin duda hay momentos en los que añoras una buena compañía, pero también estableces un diálogo diferente con las ciudades, los paisajes y las personas con las que te vas encontrando. Almacenas vivencias para compartirlas posteriormente o recrearte en ellas.

El año que estuve viviendo en Roma pasaba la mayor parte del tiempo sola o rodeada de personas desconocidas. Aproveché mucho el tiempo, dedicado fundamentalmente a realizar un trabajo de investigación. Conocí a fondo la ciudad y tuve la suerte de contactar en el Centro Virginia Woolf con algunas prestigiosas feministas —Alessandra Bochetti, entre ellas— que ampliaron y enriquecieron mis conocimientos y experiencias. Mi primer viaje a Japón fue igualmente una experiencia interesante, aunque no exenta de dificultades. Recuerdo sobre todo la fascinación que me produjeron los templos de Kyoto y los jardines zen, una estética que me sigue proporcionando serenidad.

A lo largo de estos años me he sentido sola muchas veces. La soledad aumenta y se hace más profunda por la responsabilidad. A pesar de trabajar en equipo, la precaución y la desconfianza están a la orden del día cuando se tiene la última palabra sobre un proyecto. Pero debo reconocer que siempre he tenido la fortuna de contar con aliados duraderos o circunstanciales que han aliviado la dura realidad. Una de las consecuencias de compartir es, precisamente, darse cuenta de la gravedad de los problemas de aquellos que realizan contigo la travesía.

Algunas veces me sentí herida, injustamente tratada; otras fuerte y capaz, más afianzada, incluso halagada; y en todo momento comprobé la inquietud que generaba mi soledad desenvuelta y asumida. Las relaciones son necesariamente diferentes, desde cómo cuadrar una mesa hasta cuestiones de protocolo. Más de una vez, estando en el Gobierno, he recibido una invitación en la que aparecía «... y esposo», y en muchas ocasiones han preguntado a mi secretario, con cierta extrañeza: «¿La ministra va a ir sola?» Incluso se ofrecían acompañantes espontáneos que no podían comprender que fuera al teatro y me sentara sola en un palco. La verdad es que yo me encontraba bien así. Recuerdo que en una ocasión una conocida me preguntó cómo era capaz de subir las escaleras del Palacio Real sola para acudir a una recepción o cena oficial. Creo que la primera vez sentí un cierto nerviosismo; luego me resultó normal; concentraba mi preocupación en la conversación que iba a mantener o en las preocupaciones propias del cargo.

Alguna amiga y gente no tan próxima me decían, a propósito de esta impresión o imagen de soledad que producía, que podía contar con ellos. Después, cuando ya no era ministra: «¿Cómo va usted sola por ahí?, ¿no tiene miedo de que le pase algo?». El interés de la gente te acompaña de alguna manera y hace que la imagen de tu aparente soledad no resulte amarga, que se interprete como una soledad elegida.

Para las mujeres la calle puede ser un camino hacia la independencia, pero sin duda está lleno de obstáculos. La percepción de la amenaza de la violencia, entre otros, afecta o merma la libertad de movimientos, naturalmente. A algunas mujeres el salir solas les intensifica su sentimiento de soledad.

En el espacio de representación de los géneros, todavía el hombre está asociado a la esfera pública y la mujer a la privada. Aunque en Occidente, como hemos visto, las mujeres se han rebelado contra ese confinamiento y han roto ciertas barreras, en Oriente queda muchísimo trecho por recorrer. Las condiciones de pobreza y atraso en las que se vive, entre otras razones como consecuencia de los regímenes fundamentalistas o integristas, que propician especialmente la violencia y la represión contra las mujeres, dificultan el camino de estas víctimas hacia la libertad y hacia la modernización de la sociedad.

Las mujeres solas debemos tener la energía y la voluntad suficientes para zigzaguear entre esferas distintas, y enfrentarnos a los retos psicológicos y sociales para poder sentirnos bien en todos los espacios. La vida sin pareja, es cierto, presenta problemas en ciertos entornos sociales. Entre las mujeres de los compañeros una mujer sola suele levantar suspicacias y producir cierta incomodidad. «¿Quién es esta mujer soltera que pasa tanto tiempo con mi marido?», se preguntan. La mujer sola se convierte en un objeto de especulación y sospecha. Despierta reacciones, desde la compasión por no haber conseguido compañía masculina hasta la convicción de que la busca y por tanto es una presa segura.

Me contaba una amiga que cada vez que sale sola se siente como si le hubieran dado un plantón, o al menos así lo cree mucha gente. Incluso alguna vez, en un avión, me ha ocurrido que he estado ocupadísima terminando de preparar un trabajo o simplemente cansada y con ganas de permanecer en silencio o dormir un poco y ha llegado una persona, sin duda con buenas intenciones, a «procurarme compañía».

En cualquier caso, creo que es más incómodo llevar a alguien por el mero hecho de no acudir sola a un sitio, salvo si es con amigos con los que existe una gran complicidad, y con los que a posteriori vas a disfrutar comentando el asunto.

No obstante, hay mujeres muy seguras de sí mismas que desdeñan los estereotipos y hacen lo que les place. Creo que aunque no se pertenezca a ese grupo es conveniente atreverse y no perder una experiencia que nos apetece por no llevar un acompañante. La ventaja, además, es que aprovechas el tiempo y puedes realizar tus deseos sin tener que consultar o pactar.

La verdad es que se precisa destreza para protegerse y ser capaz de desarrollar cierta inmunidad ante las reacciones ajenas sobre nuestro comportamiento. Y para estar contenta con esa vida singular, una mujer sola debe encontrar una manera de vivir al margen de las expectativas, definiciones y estructuras preestablecidas, independientemente de las presiones sociales, superando sus propios temores y construyendo el paisaje de su existencia.

# La tarea de la soledad

Veíamos al principio del libro que las personas no tenemos la posibilidad de escapar de la soledad esencial, inherente a todo ser humano pensante. Añadiríamos ahora, siguiendo a Thomas Wolfe, que en consecuencia tomar conciencia de ello supone enfrentarnos con un aspecto profundo de la vida humana. Incluso si hemos logrado alcanzar un alto grado de intimidad con otra persona, precisamos también estar solos, tener un espacio personal, establecer nuestra propia individualidad y cierta distancia con los demás, no quizás para escondernos pero sí para refugiarnos, aunque ello dependerá de nuestro grado de tolerancia de la soledad.

Entre la soledad elegida y el aislamiento impuesto hay innumerables maneras de estar solo. En las diferentes culturas, la soledad no se concibe únicamente como la experiencia de estar solo, sino de sentirse separado de los demás, es decir, abarca dos contextos, el físico y el emocional, o, lo que es lo mismo, la circunstancia palpable de estar separado de los demás y la percepción subjetiva de dicha separación. Asumir la soledad como parte de nuestra vida en lugar de huir o aturdirnos para no enfrentarnos con ella significa no dejarnos llevar exclusivamente por las asociaciones negativas, sino pensar qué nos proporciona o nos puede proporcionar, cómo nos puede beneficiar. Diríamos, incluso, que la soledad es necesaria y que sin duda podemos disfrutarla.

Seguramente la mayoría de nosotros sentimos en mayor o menor medida, con más o menos intensidad y conciencia, el miedo a estar solos, el miedo esencial a estar solos. Mientras que el niño rechaza la soledad por el miedo al abandono, porque la asocia al castigo o por su temor a ciertos monstruos externos, a los adultos nos invaden otros miedos, fundamentalmente internos, como la pérdida de control, nuestros propios pensamientos, nuestras voces interiores. El distinto nivel de tolerancia hacia la soledad está directamente relacionado con el hecho de afrontar nuestros miedos y sentirnos cómodos con nuestro mundo interior, y también lo está con nuestra capacidad de entretenimiento, de saber ocupar el tiempo. Por miedo a enfrentarnos con los problemas personales no resueltos, con los fantasmas que nos acechan, con nuestras zonas oscuras, huimos de la ansiedad que nos produce estar solos.

Si una persona no se gusta a sí misma difícilmente puede disfrutar de su propia compañía; más bien al contrario, experimentará inquietud. Es cierto que la soledad nos puede llevar a la desesperación, pero también al éxtasis, según sea —insisto— nuestro mundo interior. De hecho, podemos aburrirnos estando con otras personas; más aún, el aburrimiento es uno de los mayores enemigos de la pareja, que en muchas ocasiones se asocia a la soledad.

Para Voltaire el aburrimiento es «la peor de todas las condiciones»; para Kierkegaard, «la nada que invade la realidad». Pascal lo describía de esta manera: «Buscamos tranquilidad y para eso luchamos contra ciertos obstáculos, pero, una vez que los superamos, la tranquilidad se vuelve intolerable debido al aburrimiento que produce (...). Pensamos en angustias presentes o futuras y, aunque nos sintamos seguros en todo sentido, el aburrimiento no va a dejar de surgir de lo profundo del corazón, donde está naturalmente arraigado, para envenenar nuestra mente.»

En ocasiones el aburrimiento roza la depresión y el desinterés. Como me confesaba un amigo, «estoy aburrido de mi trabajo; aburrido de mi matrimonio, no tenemos nada que decirnos, pero la separación es incómoda; aburrido de mis amistades, siempre hacemos lo mismo; pero fundamentalmente me siento aburrido de mí mismo. No soporto estar solo más de una hora». Pero hay también otros sentimientos más perturbadores relacionados con la soledad. En efecto, si el aburrimiento es la consecuencia negativa más común, o al menos la que con más facilidad se explicita, la melancolía es una de las más dolorosas y puede ser producto de actitudes autodestructivas. Sabido es que hay episodios de melancolía que forman parte de nuestra existencia y estados de melancolía más intensos y crónicos, como la melancolía patológica, en los que surge la autocompasión, la apatía y la depresión. Sin duda son muchos los factores que pueden inducirnos a la melancolía y, consiguientemente, a la inactividad, la sensación de incomprensión, los pensamientos irracionales.

Quizás la mejor fórmula de superación es convertir la melancolía en una forma activa de soledad, encontrándole sentido al sufrimiento para un crecimiento posterior. Éste puede ser un paso hacia la transformación personal, que el psicólogo Clark Moustakas en *Loneliness* describe así: «En la melancolía hay poder, pureza, autoinmersión y una profundidad que no puede compararse con ninguna otra experiencia. Es un sentimiento tan vivido, directo y profundo, tan diferente, que no hay lugar para ninguna otra percepción. La melancolía es una experiencia orgánica que no apunta a nada, no tiene ningún otro objetivo fuera de sí misma. No es desamparo, no es partida ni exilio. La persona esta ahí en toda su integridad.»

No obstante, como dijimos, la soledad también nos puede favorecer. Pasar cierto tiempo a solas no supone un castigo ni un lujo, sino una necesidad, porque cada organismo necesita un espacio personal. Si la distancia respecto a los demás es demasiado grande, nos sentimos aislados, pero en el caso contrario nos podemos sentir atrapados, agobiados. Esto depende de los límites de cada uno, porque de la misma manera que nos comportamos como si siguiéramos un instinto gregario, tendemos a buscar la soledad, a acceder a nuestra propia intimidad, muy especialmente cuando tenemos que cumplir con fuertes exigencias sociales. Necesitamos, pues, un territorio privado, así como tiempo para la introspección, el autodescubrimiento, la concentración, el enriquecimiento personal, la armonía; para poder viajar hasta donde la imaginación nos permita, ordenar la mente y el corazón, reflexionar, establecer el equilibrio óptimo entre el exterior y el interior, y tener más calidad en las relaciones con los demás.

Erich Fromm, entre otros, ha defendido que la capacidad para disfrutar de la soledad es una condición para amar a los demás, ya que nos movemos por el deseo y no por la necesidad. De la misma manera, muchos expertos en salud mental estiman que los individuos más equilibrados son aquellos que procuran y disfrutan de la soledad, y que muchas relaciones dependientes y destructivas se originan por la incapacidad para estar solos o la sensación de no soportarse a sí mismos.

Sin duda, del mismo modo que son necesarias determinadas capacidades, habilidades y esfuerzos para relacionarnos con los demás, también lo son para relacionarse con una misma, tomar conciencia de lo que nos ocurre y proyectarlo, para sentirnos más cómodos, en nuestro mundo interno. Asumir nuestra propia vida con mayor responsabilidad y enriquecer nuestra intimidad es beneficioso para relacionarse con los demás.

La tarea de la soledad supone la comprensión del significado de la soledad y del lugar que ocupa en nuestra vida. A través de ella aprendemos a ser más autosuficientes e independientes, capaces de utilizar mejor el tiempo que estamos solos, para la tranquilidad, el enriquecimiento, la creatividad y la neutralización de las sensaciones de tristeza, aburrimiento y ansiedad. Si aprendemos a soportarnos, a sentirnos cómodas con nosotras mismas, a asumir la libertad y la responsabilidad, a hablarnos de diferentes maneras acerca de lo que experimentamos y sobre nuestra situación, a disfrutar con nuestra propia compañía, firmaremos la paz con nosotras mismas. Encontraremos el ansiado equilibrio y la serenidad.

A lo largo de este libro hemos hablado de sufrimiento, rechazo, culpa, compadecimiento, discriminación, dependencia, desencuentros y desamor, pero también de autonomía, identidad, autoestima, sabiduría, felicidad y, por supuesto, amor. Y todo ello en relación con la soledad de la que hemos querido rescatar sus aspectos constructivos, creativos, liberadores, enriquecedores. Ojalá podamos, a través del aprendizaje que reciban las nuevas generaciones y de las transformaciones sociales necesarias, construir una sociedad más justa, más libre, más igual y más plural sin que nos inunde la desesperanza, el desasosiego y el frío. Porque, en definitiva, la existencia no está amenazada por el aislamiento, sino por ciertas formas de comunicación empobrecedoras y alienantes.

# Bibliografía

ACCATI, L., *El matrimonio de Raffaele Albanese. Novela antropológica,* Col. Feminismos, Cátedra, Madrid, 1995.

ALAS, L. (Clarín), *La Regenta,* Alianza Editorial, Madrid, 1975.

ALBERDI, I., *Parejas y matrimonios,* Ministerio de Asuntos Sociales, Madrid, 1984.

—, «Un amor para toda la vida», en C. Castaño y S. Palacios (Eds.), *Salud, dinero y amor. Cómo viven las mujeres españolas de hoy,* Alianza Editorial, Madrid, 1996.

ALBERONI, F., *La amistad. Aproximación a uno de los más antiguos vínculos humanos,* Gedisa, Barcelona, 1985.

—, *Enamoramiento y amor,* Gedisa, Barcelona, 1986.

—, *El vuelo nupcial,* Gedisa, Barcelona, 1992.

ALCALDE, C., *La mujer en la guerra civil española,* Cambio 16, Madrid, 1994.

ALCOTT, L. M., *Mujercitas,* Plaza y Janés, Barcelona, 1995.

AL-SA'DAWI, N., *Mujer en punto cero,* Horas y Horas, Madrid, 1994.

ALSTON, K., «A unicorn's memory: solitude and the life of teaching and learning», en D. Wear (Ed.), *The center of the web. Women and solitude,* Suny, Nueva York, 1993.

AMORÓS, C., *Hacia una crítica de la razón patriarcal,* Anthropos, Barcelona, 1991.

—, *Diez palabras clave sobre la mujer,* Verbo Divino, Estella, 1995.

—, *Tiempo de feminismo. Sobre feminismo, proyecto ilustrado y postmodernidad,* Col. Feminismos, Cátedra, Madrid, 1997.

AMORÓS, C. y otros, *Historia de la teoría feminista,* Comunidad de Madrid, Dirección General de la Mujer, Instituto de Investigaciones Feministas, Universidad Complutense de Madrid, Madrid, 1994.

AMORÓS, C., VALCÁRCEL, A. y otros (Comp.), *El concepto de igualdad*, Fundación Pablo Iglesias, Madrid, 1994.

ANDERSON, B. y ZINSSER, J., *Historia de las mujeres. Una historia propia*, Vol. 2, Crítica, Barcelona, 1991.

ANDERSON, C., STEWART, S. y DIMIDJIAN, S., *Volando solas. Mujeres sin pareja a los 40*, Paidós, Barcelona, 1997.

ARENDT, H., *La condición humana*, Paidós, Barcelona, 1993.

ARENDT, H. y McCARTHY, M., *Entre amigas. Correspondencia entre 1949-1975*, Lumen, Barcelona, 1998.

ARIÉS, P. y DUBY, G. (Dir.), *Historia de la vida privada. De la Revolución francesa a la Gran Guerra*, t. 4, Taurus, Madrid, 1992.

ARISTÓTELES, *Retórica*, Gredos, Madrid, 1994.

ARMSTRONG, N., *Deseo y ficción doméstica*, Col. Feminismos, Cátedra, Madrid, 1991.

ARNEDO, E. (Dir.), *El gran libro de la mujer*, Temas de Hoy, Madrid, 1997.

ATKINS, E., «Solitude and irony: a private vision and public position», en D. Wear (Ed.), *The center of the web. Women and solitude*, Suny, Nueva York, 1993.

AUDY, J. R., «Man the lonely animal: Biological routes of loneliness», en J. Hartog, J. R. Audy e Y. A. Cohen (Eds.), *The anatomy of loneliness*, International Universities Press, Nueva York, 1981.

AUSTEN, J., *Emma*, Tusquets, Barcelona, 1995.

BACHMANN, I., *Tres senderos hacia el lago*, Alfaguara, Madrid, 1987.

BADINTER, E., *¿Existe el instinto maternal? Historia del amor maternal, s. XVII al XX*, Paidós Ibérica, Barcelona, 1991.

BALLÓ, J. y PÉREZ, J., *La semilla inmortal. Los argumentos universales en el cine*, Anagrama, Barcelona, 1997.

BARNES, D., *El almanaque de las mujeres*, Lumen, Barcelona, 1985.

—, *El bosque de la noche*, Seix Barral, Barcelona, 1988.

BAROJA Y NESSI, C., *Recuerdos de una mujer de la generación del 98*, Tusquets, Barcelona, 1998.

BARRIO, E., *Historia de las transgresoras. La transición de las mujeres*, Col. Antrazyt, Icaria, Barcelona, 1996.

BARTHES, R., *Fragmentos de un discurso amoroso*, Siglo XXI, Madrid, 1997.

BATAILLE, G., *El erotismo*, Tusquets, Barcelona, 1997.

BAUDRILLARD, J., *De la seducción*, Cátedra, Madrid, 1989.

BEAUVOIR, S. DE, *El segundo sexo*, Paidós, Buenos Aires, 1977.

BECKER, C., *El drama invisible. La angustia de las mujeres ante el cambio*, Pax México, México, 1989.

BÉJAR, H., *La cultura del yo*, Alianza Editorial, Madrid, 1993.

—, *El ámbito íntimo. Privacidad, individualismo y modernidad*, Alianza Editorial, Madrid, 1995.

BENEDETTI, M., *El amor, las mujeres y la vida*, Alfaguara, Madrid, 1995.

BENSTOCK, S., *Mujeres de la* rive gauche. *París 1900-1940*, Lumen, Barcelona, 1992.

BERGER, J., *El sentido de la vista*, Alianza Editorial, Madrid, 1990.

BERGMAN, I., *Conversaciones íntimas*, Tusquets, Barcelona, 1998.

BERLAK, A., «Writing autobiographically in solitude about teaching: why to; how to», en D. Wear (Ed.), *The center of the web. Women and solitude*, Suny, Nueva York, 1993.

BERTOMEU, O., «¿Qué es eso del sexo?», en E. Arnedo (Dir.), *El gran libro de la mujer*, Temas de Hoy, Madrid, 1997.

BOCHETTI, A., *Lo que quiere una mujer*, Col. Feminismos, Cátedra, Madrid, 1996.

BORDIEU, P., *El sentido práctico*, Taurus, Madrid, 1991.

BORNAY, E., *Las hijas de Lilith*, Col. Ensayos Arte, Cátedra, Madrid, 1990.

—, *Aproximación a Ramón Casas a través de la figura femenina*, Ausa, Sabadell, 1992.

BRAVO, A., *Femenino singular. La belleza a través de la Historia*, Alianza Editorial, Madrid, 1996.

BRONTË, C., *Jane Eyre*, Planeta, Barcelona, 1996.

BROOKNER, A., *Soledad de fondo*, Ediciones B, Barcelona, 1990.

BUENO ALONSO, J., *Imágenes de mujer*, Universidad de Alicante, Alicante, 1996.

BUSI, A., *Manual de la perfecta Gentildama*, Lumen, Barcelona, 1997.

CAMPILLO, N., *El feminisme com a crítica*, Tàndem, Valencia, 1997.

CAMPS, V., *El siglo de las mujeres*, Col. Feminismos, Cátedra, Madrid, 1998.

CARABIAS, J., *Crónicas de la República. Del optimismo de 1931 a las vísperas de la tragedia de 1936*, Temas de Hoy, Madrid, 1997.

CARRANO, P., *Baciami stupido. Manuale di comportamento amoroso*, Rizzoli, Milán, 1986.

CARROLL, L., *Aventuras de Alicia en el país de las maravillas*, Moby Dick, Barcelona, 1973.

CASTELLS, M., *La era de la información. Economía, sociedad y cultura*, Vols. 1, 2 y 3, Alianza Editorial, Madrid, 1998.

CASTRO, J., *Sor Juana Inés de la Cruz o la pasión del conocimiento*, Instituto Andaluz de la Mujer, Sevilla, 1997.

CIPLIJAUSKAITÉ, B., *La mujer insatisfecha. El adulterio en la novela realista*, Edhasa, Barcelona, 1984.

CLEMENTE, J. E., *Historia de la soledad*, Siglo XXI, Buenos Aires, 1969.

COBO, R., *Fundamentos del patriarcado moderno. Jean Jacques Rousseau*, Col. Feminismos, Cátedra, Madrid, 1995.

COHEN, A., *Bella del Señor*, Anagrama, Barcelona, 1990.

COLETTE, *El nacer del día*, Pre-Textos, Valencia, 1996.

CHADWICK, W., *Mujer, arte y sociedad*, Destino, Barcelona, 1992.

CHADWICK, W. y COURTIURON, I., *Los otros importantes. Creatividad y relaciones íntimas*, Col. Feminismos, Cátedra, Madrid, 1994.

CHODOROW, N., *El ejercicio de la maternidad. Psicoanálisis y sociología de la maternidad y la paternidad en la crianza de los hijos*, Gedisa, Barcelona, 1984.

CHOPIN, K., *El despertar*, Hiperión, Madrid, 1986.

—, *Un asunto indecoroso*, Ediciones del Bronce, Barcelona, 1996.

CHRISTIAN-SMITH, L. K., «A time and place of one's own: women's struggles for solitude», en D. Wear (Ed.), *The center of the web. Women and solitude*, Suny, Nueva York, 1993.

DAVIDSON, S., *Tres mujeres de los años sesenta*, Grijalbo, Barcelona, 1979.

DEEPWELL, K., *La ilustración olvidada. La polémica de los sexos en el siglo XVIII*, Anthropos, Barcelona, 1993.

—, *Nueva crítica feminista de arte. Estrategias críticas*, Col. Feminismos, Cátedra, Madrid, 1998.

DIEGO, E. DE, *La mujer y la pintura del XIX español*, Col. Ensayos Arte, Cátedra, Madrid, 1987.

—, *El andrógino sexuado. Eternos ideales, nuevas estrategias de género*, Col. La Balsa de la Medusa, Visor, Madrid, 1992.

DIJKSTRA, B., *Ídolos de perversidad. La imagen de la mujer en la cultura de fin de siglo*, Círculo de Lectores, Madrid, 1986.

DINESEN, I., *Memorias de África*, Alfaguara, Madrid, 1993.

DOÑA, J., *Desde la noche y la niebla (Mujeres en las cárceles franquistas)*, La Torre, Madrid, 1978.

DOWLING, C., *El complejo de Cenicienta*, Grijalbo, Barcelona, 1981.

DUHET, P.-M., *Las mujeres y la revolución. 1789-1794*, Península, Barcelona, 1974.

DUNCAN, I., *Mi vida*, Debate, Madrid, 1995.

DUNN MASCETTI, M., *Diosas. La canción de Eva*, Robinbook, Barcelona, 1992.

DURÁN, Mª A., *Las familias monoparentales,* Ministerio de Asuntos Sociales, Madrid, 1988.

DURÁN, Mª A. y otros, *De puertas adentro,* Instituto de la Mujer, Madrid, 1988.

EHRHARDT, V., *Las chicas buenas van al cielo y las malas a todas partes... y son cada vez peores,* Grijalbo, Barcelona, 1997.

EICHENBAUM, E. L., y ORBACH, S., *Agridulce. El amor, la envidia y la competencia en la amistad entre mujeres,* Grijalbo, Barcelona, 1988.

—, *¿Qué quieren las mujeres?,* Col. Hablan las Mujeres, Talasa, Madrid, 1995.

EIDMAN-AADAHL, E., «The solitary reader revisited: dialogues on a working-class girlhood», en D. Wear (Ed.), *The center of the web. Women and solitude,* Suny, Nueva York, 1993.

ELIAS, N., *La sociedad de los individuos,* Península, Barcelona, 1990.

ELIOT, T. S., *Posías reunidas 1909-1960,* Alianza Editorial, Madrid, 1963.

EVANS, M., *Introducción al pensamiento feminista contemporáneo,* Minerva, Madrid, 1997.

FAGOAGA, C. y SAAVEDRA, P., *Clara Campoamor. La sufragista española,* Dirección General de Juventud y Promoción Socio-cultural, Subdirección General de la Mujer, Madrid, 1981.

FALCÓN, L. y SIURANA, E., *Catálogo de escritoras feministas actuales en lengua castellana,* Comunidad de Madrid, Dirección General de la Mujer, Madrid, 1992.

FALUDI, S., *Reacción. La guerra no declarada contra la mujer moderna,* Anagrama, Barcelona, 1993.

FARGE, A. y KLAPISCH-ZUBER, C., *Madame ou mademoiselle?,* Montalba, París, 1984.

FEMINARIO DE ALICANTE, *Elementos para una educación no sexista,* Víctor Orenga, Valencia, 1987.

FIELDING, H., *Diario de Bridget Jones,* Col. Femenino Lumen, Lumen, Barcelona, 1998.

FIRESTONE, S., *La dialéctica del sexo,* Kairós, Barcelona, 1976.

FLAUBERT, G., *Madame Bovary,* Plaza y Janés, Barcelona, 1965.

FLAX, J., *Psicoanálisis y feminismo. Pensamientos fragmentarios,* Col. Feminismos, Cátedra, Madrid, 1995.

FOLGUERA, P. y otros, *Otras visiones de España,* Fundación Pablo Iglesias, Madrid, 1993.

FOUCAULT, M., *Vigilar y castigar,* Siglo XXI, Madrid, 1978.

—, *Historia de la sexualidad. El uso de los placeres,* Siglo XXI, Madrid, 1987.

FRAISSE, G., *Musa de la razón,* Col. Feminismos, Cátedra, Madrid, 1991.

FRAISSE, G., PERROT, M. y otros, *Historia de las mujeres. El siglo XIX,* Taurus, Madrid, 1993.

FRANCKE, L., *Mujeres guionistas en Hollywood,* Laertes, Barcelona, 1996.

FRANCO, J., *Las conspiradoras. La representación de la mujer en México,* Col. Tierra Firme, El Colegio de México-Fondo de Cultura Económica, México, 1993.

FREDRIKSSON, M., *Las hijas de Hanna,* Emecé, Barcelona, 1998.

FREUD, S., *Sexualidad y erotismo,* Monte Ávila, Caracas, 1976.

FRIEDAN, B., *Mística de la feminidad,* Júcar, Madrid, 1974.

FRISCHER, D., *La revanche des misogynes,* Albin Michel, París, 1997.

FROMM, E., *El arte de amar,* Paidós, Barcelona, 1998.

FUSTER, J., *Misògins i enamorats,* Bromera, Alcira, 1995.

GARCÍA CALVO, A., *El amor y los sexos,* Lucina, Madrid, 1984.

—, «Gramática de los sexos», en *Problemas de género,* monográfico de *Archipiélago. Cuadernos de crítica de la Cultura,* 30, 1997.

GARCÍA DE CORTÁZAR, M. y GARCÍA DE LEÓN, M. A., «Mujeres en minoría. Una investigación sociológica sobre las catedráticas de universidad en España», *Opiniones y Actitudes,* 16, Centro de Investigaciones Sociológicas, Madrid, 1997.

GARCÍA DE LEÓN, Mª A., *Élites discriminadas (sobre el poder de las mujeres),* Anthropos, Barcelona, 1994.

GARCÍA LORCA, F., *Doña Rosita la soltera o el lenguaje de las flores,* Espasa Calpe, Madrid, 1997.

GARCÍA MORALES, A., *Mujeres solas,* Plaza y Janés, Barcelona, 1996.

GARRIDO, L., «La revolución reproductiva», en C. Castaño y S. Palacios (Eds.), *Salud, dinero y amor. Cómo viven las mujeres españolas de hoy,* Alianza Editorial, Madrid, 1996.

GIDDENS, A., *La transformación de la intimidad. Sexualidad, amor y erotismo en las sociedades modernas,* Cátedra, Madrid, 1998.

GIL CALVO, E., *La mujer cuarteada. Útero, deseo y Safo,* Anagrama, Barcelona, 1991.

—, *La era de las lectoras: El cambio cultural de las mujeres españolas,* Instituto de la Mujer, Ministerio de Asuntos Sociales, Madrid, 1993.

—, *El nuevo sexo débil. Los dilemas del varón posmoderno,* Temas de Hoy, Madrid, 1997.

GIROUD, F. y LÉVY, B.-H., *Hombres y mujeres,* Temas de Hoy, Madrid, 1993.

GONZÁLEZ, A., *El pensamiento filosófico de Lou Andreas-Salomé,* Col. Feminismos, Cátedra, Madrid, 1997.

GORDON, B., «Speaking in tongues: an african-american woman in the world and the academy», en D. Wear (Ed.), *The center of the web. Women and solitude,* Suny, Nueva York, 1993.

GORDON, T., *Single Women. Women in society,* Jo Campling, Londres, 1994.

GRAHAM, K., *Una historia personal. Mujer, periodista, empresaria, editora de* The Washington Post, Alianza Editorial, Madrid, 1998.

GRAY, J., *Los hombres son de Marte. Las mujeres de Venus,* Grijalbo, Barcelona, 1997.

GUIGOU, E., *Être femme en politique,* Plon, París, 1997.

GURMÉNDEZ, C., *Estudios sobre el amor,* Anthropos, Barcelona, 1985.

HAUSHOFER, M., *El muro,* Siruela, Madrid, 1995.

HELLER, A., *Sociología de la vida cotidiana,* Península, Barcelona, 1987.

HENRY, J., «Loneliness and vulnerability», en J. Hartog, J. R. Audy e Y. A. Cohen (Eds.), *The anatomy of loneliness,* International Universities Press, Nueva York, 1981.

HOWARD DAVIS, R., *Women and power in parliamentary democracies,* University of Nebraska Press, Nebraska, 1997.

IBEAS, N. y MILLÁN, M. A., *La conjura del olvido,* Col. Antrazyt, Icaria, Barcelona.

IBN HAZM DE CÓRDOBA, C., *El collar de la paloma,* Alianza Editorial, Madrid, 1989.

IRAZÁBAL MARTÍN, C., *Alice, sí está. Directoras de cine europeas y norteamericanas 1896-1996,* Horas y Horas, Madrid, 1996.

IZQUIETA ETULAIN, J. L., «Protección y ayuda mutua en las redes familiares. Tendencias y retos actuales», *Reis,* 74, 1996, 189-207.

JALVIN, L., *Cómeme,* Planeta, Barcelona, 1998.

JAMES, H., *Las bostonianas,* Seix Barral, Barcelona, 1971.

JASCHOK, M. y MIERS, S., *Mujeres y patriarcado chino. Sumisión, servidumbre y escape,* Bellaterra 2000, Barcelona, 1998.

JAYME, M. y SAU, V., *Psicología diferencial del sexo y el género. Fundamentos,* Col. Antrazyt, Icaria, Barcelona, 1996.

JONES ROYSTER, J., «Time alone, place apart: The role of spiracy in using the power of solitude», en D. Wear (Ed.), *The center of the web. Women and solitude,* Suny, Nueva York, 1993.

JOYCE, J., *Ulises,* Santiago Rueda, Buenos Aires, 1966.

KAFKA, F., *Carta al padre,* Siglo XXI, México, 1976.

KAHLO, F., *Diario. Un íntimo autorretrato,* Debate, Madrid, 1995.

KAPLAN, E. A., *Las mujeres y el cine. A ambos lados de la cámara,* Col. Feminismos, Cátedra, Madrid, 1998.

KEYES, R., «We, the lonely people», en J. Hartog, J. R. Audy e Y. A. Cohen (Eds.), *The anatomy of loneliness,* International Universities Press, Nueva York, 1981.

KIRKPATRICK, S., *Las románticas. Escritoras y subjetividad en España. 1835-1850,* Col. Feminismos, Cátedra, Madrid, 1995.

KLEIN, M., «On the sense of loneliness», en J. Hartog, J. R. Audy e Y. A. Cohen (Eds.), *The anatomy of loneliness,* International Universities Press, Nueva York, 1981.

KLÜVER, B. y MARTIN, J., *El París de Kiki. Artistas y amantes 1900-1930,* Tusquets, Barcelona, 1990.

KOLBENSCHLAG, M., *Adiós, bella durmiente. Crítica de los mitos femeninos,* Kairós, Barcelona, 1994.

KOLLONTAI, A., *La mujer nueva y la moral sexual y otros escritos,* Ayuso, Madrid, 1976.

KUNDERA, M., *La identidad,* Tusquets, Barcelona, 1998.

LAIRD, S., «Women, single life and solitude: A plea to rethink curriculum», en D. Wear (Ed.), *The center of the web. Women and solitude,* Suny, Nueva York, 1993.

LAMOURÈRE, O., *Los que vivimos solos. La soledad ya no es lo que era,* Paidós, Barcelona, 1994.

LANDAU, J., «Loneliness and creativity», en J. Hartog, J. R. Audy e Y. A. Cohen (Eds.), *The anatomy of loneliness,* International Universities Press, Nueva York, 1981.

LANDOLFI, T., *Las solteronas,* Emecé, Barcelona, 1993.

LASSON, F. y SELBORN, C., *Isak Dinesen: una biografía en imágenes,* Altea, Madrid, 1987.

LEBELLEY, F., *Marguerite Duras o el peso de una pluma,* Martínez Roca, Barcelona, 1994.

LECK, G., «One-way mirrors, alchemy and plentitude», en D. Wear (Ed.), *The center of the web. Women and solitude,* Suny, Nueva York, 1993.

LE DOEUFF, M., *El estudio y la rueca. De las mujeres, de la filosofía, etc.,* Col. Feminismos, Cátedra, Madrid, 1993.

LEGUINA, J., *Malvadas y virtuosas. Retratos de mujeres inquietantes,* Temas de Hoy, Madrid, 1997.

LEÓN, M. T., *Memoria de la melancolía*, Anagrama, Barcelona, 1987.

LESSING, D., *El cuaderno dorado*, Edhasa, Barcelona, 1990.

—, *De nuevo, el amor*, Col. Áncora y Delfín, Destino, Barcelona, 1996.

LEWIS, M., «Private spaces: The political economy of women's solitude», en D. Wear (Ed.), *The center of the web. Women and solitude*, Suny, Nueva York, 1993.

LIPOVETSKY, G., *La troisième femme. Permanence et révolution du féminin*, Gallimard, París, 1997.

LLEDÓ, E., *El silencio de la escritura*, Col. Austral, Espasa Calpe, Madrid, 1998.

—, *Imágenes y palabras*, Taurus, Madrid, 1998.

LUHMANN, N., *El amor como pasión*, Ed. 62/Península, Barcelona, 1985.

MAKANIN, V., *Solo y sola*, Alfaguara, Madrid, 1989.

MANCEBO, Mª. F., «Las mujeres valencianas exiliadas. 1939-1975», en M. García (Ed.), *Homenaje a Manuela Ballester*, Institut Valencià de la Dona, Valencia, 1995.

MANGINI, S., *Recuerdos de la resistencia. La voz de las mujeres de la Guerra Civil española*, Península, Barcelona, 1997.

MANSFIELD, K., *Diario. 1910-1922*, Parsifal, Barcelona, 1994.

MARCAL, M. M., *La pasión según Renée Vivien*, Seix Barral, Barcelona, 1995.

MARÍAS, J., *Vidas escritas*, Siruela, Madrid, 1996.

MARINA, J. A., *Ética para náufragos*, Anagrama, Barcelona, 1996.

—, *El laberinto sentimental*, Anagrama, Barcelona, 1996.

MARQUÉS, J. V., *¿Qué hace el poder en tu cama? Apuntes sobre la sexualidad bajo el patriarcado*, Ediciones 2001, Barcelona, 1981.

MARQUÉS, J. V. y OSBORNE, R., *Sexualidad y sexismo*, Universidad Nacional de Educación a Distancia, Fundación Universidad-Empresa, Madrid, 1991.

MARTÍN GAITE, C., *Usos amorosos del XVIII en España*, Siglo XXI, Madrid, 1972.

—, *Usos amorosos de la postguerra española*, Anagrama, Barcelona, 1987.

—, *Entre visillos*, Destino, Barcelona, 1997.

MARTÍN GARZO, G., *El amigo de las mujeres*, Caja España, Oviedo, 1992.

MARTINO, G. DE y BRUZZESE, M., *Las filósofas*, Col. Feminismos, Cátedra, Madrid, 1996.

MAUROIS, A., *Lélia o la vida de George Sand*, Alianza Editorial, Madrid, 1973.

McCULLERS, C., *El corazón es un cazador solitario,* Seix Barral, Barcelona, 1997.

McFALL, L., «Solitude, suffering and personal authority», en D. Wear (Ed.), *The center of the web. Women and solitude,* Suny, Nueva York, 1993.

MEAD, M., «Loneliness, autonomy and interdependence in cultural context», en J. Hartog, J. R. Audy e Y. A. Cohen (Eds.), *The anatomy of loneliness,* International Universities Press, Nueva York, 1981.

MEDINA, J. A. y CEMBRANOS, F., *La soledad,* Santillana, Madrid, 1996.

MENDELSON, J., *Yo fui Amelia Earhart,* Grijalbo Mondadori, Barcelona, 1997.

MERNISSI, F., *Las sultanas olvidadas,* Muchnik Editores, Barcelona, 1997.

—, *Sueños en el umbral. Memorias de una niña del harén,* Muchnik Editores, Barcelona, 1997.

MESSINA, M., *La casa del callejón,* Ediciones de Oriente y del Mediterráneo, Madrid, 1996.

MICHAELSON, E., «Opening the closed door», en D. Wear (Ed.), *The center of the web. Women and solitude,* Suny, Nueva York, 1993.

MIDDLETON, R., *Alexandra David-Néel,* Circe, Barcelona, 1990.

MIJUSKOVIC, B., «Loneliness: An interdisciplinary approach», en J. Hartog, J. R. Audy e Y. A. Cohen (Eds.), *The anatomy of loneliness,* International Universities Press, Nueva York, 1981.

MILLÁS, J. J., *La soledad era esto,* Destino, Barcelona, 1997.

MILLER, J., «Solitary spaces: Women, teaching and curriculum», en D. Wear (Ed.), *The center of the web. Women and solitude.* Suny, Nueva York, 1993.

MILLETT, K., *Política sexual,* Col. Feminismos, Cátedra, Madrid, 1995.

MONTERO, R., *Historias de mujeres,* Alfaguara, Madrid, 1995.

—, *Amantes y enemigos. Cuentos de pareja,* Alfaguara, Madrid, 1998.

MONTSENY, F., *La indomable,* Instituto de la Mujer, Castalia, Madrid, 1991.

MORANT, I., *La felicidad de Madame du Châtelet: vida y estilo del siglo XVIII,* Col. Feminismos, Cátedra, Madrid, 1996.

MORESCHI, G. y ALMAZÁN, B., *Mujeres sin pareja,* Grupo Editorial Latinoamericano, Controversia, Buenos Aires, 1992.

MORRISON, T., *Ojos azules,* Ediciones B, Barcelona, 1994.

MOUSTAKAS, C., *Loneliness,* Prentice Hall, Nueva York, 1961.

MUÑOZ REDON, J., *Filosofía de la felicitat,* Empúries, Barcelona, 1997.

MUÑOZ ZIELINSKI, Mª T., *Colette. Entre la sensualidad y la creatividad*, Universidad de Murcia, Murcia, 1993.

MUSIL, R., *El hombre sin atributos*, Seix Barral, Barcelona, 1969.

NEUMAIER, D., *Reframings. New american feminist photografies*, Temple University Press, Filadelfia, 1995.

NASH, M., *Mujer, familia y trabajo en España (1875-1936)*, Anthropos, Barcelona, 1983.

NIETZSCHE, F., *Así habló Zaratustra*, Alianza Editorial, Madrid, 1981.

NIN, A., *Ser mujer*, Col. Tribuna Feminista, Debate, Madrid, 1979.

NORWOOD, R., *Meditaciones diarias para las mujeres que aman demasiado*, Javier Vergara, Buenos Aires, 1997.

OCAMPO, E., *Cinco lecciones de amor proustiano*, Destino, Barcelona, 1995.

ORTIZ, A. y PIQUERAS, M. J., *La pintura en el cine*, Paidós Ibérica, Barcelona, 1995.

ORTIZ, L., *El sueño de la pasión*, Planeta, Barcelona, 1997.

OSBORNE, R., *La construcción sexual de la realidad*, Col. Feminismos, Cátedra, Madrid, 1993.

OSTROV, E. y OFFER, D., «Loneliness and the adolescent», en J. Hartog, J. R. Audy e Y. A. Cohen (Eds.), *The anatomy of loneliness*, International Universities Press, Nueva York, 1981.

PAGANO, J. A., «Who am I when I'm alone with myself?», en D. Wear (Ed.), *The center of the web. Women and solitude*, Suny, Nueva York, 1993.

PARDO BAZÁN, E., *La mujer española y otros artículos feministas*, Editorial Nacional, Madrid, 1981. (Selección y Prólogo de Leda Schiavo).

PARKER, D., *La soledad de las parejas*, Ediciones B, Barcelona, 1995.

PAVESE, C., *Entre mujeres solas*, Col. Libro Amigo, Bruguera, Barcelona, 1985.

PAVESE, C., FREUD, S., RIMBAUD, A. y otros. *Del amor y los amantes*, Col. Estudios, Monte Ávila, Caracas, 1971.

PAZ, O., *Sor Juana de la Cruz o las trampas de la fe*, Seix Barral, Barcelona, 1982.

PEDRAZA, P., *La bella, enigma y pesadilla. Esfinge, medusa, pantera...*, Almudín, Valencia, 1983.

PERAILE, M., *Sólo la soledad*, Huerga & Fierro, Madrid, 1996.

PÉREZ GALDÓS, B., *Fortunata y Jacinta*, Obras completas V, Novelas II, Aguilar, Madrid, 1950.

PÉREZ ROJAS, J., *La Eva moderna. Ilustración gráfica española 1914-1935*, Fundación Cultural Mapfre Vida, Madrid, 1997

PLATÓN, *Diálogos*, Austral, Madrid, 1988.

POMEROY, S., *Diosas, rameras, esposas y esclavas. Mujeres en la antigüedad clásica*, Akal, Madrid, 1987.

PONIATOWSKA, E., *Tinísima*, Era, México, 1992.

PRECIADO, N., *El sentir de las mujeres*, Temas de Hoy, Madrid, 1996.

—, *Amigos íntimos*, Temas de Hoy, Madrid, 1998.

PROST, A. y VINCENT, G., *Historia de la vida privada. La vida privada en el siglo XX*, Taurus, Madrid, 1992.

PROUST, M., *En busca del tiempo perdido*, Alianza Editorial, Madrid, 1995.

PULEO, A. H., *Dialéctica de la sexualidad. Género y sexo en la filosofía contemporánea*, Col. Feminismos, Cátedra, Madrid, 1992.

—, *Conceptualizaciones de la sexualidad e identidad femenina: voces de mujeres en la comunidad autónoma de Madrid*, Dirección General de la Mujer, Instituto de Investigaciones Feministas, Universidad Complutense de Madrid, Madrid, 1994.

PULKKINEN, T., «Borders of solitude», en D. Wear (Ed.), *The center of the web. Women and solitude*, Suny, Nueva York, 1993.

PUTNICKI, P., *Celibaty is better than really bad sex and other classic rules for single women*, CorkScrew Press, Los Ángeles, 1994.

RAME, F., FO, I. y FO, D., *Tengamos el sexo en paz*, Hiru, Guipúzcoa, 1997.

REILLY, L., *Women living single*, Faber & Faber, Londres, 1996.

RENAU, Mª D. y otros, *Integrismos, violencia y mujer*, Fundación Pablo Iglesias, Madrid, 1996.

REQUENA, M., *Nuevos amores, nuevas familias*, Tusquets, Barcelona, 1992.

REYERO, C., *Apariencia e identidad masculina. De la Ilustración al Decadentismo*, Cátedra, Madrid, 1996.

RIEFENSTAHL, L., *Memorias*, Lumen, Barcelona, 1992.

ROBLES, M., *Mujeres, mitos y diosas*, Consejo Nacional para la Cultura y las Artes y Fondo de Cultura Económica, México, 1996.

RODRIGO, A., *Mujeres para la historia. La España silenciada del siglo XX*, Compañía literaria, Madrid, 1996.

ROJAS MARCOS, L., *La pareja rota*, Espasa Calpe, Madrid, 1994.

ROMEU ALFARO, F., *El silencio roto. Mujeres contra el franquismo*, F. Romeu, Madrid, 1994.

ROS I PLANA, M., *Del monólogo al diálogo (hombres y mujeres)*, Ediciones del Bronce, Barcelona, 1996.

ROSSANDA, R., *Le altre*, Valentino Bompiani, Milán, 1979.

ROUGEMONT, D. DE, *El amor y Occidente*, Kairós, Barcelona, 1997.

ROUSSEAU, J. J., *Discurso y origen de la desigualdad entre los hombres,* Aguilar, Madrid, 1973.

ROYAL, S., *La vérité d'une femme,* Stock, París, 1996.

RUBIN, H., *Maquiavelo para mujeres. Las mujeres que triunfan no respetan las normas, se burlan de ellas,* Planeta, Barcelona, 1997.

RUSHING, B., «When we're together, I feel so alone: solitude in the midst of a crowd», en D. Wear (Ed.), *The center of the web. Women and solitude,* Suny, Nueva York, 1993.

SADLER, W. A. Jr. y JOHNSON, T. B. Jr., «From loneliness to anemia», en J. Hartog, J. R. Audy e Y. A. Cohen (Eds.), *The anatomy of loneliness,* International Universities Press, Nueva York, 1981.

SÁEZ BUENAVENTURA, C., «Afrontar los retos», en E. Arnedo (Dir.), *El gran libro de la mujer,* Temas de Hoy, Madrid, 1997.

SAND, G., *Historia de mi vida,* Parsifal, Barcelona, 1990.

—, *Lélia,* Garnier Frères, París, 1960. (Edición de Pierre Reboul).

SAPON-SHEVIN, M., «Reclaiming the safety of solitude: Being with, not hiding from», en D. Wear (Ed.), *The center of the web. Women and solitude,* Suny, Nueva York, 1993.

SAU, V., *El vacío de la maternidad. Madre no hay más que ninguna,* Col. Antrazyt, Icaria, Barcelona, 1995.

SAVATER, F., *El jardín de las dudas,* Planeta, Barcelona, 1993.

—, *Diccionario filosófico,* Planeta, Barcelona, 1995.

SAVIGNEAU, J., *Marguerite Yourcenar. La invención de una vida.* Alfaguara, Madrid, 1991.

SERRANO, M., *El albergue de las mujeres tristes,* Alfaguara, Madrid, 1998.

SHELLEY, M. W., *Frankenstein o el moderno Prometeo,* Cátedra, Madrid, 1996.

STAËL, M. DE, *Corinne ou l'Italie,* Des Femmes, Francia, 1979.

STELOFF, F., *En compañía de genios. Memorias de una librera de Nueva York,* Ediciones de la Rosa Cúbica, Barcelona, 1996.

STEINEM, G., *Revolución desde dentro,* Anagrama, Barcelona, 1995.

STENDHAL, *Rojo y negro,* Vergara, Barcelona, 1963.

—, *Del amor,* Alianza Editorial, Madrid, 1973.

SUBIRATS, M., *Con diferencia. Las mujeres frente al reto de la autonomía,* Col. Antrazyt, Icaria, Barcelona, 1998.

SUBIRATS, M. y BRULLET, C., *Rosa y azul,* Instituto de la Mujer, Madrid, 1988.

TABOADA, L., *La maternidad tecnológica: de la inseminación artificial a la fertilización in vitro,* Icaria, Barcelona, 1986.

TALENS, M., *Hijas de Eva,* Tusquets, Barcelona, 1997.

THÉBAUD, M. y otros, *Historia de las mujeres. El siglo XX*, Taurus, Madrid, 1993.

TILLICH, P., «Loneliness and solitude», en J. Hartog, J. R. Audy e Y. A. Cohen (Eds.), *The anatomy of loneliness*, International Universities Press, Nueva York, 1981.

TOCQUEVILLE, A., *La democracia en América*, T. I, Alianza Editorial, Madrid, 1980.

TODOROV, T., *La vida en común. Ensayo de antropología general*, Taurus, Madrid, 1995.

—, *El hombre desplazado*, Taurus, Madrid, 1998.

TONI, S., *Vademecum del single boy*, Rizzoli, Milán, 1986.

TRÍAS, E., *Tratado de la pasión*, Taurus, Madrid, 1979.

TRISTÁN, F., *Peregrinaciones de una paria*, Istmo, Madrid, 1986.

TUBERT, S., *Figuras del padre*, Col. Feminismos, Cátedra, Madrid, 1997.

UTRERA, F., *Memorias de Colombine, la primera periodista*, HMR, Madrid, 1998.

VALCÁRCEL, A., *Sexo y filosofía. Sobre mujer y poder*, Anthrropos, Barcelona, 1991.

—, *La política de las mujeres*, Col. Feminismos, Cátedra, Madrid, 1997.

VALCÁRCEL, A. y otros, *Mujeres al norte*, Instituto de la Mujer, Ministerio de Asuntos Sociales, Servicio de Publicaciones del Principado de Asturias, 1995.

VANDERBEKE, B., *Mejillones para cenar*, Emecé, Barcelona, 1996.

VARELA, J., *Nacimiento de la mujer burguesa*, Col. Genealogía del Poder, La Piqueta, Madrid, 1997.

VARELA, J. y ÁLVAREZ-URÍA, F., «Sociología del género. Algunos modelos de análisis», en *Problemas de género*, monográfico de *Archipiélago. Cuadernos de Crítica de la Cultura*, 30, 1997.

VEITH, I., «Hermits and recluses: Healing aspects of voluntary withdrawal from society», en J. Hartog, J. R. Audy e Y. A. Cohen (Eds.), *The anatomy of loneliness*, International Universities Press, Nueva York, 1981.

VON ARNIM, E., *Elizabeth y su jardín alemán*, Mondadori, Barcelona, 1997.

VON DER HEYDEN-RYNSCH, V., *Los salones europeos*, Península, Barcelona, 1998.

WALKOWITZ, J. R., *La ciudad de las pasiones terribles. Narraciones sobre peligro sexual en el Londres victoriano*, Col. Feminismos, Cátedra, Madrid, 1995.

WEAR, D., «A reconnection to self: Women and solitude», en D. Wear (Ed.), *The center of the web. Women and solitude,* Suny, Nueva York, 1993.

WEIL, S., *La gravedad y la gracia,* Trotta, Madrid, 1994.

—, *Echar raíces,* Trotta, Madrid, 1996.

WHARTON, E., *Una mirada atrás. Autobiografía,* Ediciones B, Barcelona, 1994.

WOLF, N., *El mito de la belleza,* Emecé, Barcelona, 1992.

—, *Promiscuidades. La lucha por ser mujer,* Planeta, Barcelona, 1998.

WOLFE, L., *Women who may never marry. The reasons, realities and opportunities,* Longstreet Press, Atlanta, 1993.

WOLLSTONECRAFT, M., *Vindicación de los derechos de la mujer,* Cátedra, Madrid, 1994.

WOOLF, V., *Diario de una escritora,* Lumen, Barcelona, 1981.

—, *Una habitación propia,* Seix Barral, Barcelona, 1995.

ZAMBRANO, M., *Persona y democracia,* Anthropos, Barcelona, 1988.

ZAVALA, I. M. (Coord.), *Breve historia feminista de la literatura española. La literatura escrita por mujer (del siglo XIX a la actualidad),* Anthropos, Barcelona, 1998.

ZELDIN, T., *Historia íntima de la humanidad,* Alianza Editorial, Madrid, 1996.


AA.VV., *Mujer y sociedad en España (1700-1975),* Ministerio de Cultura, Instituto de la Mujer, Madrid, 1986.

AA.VV., *Violencia y sociedad patriarcal,* Fundación Pablo Iglesias, Madrid, 1990.

AA.VV., *La red invisible. Puntos vinculados al género en las relaciones familiares,* Col. Terapia Familiar, Paidós, 1991.

AA.VV., *No creas tener derechos,* Horas y Horas, Madrid, 1991.

AA.VV., *Filosofía y género. Identidades femeninas,* Pamiela Argitaletxea, Pamplona, 1992.

AA.VV., *Las españolas en el umbral del siglo XXI,* Informe presentado por España a la IV Conferencia Mundial sobre las Mujeres, Ministerio de Asuntos Sociales, Instituto de la Mujer, Madrid, 1994.

AA.VV., *La imagen de la mujer en el arte español,* Seminario de Estudios de la Mujer, Universidad Autónoma de Madrid, Madrid, 1994.

AA.VV., *Mujeres y poder,* Instituto Universitario de Estudios de la Mujer, Universidad Autónoma de Madrid, Madrid, 1994.

AA.VV., *Relaciones padres/hijos,* Ministerio de Asuntos Sociales, Madrid, 1994.

AA.VV., *Les femmes dans la prise de décision en France et en Europe*, L'Harmattan, París, 1997.

AA.VV., «Fragmentos del discurso sobre la autoridad femenina», en *Problemas de género*, monográfico de *Archipiélago. Cuadernos de Crítica de la Cultura*, 30, 1997.

AA.VV., *Hijas del frío. Relatos de escritoras nórdicas*, Biblioteca Nórdica, Ediciones de la Torre, Madrid, 1997.

AA.VV., *Historia de las mujeres en España*, Síntesis, Madrid, 1997.

AA.VV., *Las mujeres en cifras*, Ministerio de Trabajo y Asuntos Sociales, Instituto de la Mujer, Madrid, 1997.

AA.VV., *La familia*, Península, Barcelona, 1998.

AA.VV., *Feminismo, derecha e izquierda*, monográfico de la *Revista de Hechos e Ideas Leviatán*, 71, primavera de 1998.

AA.VV., *El enigma de lo femenino. Eva, Orlando, Madame Bovary, Nora, la Princesa de Clèves, Emma Zunz*, Grupo Cero, Buenos Aires, 1998.

# Índice onomástico